GUIDE MÉDICAL

DE VOTRE

ENFANT

Dr Helmut Keudel

GUIDE MÉDICAL DE VOTRE ENFANT

•MARABOUT•

Comment utiliser ce livre ?

Que faire en cas de maladie
Page 10

Ce chapitre vous dira comment aider votre enfant malade, comment le soigner et l'encourager mais aussi comment collaborer au mieux avec le médecin et, éventuellement, préparer votre enfant à une hospitalisation.

Les premiers symptômes
Page 26

Ce chapitre vous aidera à identifier les symptômes que présente votre enfant et à dépister ce dont il souffre. Vous y trouverez les symptômes typiques sous forme de tableau synoptique. Ils vous permettront d'exclure certaines maladies et sont accompagnés de recommandations claires en ce qui concerne le degré d'urgence médicale.

Le bébé malade
Page 40

Ce chapitre est consacré aux maladies des premiers mois - il s'agit donc d'un guide pratique pour les nourrissons.

L'enfant malade
Page 58

Ce chapitre reprend les maladies les plus fréquentes de l'enfance. Elles y sont classées par système (respiratoire, digestif, etc.) et organisées selon la structure : symptômes, évolution, quand consulter le médecin et comment aider l'enfant.

Médecines douces et remèdes de grand-mère
Page 192

Les recettes de base et les applications des remèdes "maison" qui ne sont pas repris en tant que tels dans les chapitres du livre consacrés aux maladies à proprement parler.

Mieux vaut prévenir…
Page 212

La meilleure protection contre les maladies est la prévention : examens obligatoires et vaccination, alimentation et nutrition, exercices et endurcissement. Sans oublier, bien sûr, une bonne dose d'amour.

Premiers secours
Page 230

Les premiers secours qui peuvent sauver la vie et qu'il est conseillé de lire et de relire régulièrement pour être prêt en cas de nécessité. Un enfant peut avoir un accident à n'importe quel moment.

AVERTISSEMENT

Ce grand guide des maladies infantiles fait le tour des affections et des bobos les plus courants chez les enfants. Il détaille leurs traitements, aussi bien traditionnels que naturels. Si vous voulez soigner vous-même les petites maladies de votre enfant ou compléter le traitement prescrit par le médecin par des mesures naturelles, vous devez respecter scrupuleusement les conseils de soin et leur mode d'application.

Si vous avez des doutes ou si des symptômes ou effets non décrits dans ce livre apparaissent, demandez impérativement conseil à votre médecin !

N'oubliez pas que les remèdes naturels ne peuvent jamais vraiment remplacer un traitement traditionnel. C'est donc à vous qu'il appartient de décider, de manière responsable, si et dans quelle mesure vous voulez appliquer les remèdes naturels, les mesures de prévention et les soins proposés dans ce livre.

Agissez toujours avec prudence et responsabilité. Respectez les conseils de cet ouvrage.

Sommaire

Préface 8

**Que faire en cas
de maladie 10**

L'enfant en bonne santé et
l'enfant malade 12

Possibilités et limites de
l'autotraitement 14

Chez le pédiatre 16

Comment soigner votre enfant
à la maison ? 18

L'enfant à l'hôpital 22

Bon voyage ! 24

Les premiers symptômes 26

Quand ça ne va pas 28
Prendre sa température 28
Contrôler le pouls 30

Symptômes 31
Fièvre 31
Douleurs abdominales 32
Diarrhée 34
Vomissements 35
Eruptions cutanées 36
Toux 37
Maux de tête 38
Ganglions gonflés 39

Le bébé malade 40

Qu'arrive-t-il à bébé ? 42
Coliques du nourrisson 42
Diarrhée 44
Vomissements 45
Rhume 46
Infection des yeux 47
Croûtes de lait 48
Candidose du siège 49
Dermatite du siège 50
Problèmes de l'ombilic 51
Problèmes de peau 52
Problèmes aux testicules 53
Jaunisse du nouveau-né 54
Poussée dentaire 55
Luxation de la hanche 56

L'enfant malade 58

Voies respiratoires 60
Rhume 62
Rhino-pharyngite 63
Pharyngite 64
Laryngite 65
Laryngite striduleuse 66
Bronchite, bronchiolite 67
Bronchite chronique 68
Pneumonie 69
Angine 70
Sinusite 71
Hypertrophie des végétations
adénoïdes 73

Yeux 74
Conjonctivite 75
Orgelet 76
Inflammation des paupières, 77
Strabisme 78
Troubles de la vision 79

Sommaire

Oreilles 80
Otite moyenne 81
Otite séreuse 82
Problèmes d'audition 83

Dents 84
Caries 85

Appareil digestif 86
Appendicite 87
Invagination intestinale 88
Coliques opiniâtres 88
Constipation 89
Gastrite, ulcère gastrique,
ulcère duodénal 90
Gastro-entérite 92
Hernie inguinale 94
Invagination intestinale 95
Occlusion intestinale 96
Parasites intestinaux 97

Cœur, sang et circulation 98
Anémie 99
Malformation cardiaque 100
Troubles du rythme
cardiaque 101

Reins, voies urinaires,
organes sexuels 102
Infection des voies urinaires 103
Infection rénale 105
Ectopie testiculaire 106
Phimosis 107
Balano-prépucite 108
Vaginite 109

Peau 110
Abcès, furoncle 111
Acné 112
Coup de soleil 113
Gale 114
Herpès 115

Impétigo 116
Intertrigo 117
Mycoses 118
Piqûre de puce 120
Poux 121
Psoriasis 122
Tiques 123
Verrues 124

Métabolisme et glandes 125
Diabète sucré 126
Maladie de la thyroïde 127

Os, muscles et articulations 128
Arthrite rhumatoïde 129
Déformations du squelette 130
Douleurs de croissance 132
Ostéomyélite 133
Pronation douloureuse 134
Rhume de la hanche 135

Cerveau et système nerveux 136
Bégaiement 137
Convulsions 138
Dysfonctionnement cérébral

mineur 139
Epilepsie 140
Méningite 141
Migraine 142
Tumeur cérébrale 143

Allergie 144
Allergie médicamenteuse 146
Asthme bronchique 147
Eczéma atopique 149
Rhinite allergique,
rhume des foins 152
Rhumatisme articulaire 154
Urticaire 155

Maladies infantiles et autres
maladies infectieuses 156
Coqueluche 158
Diphtérie 160
Erythème infectieux
ou 5e maladie 161
Oreillons 162
Poliomyélite 163
Roséole infantile 164
Rougeole 165
Rubéole 167
Scarlatine 168
Varicelle 170
Borréliose 172
Encéphalite russe
verno-estivale 173
Grippe 174
Hépatite 175
Mononucléose infectieuse 176
Syndrome pied-main-
bouche 177
Syndrome de Kawasaki 178
Zona 179

Troubles psychologiques 180
Agressivité 180
Enurésie 181

Sommaire

Encoprésie 181
Troubles de l'alimentation 182
Syndrome d'hyperactivité 183
Troubles du sommeil 183
Toxicomanie 185

Maladies graves 186
Autisme 186
Cœliakie 186
Leucémie 187
Maladie de Crohn 187
Maladie de Hodgkin 188
Mort subite du nourrisson 188
Mucoviscidose 189
SIDA 189
Syndrome de Reye 190
Trisomie 21 190
Tuberculose 191

**Médecines douces et
remèdes de grand-mère 192**

Petit guide pratique des
remèdes "maison" 194
A grande eau 195
Bien enveloppé de la tête
aux pieds 198
Les plantes médicinales
qui guérissent les bobos 202
Autres remèdes naturels
éprouvés 206
Donner des médicaments 207
La pharmacie familiale 208
Bien faire un bandage 209

La médecine douce
des petits 210
Homéopathie 210
Acupuncture 211
Anthroposophie 211
Fleurs de Bach 211

Mieux vaut prévenir... 212

Les enfants ont besoin
d'amour 214

Bébé et le médecin 215

Le carnet de santé 216

Développement physique 219

Vaccination 220

Alimentation et nutrition 225

Les bases d'une vie saine 228

Premiers secours 230

Bien réagir dans les situations
d'urgence 232

Premiers secours et
premiers soins 234
Perte de conscience 234
Arrêt respiratoire 235
Arrêt cardiaque 236
Etat de choc 237
Hémorragies 238
Noyade 239
Brûlures 240
Corps étrangers 242
Electrocution 243
Fracture 244
Hypothermie, gelure 245
Insolation, coup de soleil 246
Intoxication, brûlure
par acide 247
Lésions profondes 249
Piqûre d'insecte 250
Traumatisme crânien 251

**Informations
complémentaires 252**
Glossaire 254
Index 267
Adresses 276

Préface

Je constate de plus en plus souvent que, face aux problèmes de santé de leurs enfants, de plus en plus de parents sont déroutés. A quoi reconnaît-on qu'un enfant est malade, s'agit-il de quelque chose de grave ? Comment l'aider et soulager ses douleurs ? Au bon vieux temps, les soins à donner aux enfants en bonne santé et aux enfants malades se transmettaient de génération en génération. Aujourd'hui, cette tradition s'est perdue et les progrès permanents et fulgurants dans la connaissance des maladies et de leurs traitements les ont, il faut bien l'avouer, parfois rendus obsolètes.

Nous avons écrit ce livre pour éviter que des parents ne se retrouvent - le plus souvent au milieu de la nuit - complètement désemparés au chevet de leur enfant malade.

Toute personne qui s'occupe d'un enfant a besoin d'informations complètes qui lui permettent d'évaluer correctement la gravité d'une maladie ou d'un incident et de déterminer s'il faut d'urgence appeler le médecin ou si l'enfant peut être traité avec les bons vieux remèdes d'autrefois pendant quelques jours.

Cet ouvrage ne propose pas à ses lecteurs des règles de comportement, ni des directives ; il leur fournit les informations dont ils ont besoin et les aide à aiguiser leur esprit d'observation et leur faculté de discernement quant aux liens entre les symptômes et les maladies, les remèdes et leurs effets. Ce guide pratique leur signale aussi clairement le degré d'urgence médicale des différents problèmes qu'ils peuvent rencontrer.

J'y ai repris les maladies les plus importantes et les plus fréquentes chez les enfants mais je n'ai bien sûr pas pu les reprendre toutes, ce dont je prie les lecteurs qui ne trouveront pas ce qu'ils cherchent de m'excuser.

Les traitements proposés sont basés sur les résultats actuels de la recherche médicale. Ces traitements sont élargis aux remèdes "maison" qui ont fait leurs preuves et englobent également les recommandations thérapeutiques préconisées par la médecine homéopathique et les autres médecines naturelles - dites douces.

Cet ouvrage sera surtout utile dans le cas des "petites" maladies - comme, par exemple, le rhume. En dépit des progrès de la médecine moderne, dans le traitement des maladies banales de l'enfant, les remèdes "maison" sont souvent suffisants et plus efficaces qu'une artillerie médicamenteuse lourde.

Bien sûr, faire un enveloppement des mollets ou préparer un sirop à base de thym pour la toux est plus compliqué et demande plus de temps que de donner une aspirine ou de mettre un suppositoire mais,

Préface

d'un autre côté, ces remèdes ne comportent quasi aucun risque d'effet indésirable.

Et quel est l'enfant qui n'apprécie pas que sa mère ou son père soit aux petits soins pour lui, lui applique une compresse sur le ventre ou lui administre à la petite cuillère une tisane qui sent bon ? Ces soins prodigués à l'enfant, assortis d'un surcroît d'attention et de signes d'affection redoublés, font des merveilles pour sa guérison.

Les conseils donnés dans ce livre ne remplacent évidemment pas un traitement médical ; leur seule vocation est de le compléter et de le renforcer.

Pour intervenir efficacement face à la maladie de votre enfant, il vous faut bien sûr disposer de suffisamment d'informations pour vous permettre de bien juger de la situation et de la possibilité d'y faire face par vous-même. Cet ouvrage ne peut en aucun cas encourager une automédication à outrance sans avis médical. Si l'état de votre enfant ne s'améliore pas rapidement après administration d'un remède "maison" ou d'un autre traitement, appelez toujours un médecin en qui vous et votre enfant avez toute confiance. Il vaut toujours mieux faire appel une fois de trop qu'une fois trop peu.

Cette confiance doit naturellement être réciproque et le médecin doit pouvoir être sûr que vous respecterez ses recommandations et que vous suivrez ses conseils.

Helmut Kenckel

Que faire en cas de maladie

Que votre enfant soit atteint d'un simple rhume ou qu'il se plaigne de douleurs, il a besoin de toute votre tendresse et de soins plus attentionnés qu'à l'ordinaire.

Dans ce chapitre, nous allons voir comment vous pouvez aider votre enfant malade, ce que vous pouvez lui donner à manger et à boire, comment vous pouvez le soigner et le garder de bonne humeur mais, aussi, comment collaborer avec le pédiatre et comment préparer, éventuellement, l'enfant à une hospitalisation.

Ce chapitre contient également des recommandations utiles pour passer des vacances sans problème et ne pas faire d'un voyage de rêve un véritable cauchemar.

L'enfant en bonne santé
et l'enfant malade

Si important soit-il de traiter et de guérir les maladies, plus encore faut-il les prévenir et créer autour de votre enfant un environnement sain dans lequel il puisse se développer au mieux physiquement, moralement et socialement. Pour cela, les enfants ont surtout besoin d'amour mais aussi d'une éducation attentive, d'une alimentation saine, de suffisamment de sommeil, de beaucoup d'exercices en plein air et d'endurcissement physique, ceci parce que la santé, c'est un bien-être à la fois physique, mental et social et pas uniquement l'absence de maladie - du moins si l'on s'en réfère à la définition de l'Organisation Mondiale de la Santé (OMS).

Aucun enfant n'y échappe
Pendant la grossesse et l'allaitement, le bébé bénéficie des défenses de sa mère, c'est-à-dire des anticorps qu'elle a développés contre diverses maladies avec lesquelles elle a été en contact. Cette immunité passe d'abord par le placenta et ensuite par le lait maternel. Le bébé est donc protégé.

Statistiquement, durant les six premières années de sa vie, un enfant rencontre des centaines de virus du rhume et il n'est dès lors guère étonnant qu'il ait en permanence le nez qui coule et la gorge qui pique.

Cette "protection par personne interposée" ne dure néanmoins que quelques mois. Le bébé doit ensuite édifier son propre système de défense et fabriquer ses propres anticorps. Vers six mois, il se met à explorer et à "appréhender" le monde qui l'entoure et rencontre inévitablement des microbes tels que des virus ou des bactéries. Comme son système immunitaire n'est pas encore suffisamment entraîné, il a des ratés qui correspondent, chacun, à un épisode de maladie. Il est donc évident que le nourrisson et le petit enfant seront plus souvent malades que les enfants plus grands ou les adultes. Le contact avec les microbes provoque la formation d'anticorps qui le protégeront d'une nouvelle infection par le même microbe et ceci soit pour le reste de sa vie - c'est le cas des anticorps contre la rougeole ou les oreillons - soit au moins pendant un certain temps - c'est le cas du rhume ou de la diarrhée. La maladie fait donc partie intégrante du développement de l'enfant et constitue un passage obligé vers l'acquisition de la santé.

Durant les six premières années

L'enfant en bonne santé et l'enfant malade

**Enfant malade -
parent qui travaille**
Les parents qui travaillent, qu'il s'agisse du père ou de la mère, n'ont droit qu'à un nombre limité de jours de congé et doivent donc parfois compter sur une aide extérieure pour s'organiser.

de sa vie, un enfant rencontre de 200 à 300 virus susceptibles de provoquer des infections des voies respiratoires supérieures, des rhumes, une toux ou des angines.

Entre 3 et 6 ans, un enfant fait en moyenne 12 infections virales par an. De 6 à 12 ans, cette moyenne est de 6 à 8 et après 12 ans de 5. La haute saison des rhumes en tous genres va de l'automne au printemps.

Les virus sévissent partout - rien ne sert, de peur d'une contamination, de retirer un enfant de la crèche. Les seuls moyens de protection contre l'infection sont l'allaitement (page 225), l'endurcissement (pages 196, 228) et la vaccination (page 220).

Comment se sent un enfant malade ?

Un adulte qui a un rhume sait que ce sera provisoire. Il dispose souvent, en outre, d'un véritable arsenal thérapeutique. L'enfant, lui, ressent la maladie comme une menace et une agression et ceci d'autant plus fort qu'il est petit. Il subit la maladie, impuissant, et ne peut pas comprendre pourquoi, tout à coup, il a mal et on lui fait avaler des médicaments au goût parfois amer ou on l'enveloppe de linges humides et froids. Quant aux visites chez le médecin, et certainement à l'hôpital, elles sont encore plus inquiétantes pour l'enfant.

Quand ils sont malades, beaucoup d'enfants régressent : ils réclament un biberon alors qu'ils n'en prenaient plus ; ils ne sont plus propres alors qu'ils l'étaient. Ces régressions ne doivent pas être prises trop au sérieux et, en principe, tout redevient très vite comme avant dès que l'enfant a récupéré.

L'amour est le meilleur des médicaments

Plus que d'habitude encore, un enfant malade a besoin d'amour, de tendresse et d'attention qui l'aident à gérer sa maladie. En même temps, il a aussi besoin d'une aide et de soins efficaces pour recouvrer la santé. Un des principes les plus importants dans les soins aux enfants malades est donc : compassion oui, pitié non. Souffrir à la place de votre enfant ne l'aidera pas et, au contraire, pourrait vous empêcher de garder votre sang-froid et d'agir efficacement comme il le faut. Ne soyez pas trop anxieux. En croyant à sa guérison, vous lui transmettrez un état d'esprit positif.

Si votre enfant est malade, n'hésitez pas à le gâter plus qu'à l'accoutumée - dans certaines limites bien sûr. Certains enfants ont l'habitude, quand ils sont malades, de devenir le centre du monde et de pouvoir tout faire, ce qui peut leur ôter toute envie de guérir.

Possibilités et limites de l'autotraitement

Un papa et une maman sentent immédiatement quand leur enfant couve une maladie et savent en reconnaître les signes annonciateurs : un bébé pleure plus que d'habitude, boit moins bien ; un enfant plus grand est grincheux, n'a pas envie de jouer ou va se coucher à des heures inhabituelles.

A partir de 3 ans environ, un enfant peut dire qu'il ne se sent pas bien mais il n'est pas encore capable de bien localiser la douleur. Le plus souvent, il dira qu'il a mal au ventre même s'il a mal aux genoux et dira avoir mal à la gorge alors qu'il a mal aux oreilles. La fièvre et les vomissements sont des symptômes qu'on retrouve dans un très large éventail de maladies. Identifier ce qui ne va pas est parfois très difficile et, à la moindre incertitude, les parents ne doivent jamais hésiter à consulter le médecin.

Si votre enfant est malade, c'est à vous qu'il revient d'apprécier la situation. Observez-le attentivement - et en cas de doute, demandez toujours conseil à votre pédiatre. Retenez bien cette maxime : il vaut mieux aller chez le médecin une fois de trop qu'une fois trop tard !

Pas de panique - d'abord bien observer
Il ne faut bien sûr pas courir chez le médecin au moindre bobo. La consigne face à un enfant malade doit être : garder son calme, bien observer et ensuite décider de ce qu'il y a lieu de faire. Cette responsabilité, c'est à vous de la prendre. Il est clair que vous pouvez facilement soigner une légère écorchure ou une contusion au genou, mais qu'en cas de saignement important ou de perte de conscience, les premiers soins d'urgence devront être donnés par un spécialiste.

Si votre enfant a pris froid et qu'il n'a pas de fièvre, vous pourrez facilement assumer quelques jours avec les moyens du bord. S'il a de la fièvre, la diarrhée ou s'il vomit, vous vous baserez, pour décider si vous pouvez le soigner vous-même ou si vous devez faire appel à un médecin, sur son âge et la gravité des symptômes. Chez un nourrisson, les vomissements incessants peuvent mener en quelques heures à la mort ; s'il s'agit d'un enfant un peu plus âgé, une grosse indigestion due un excès de crème glacée peut se soigner avec un simple régime.

Quand faut-il faire appel au médecin ?
Dès que votre enfant présente des symptômes que vous ne pouvez pas identifier ou qui résistent plus de deux ou trois jours à vos mesures.

Dans les cas suivants, faites immédiatement appel à un médecin :

Fièvre
- Température au-dessus de 39° C et 38,5° C chez les nourrissons
- Température avec coliques (crampes abdominales)
- Température faisant suite à des crampes

Possibilités et limites de l'autotraitement

- Température avec vomissements et/ou diarrhée, maux de tête, raideur de la nuque et état de torpeur
- Température inférieure à 38,5° C mais qui persiste sans amélioration depuis plus de trois jours
- Fièvre qui baisse pour revenir de plus belle

Douleurs abdominales, vomissements, diarrhée

- Nourrisson : vomissements ou diarrhée depuis plus de 6 heures
- Enfant de 2 à 5 ans : vomissements ou diarrhée depuis plus de 12 heures
- Enfant de plus de 6 ans : vomissements ou diarrhée depuis plus de 18 heures
- Vomissements accompagnés de maux de tête et/ou vertiges
- Vomissements accompagnés de douleurs abdominales, plus particu-lièrement dans le bas du ventre
- Vomissements après un accident au cours duquel l'enfant a eu un choc à la tête
- Diarrhée avec température et douleurs dans le bas-ventre

Toux

- Toux avec température
- Toux qui persiste plus d'une semaine sans amélioration
- Quintes de toux qui ne s'améliorent pas alors que l'enfant n'a pas de rhume
- Toux accompagnée de détresse respiratoire, surtout si elle éveille l'enfant la nuit

Les enfants de 3 ans localisent encore mal la douleur - le plus souvent, ils diront avoir mal au ventre même si la douleur siège, en fait, à un tout autre endroit.

Que devez-vous dire au médecin ?

- Depuis quand l'enfant est-il malade ?
- Le problème est-il survenu soudainement ou son état s'est-il aggravé progres-sivement ?
- Quels symptômes présente l'enfant ?
- Les symptômes apparaissent-ils à certains moments précis ?

Surviennent-ils par crise ou per-sistent-ils plusieurs heures ?
- A-t-il mal ? De quel type de douleur s'agit-il ? L'enfant a-t-il de la température ? Si oui, com-bien et depuis quand ? Prenez toujours sa température !
- Comment se sent l'enfant ?
- Avez-vous déjà entrepris un quelconque traitement ? Si oui, lequel, quand et à quelle fréquence ?

15

Chez le pédiatre

La seule phrase : "On va chez le médecin" fait paniquer beaucoup d'enfants. L'enfant sait, en effet, par la préoccupation et les craintes de ses parents, le ramdam fait autour des visites chez le médecin et les fréquentes conversations captées entre les adultes sur les vilaines maladies, que quelque chose de désagréable l'attend. Certains parents transmettent également leur propre peur de la maladie et des médecins à leur enfant. Pour que la visite chez le pédiatre ne devienne pas un événement traumatisant ni pour vous, ni pour l'enfant, ni encore pour le médecin, essayez de surmonter vos angoisses, d'être clair et honnête avec votre enfant et de bien l'y préparer.

Préparer son enfant à la visite chez le médecin

Allez chez le médecin avec votre enfant aussi naturellement que vous allez chez le boulanger ou le boucher : ne tournez pas autour du pot. Les promesses du style "il ne te fera rien" éveillent la méfiance. Expliquez-lui plutôt que le médecin va l'aider, mais que pour cela il doit le toucher et l'examiner, écouter ses poumons avec son stéthoscope, le peser, le mesurer et regarder avec une lumière dans ses oreilles. Le mieux est de vous entraîner à la maison en jouant avec votre enfant au docteur, un jeu que tous les enfants adorent.

Pour que la visite chez le pédiatre se déroule sans pleurs :

• Prenez rendez-vous chez le médecin pour éviter les longues heures d'attente dans une salle bondée. Mettez sur papier les questions que vous avez à poser au médecin. Une fois dans le cabinet du médecin, on est énervé et il arrive qu'on oublie ce qu'on voulait lui demander.

• Emmenez votre enfant aux visites de surveillance. Il supportera mieux d'aller chez le médecin s'il sait qu'il n'y va pas uniquement quand il a mal ou qu'il est malade.

• Ne consolez pas l'enfant pendant l'examen. Il est beaucoup plus important de le consoler après.

• Quand votre enfant est en âge d'expliquer lui-même au médecin ce qu'il ressent, laissez-le répondre à ses questions. Cela permettra l'instauration d'un dialogue entre le médecin et l'enfant, un dialogue qui réduira ses angoisses et augmentera sa confiance.

• Si votre enfant peut se déshabiller seul, ne l'aidez que lorsque c'est absolument nécessaire. Le déshabillage permet au médecin d'observer l'enfant et de se rendre compte de son niveau d'aptitude et de développement.

• Ne promettez pas de récompense à votre enfant s'il se comporte bien car s'il pleure quand même, l'angoisse de ne pas obtenir la récompense promise sera d'autant plus grande.

Beaucoup d'enfants aiment jouer au docteur et ce jeu leur permet de ne plus avoir peur des consultations chez le médecin.

Chez le pédiatre

Quand faut-il faire venir le médecin à domicile ?
Un enfant qui a de la température peut être transporté en voiture chez le médecin. A sa consultation, le médecin pourra souvent vous aider plus rapidement. En outre, les visites à domicile sont souvent programmées seulement en fin de consultation et le médecin peut perdre du temps à trouver votre adresse. Chez vous, il ne pourra pas non plus effectuer certains examens qui peuvent être utiles à son diagnostic - notamment un électrocardiogramme ou une échographie.

C'est aux parents et au médecin de décider, ensemble, de la nécessité d'une visite à domicile. La visite à domicile s'impose, par exemple, quand l'enfant fait une maladie extrêmement contagieuse, en cas de laryngite striduleuse, de convulsions, pour éviter à une mère qui a plusieurs enfants malades de devoir se déplacer et bien sûr aussi quand les parents de l'enfant sont eux-mêmes malades et ne peuvent pas sortir.

Les visites à domicile ne constituent cependant pas un critère de compétence du médecin et n'importe quel médecin est prêt, en situation d'urgence, à faire une visite à domicile.

Conseils et astuces pour lutter contre la peur de la blouse blanche

- Autorisez votre enfant à emporter chez le médecin sa peluche préférée et à la tenir pendant l'examen.
- Laissez l'enfant s'installer à sa guise. La maman peut aussi s'asseoir elle-même sur la table d'examen et prendre l'enfant sur les genoux.
- Les nourrissons et les petits enfants ont moins peur quand leur mère les tient dans les bras pour l'examen.
- Laissez le médecin vous montrer comment tenir votre enfant pour certains examens - cela facilitera les examens désagréables.
- Ne déshabillez pas complètement votre enfant - laissez-le en sous-vêtements. Si les enfants protestent, déshabillez-les au fur et à mesure de l'examen.
- Laissez le médecin donner à votre enfant un bonbon ou un petit jouet en guise de souvenir, mais ne faites pas de gros cadeau ni de grande promesse.

Comment soigner votre enfant à la maison

Amour, compassion et soins attentifs - le tout dans un environnement familier - soulagent souvent mieux l'enfant malade que tous les médicaments prescrits par le médecin. Ne vous agitez pas dans tous les sens et surtout ne soyez pas trop anxieux - au contraire, entourez votre enfant d'une atmosphère calme et de confiance qui le rassureront. Si vous êtes inquiète ou que vous avez le moindre doute, demandez conseil à votre médecin. Soyez plus tolérante que d'habitude et n'hésitez pas à gratifier votre petit patient d'une petite gâterie supplémentaire.

La chambre du malade

En ce qui concerne les nourrissons et les petits enfants, mieux vaut les garder à proximité - par exemple, dans la voiture d'enfant ou dans le canapé transformé en lit dans le salon. De nombreux enfants adorent aussi pouvoir se coucher dans le lit de leurs parents la journée. Mais la nuit, soyez ferme et faites dormir votre enfant dans son lit. Un des parents peut éventuellement s'installer dans sa chambre.

N'obligez pas votre enfant à rester au lit ; laissez-le en décider lui-même. S'il se sent vraiment mal, il y restera spontanément et s'endormira ou somnolera. Si votre enfant a de la fièvre mais qu'il est éveillé, il peut se lever et jouer autant qu'il le veut - pour autant qu'il reste à l'intérieur. Bien sûr, veillez à protéger votre enfant des courants d'air et à ce qu'il ne prenne pas froid. L'alitement ne doit être respecté que si le médecin l'a expressément prescrit.

Conseils pour le lit de l'enfant malade
• Veillez à ce que le lit soit toujours bien sec et propre. N'hésitez pas à changer les draps dès que l'enfant a transpiré, que les draps font des plis ou que des miettes de son dîner s'y sont répandues. Un enfant malade se sent toujours mieux dans un lit frais et propre.
• En hiver, veillez à ne pas emmitoufler votre enfant sous une tonne de couvertures. Une seule couverture en laine ou un édredon suffiront amplement. Pour les draps, choisissez du coton ou du lin qui doivent pouvoir être lavés à minimum 60° C.
• Placez à côté de son lit une cuvette pour éviter qu'il ne doive se ruer vers les toilettes s'il doit vomir et un peu d'eau pour se rincer la bouche le cas échéant.
• Si votre enfant est très malade, prévoyez un pot de chambre pour lui éviter de devoir se lever pour aller aux toilettes la nuit.

Votre enfant peut-il en contaminer d'autres ?
Si votre enfant souffre des oreillons, de la scarlatine ou de la varicelle, il est probable qu'il aura déjà contaminé ses petits camarades de jeu ou de classe.

L'incubation, c'est-à-dire la durée entre le contact contaminant et l'apparition de la maladie, est généralement de quelques jours à quelques semaines. En fin d'incubation - alors que votre enfant a encore l'air en parfaite santé - il peut déjà contaminer les autres. S'il partage sa chambre avec des frères et sœurs, inutile donc de les faire déménager car cela n'empêchera pas leur contamination qui dépend du fait qu'ils aient eu ou non la maladie.

Comment soigner votre enfant à la maison

Une chambre bien aérée, non surchauffée et des draps frais permettent à l'enfant de trouver facilement un bon sommeil réparateur.

Un enfant qui a de la fièvre a plus vite trop chaud que trop froid. Ne surchauffez pas la pièce où il se trouve : 18° C la journée et 15° C la nuit sont les températures idéales. Il est également important de veiller à une bonne aération qui stimule la circulation et favorise un bon sommeil. Aérez tous les matins et soirs pendant au moins 10 minutes - même en hiver. En été, vous pouvez laisser la fenêtre ouverte. Pendant que vous aérez, veillez à ce que votre enfant soit bien couvert et ne soit pas dans les courants d'air ou profitez du moment où votre enfant est dans la salle de bains pour aérer sa chambre. En hiver, ne chauffez la chambre que si votre enfant se découvre sans cesse.

Un air trop sec irrite les muqueuses du petit malade. A l'inverse, l'humidité peut faciliter la circulation des bactéries. Le mieux est de suspendre, sur un sèche-linge, des linges humides que vous changerez régulièrement.

Soyez particulièrement attentif à la propreté de la chambre : passez régulièrement un linge humide sur les meubles, les objets et le sol et, s'il y a des tapis, passez-y l'aspirateur. Lavez-vous convenablement les mains avant de vous occuper de votre enfant et après.

N'emmitouflez pas votre enfant comme pour une promenade en hiver - surtout pas s'il a de la température. Un pyjama en coton suffit. Si votre enfant veut se lever, faites-lui passer un pull et mettre des chaussettes chaudes aux pieds.

Boire et manger

Beaucoup d'enfants malades refusent de manger, surtout quand ils ont de la fièvre. N'obligez pas votre enfant à manger - il a de toute façon besoin de moins de calories vu qu'il bouge moins. Ne lui demandez pas ce dont il aurait envie : il pourrait vous répondre des frites et du ketchup. Laissez-lui par exemple choisir entre du riz, des pâtes ou des pommes de terre et mettez un grain de fantaisie dans ses repas. Les repas pauvres en graisses et riches en glucides - par exemple, une panade de fruits ou de légumes, de la compote, du pain grillé avec une saucisse de volaille ou des morceaux de viande pauvre en graisse avec du riz - sont les repas les plus indiqués pour un enfant malade. Les fruits acides, par exemple les pommes, les biscuits comme les biscottes, les pains suédois et grillés, les baguettes italiennes lui permettent de se nettoyer la bouche.

Cinq petits repas sur la journée valent mieux que trois gros repas - et ce principe vaut aussi pour les nourrissons : mieux vaut leur donner plus souvent de petites quantités que quelques biberons bien remplis. Si votre enfant ne veut rien manger, assurez-lui un apport calorique en

Comment soigner votre enfant à la maison

lui donnant une tisane légèrement sucrée ou du jus de fruits non sucré.

Il est par contre nettement plus important que l'enfant malade boive. En cas de fièvre, le corps évapore plus de liquide et élimine par la peau une quantité accrue de sels minéraux. Pour assurer un apport en liquides suffisant, les tisanes légères, les jus de fruits dilués et les bouillons de viande dégraissés que vous pouvez conserver dans un thermos conviennent particulièrement bien. Ne donnez surtout aucune boisson glacée à votre enfant.

Si votre enfant a plus de 3 ans, laissez-lui à portée de main de quoi boire, par exemple sur un tabouret ou sur sa table de nuit. S'il s'agit d'un nourrisson au sein, allaitez-le plus souvent et, s'il s'agit d'un enfant en bas âge, proposez-lui plus souvent un biberon de tisane. Les enfants plus grands peuvent parfois être encouragés à boire en leur donnant un verre inhabituel, une paille ou une tasse à bec.

Dans certaines maladies, le médecin peut prescrire un régime particulier qui doit alors être respecté. Si votre enfant refuse de suivre ce régime, parlez-en à votre médecin et essayez de trouver avec lui une alternative.

Quand vous soignez votre enfant, essayez de garder votre calme de manière à ce qu'il se sente rassuré - même pour les tâches délicates, notamment quand il faut lui instiller des gouttes dans le nez.

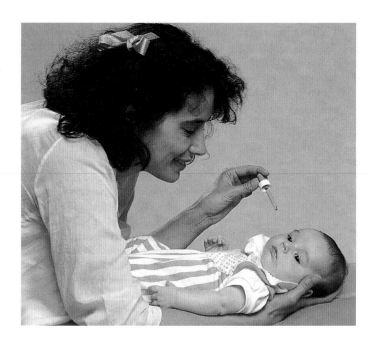

Comment soigner votre enfant à la maison

A quoi faut-il faire attention ?

Si votre enfant a de la température, prenez-la au moins deux fois par jour (page 28). Notez l'évolution de sa température ainsi que les changements de son comportement et de son aspect. Soyez aussi attentif à son haleine, à sa salive, à la température et la couleur de la peau, à la fréquence de ses vomissements ou à la couleur et à la consistance de ses selles s'il a la diarrhée. Informez le médecin de vos observations, cela l'aidera à établir son diagnostic et son traitement.

Les visites au malade sont autorisées dès que le risque de contamination est passé. Pour les enfants en bonne santé, les visites aux enfants malades sont importantes elles leur apprennent que la maladie fait partie intégrante de la vie.

Soins journaliers

Une fois par jour, lavez votre enfant de la tête aux pieds. Non seulement, cela le rafraîchira mais stimulera également sa circulation ralentie par la maladie et l'alitement. Si l'enfant ne peut pas sortir du lit, glissez une serviette en dessous de lui et lavez-le avec un gant de toilette mouillé à l'eau tiède (20 à 25° C). Insistez surtout sur les aisselles, l'aine et la nuque. Séchez-le soigneusement.

Le bain ne s'impose que si l'enfant est malade pendant plus d'une semaine. Veillez à ce que la température de l'eau oscille entre 35 et 37° C. Ne remplissez la baignoire que jusqu'à hauteur de la taille de l'enfant et ne laissez pas l'enfant baigner plus de 5 minutes.

Il est particulièrement important que l'enfant se lave aussi régulièrement les dents car les enfants malades ont souvent la bouche sèche et la langue pâteuse. Si votre enfant ne veut pas se laver les dents, exceptionnellement faites-lui manger une pomme ou un biscuit salé. Aux nourrissons, vous pouvez donner de la tisane de sauge.

Si l'enfant a la bouche sèche, faites-le boire beaucoup. Vous pouvez aussi lui passer sur les lèvres un linge humide ou lui donner des quartiers d'orange à sucer. Surtout, n'utilisez pas de glycérine. S'il a les lèvres sèches et fendues, vous pouvez lui appliquer une pommade spéciale ou de la vaseline que vous achèterez en pharmacie.

"Je m'ennuie ..."

Quand l'enfant commence à aller mieux, il veut jouer et se distraire. Ne mettez pas de limite à son imagination. Vous pouvez, par exemple, prendre un grand plateau que vous transformerez en table de jeu en le posant sur deux casseroles retournées sur le lit. Des feutres et du papier, des cubes, des catalogues publicitaires à découper peuvent occuper un enfant pendant des heures. Plutôt que de le mettre devant la télévision, lisez-lui des histoires ou faites-lui écouter des cassettes qui stimulent son imagination.

Après une infection grippale sans complication, l'enfant peut retourner à l'école dès que la fièvre est tombée depuis 24 heures. Quand la situation familiale le permet, il est préférable que les enfants qui vont encore à l'école maternelle attendent deux jours de plus. Profitez de cette période pour sortir avec l'enfant afin de renforcer sa résistance.

En cas de maladie plus longue ou de maladie chronique, demandez au médecin quand votre enfant pourra sortir.

L'enfant à l'hôpital

Quand l'hospitalisation ne se fait pas en urgence, mieux vaut y préparer l'enfant. Faites-vous expliquer très précisément ce qui va se passer quand l'enfant sera à l'hôpital. En comprenant bien vous-même les tenants et aboutissants, vous pourrez d'autant mieux les expliquer à votre enfant. Répondez honnêtement à ses questions et ne lui cachez pas qu'il se sentira peut-être mal pendant un certain temps - lui mentir risquerait de lui faire perdre confiance en vous. Avant son hospitalisation, allez faire un tour à l'hôpital et montrez-lui les bâtiments de l'extérieur.

Expliquer à l'enfant ce qui va lui arriver lui permet d'être moins angoissé et de mieux supporter le séjour à l'hôpital.

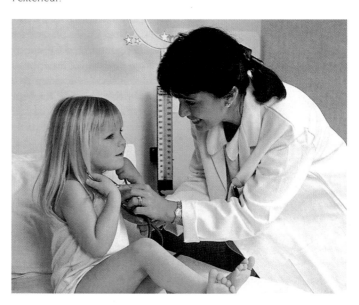

La mère ou le père doivent-ils rester avec l'enfant ?

Quand c'est possible, il est préférable qu'un parent reste avec le nourrisson ou le petit enfant à l'hôpital pendant tout son séjour (chambre mère-enfant) ou au moins pendant la journée.

A partir de 4 ans, l'enfant comprend généralement que la nuit il doit rester seul et que pendant la journée aussi il arrive que vous deviez le laisser quelques heures. N'oubliez jamais de lui dire à quelle heure vous reviendrez et respectez-la.

Avant de vous décider à demander une chambre mère-enfant, vérifiez que votre partenaire, des grands-parents ou des voisins peuvent s'occuper de vos autres enfants et de la maison pendant votre absence.

22

L'enfant à l'hôpital

Le malade à l'hôpital

Si le médecin autorise les visites de petits amis et de parents, celles-ci distrairont l'enfant. Mais de grâce, organisez les visites en les dosant : trop de monde en même temps peut être très fatigant pour l'enfant.

Ne quittez pas l'hôpital de votre propre chef et contre l'avis du médecin. La tendance actuelle est de toute façon à limiter la durée de séjour à l'hôpital.

Que mettre dans la valise pour l'hôpital ?

- La tétine, la doudoune et la peluche pour la nuit
- La poupée préférée
- Le pyjama ou la chemise de nuit
- Une trousse de toilette avec une brosse à dents, du dentifrice, un peigne, des gants de toilette, du savon et un lait pour le corps
- Un livre d'images lavable
- Une photo de la famille
- Une photo de l'animal de compagnie de la famille

Clinique de jour : opéré le matin, rentré le soir

Les hospitalisations de jour sont de plus en plus courantes. L'enfant est alors opéré à l'hôpital le matin et peut - quand l'intervention se déroule sans complication - rentrer chez lui le jour même après quelques heures de surveillance. Les contrôles postopératoires se font alors à la consultation du médecin.

L'avantage des hospitalisations d'un jour est que l'enfant reste dans son environnement familier et peut être soigné à la maison. Il faut bien sûr, dans ce cas, respecter l'alitement nécessaire et veiller à ce que les parents disposent de suffisamment de temps pour s'occuper de l'enfant malade. Les avantages de l'hospitalisation sont la proximité des soins en cas de complications, par exemple une hémorragie brutale. Actuellement, les hospitalisations d'un jour sont surtout préconisées pour : les végétations, les otites séreuses et la tympanoplastie, la pose de drains, le recollement des oreilles, ainsi que la hernie ombilicale ou la hernie inguinale, le phimosis, les lésions de la capsule articulaire, la déchirure d'un ligament, les problèmes au ménisque, les verrues, les grains de beauté et les ongles incarnés. Avant une opération en ambulatoire, l'enfant est examiné en détail par le médecin en vue de l'anesthésie. Le chirurgien et l'anesthésiste se mettent d'accord sur l'intervention et font signer un document de consentement aux parents.

Bon voyage !

Les vacances sont destinées à permettre à tous les membres de la famille de se détendre et de se reposer. Pour que cette période privilégiée de l'année ne se transforme pas en cauchemar, les vacances familiales doivent être bien planifiées et tous les risques de problèmes de santé évités. Cette prévention commence par le choix de la destination de voyage : si vous avez des enfants de moins de 10 ans, mieux vaut ne choisir qu'un seul endroit - et si possible une station balnéaire. Plus l'enfant est jeune, plus il est recommandé de ne pas trop s'éloigner et d'éviter les longs trajets ainsi que les changements climatiques trop importants. Des études ont en effet démontré que trop de nouveautés inquiètent les nourrissons, les rendent plus nerveux et grincheux et peuvent en outre perturber leur sommeil.

Les enfants adorent les plages de sable et peuvent y construire pendant des heures des châteaux, surtout en compagnie d'enfants du même âge. Mais les vacances à la ferme ou tout simplement un séjour prolongé chez grand-père ou grand-mère sont également des destinations très appréciées des enfants. Les circuits touristiques ou les voyages d'aventure sont déconseillés avant au moins 10 ans.

Un chapeau sur la tête et beaucoup de liquide - surtout sous le soleil méridional. Et pour mieux protéger encore votre enfant contre les coups de soleil, mettez-lui un tee-shirt.

Préparatifs de voyage

Si vous voyagez en France, emportez votre carnet de santé. Si vous voyagez à l'étranger, n'oubliez pas d'emporter le document spécial prévu à cet effet ou mieux encore de prendre une assurance-vacances complémentaire qui garantit le rapatriement en cas de problème.

Si vous envisagez de partir vers une destination tropicale, emmenez votre enfant chez le médecin au moins 6 semaines à l'avance et faites vérifier s'il est en ordre de vaccination, ou s'il est nécessaire de faire des vaccins supplémentaires. Si vous partez dans un pays tropical ou un pays en développement, faites vacciner votre enfant contre la tuberculose et la fièvre jaune et prévoyez éventuellement une prophylaxie antimalaria.

Les voyages en voiture fatiguent plus les enfants que les adultes, surtout lorsqu'ils sont attachés dans leur siège. Idéalement, prévoyez donc des pauses de 10 minutes toutes les demi-heures pour les moins de 6 ans et toutes les heures pour les plus de 6 ans.

Si l'enfant a le mal du voyage, demandez à votre médecin de lui prescrire un médicament car s'il vomit, il risque de se déshydrater. En homéopathie : Tabacum D30, un comprimé avant d'entamer le voyage et, le cas échéant, un autre comprimé toutes les deux heures ou Cocculus D4 ou Petroleum D4 - un comprimé toutes les heures. Pour lui rendre le trajet le plus agréable possible, asseyez votre enfant dans le sens de la conduite, veillez à bien aérer la voiture et bien sûr à ne pas fumer.

Bon voyage !

Pharmacie de voyage
- 2 bandages
- Sparadrap
- Tenso
- 2 compresses stériles de 7,5 × 7,5 cm
- Ciseaux
- Pince à écharde
- Pommade cicatrisante
- Désinfectant (sans iode)
- Thermomètre
- Antipyrétiques (gouttes ou comprimés ; les suppositoires peuvent fondre à la chaleur)
- Antidiarrhéiques (électrolytes en poudre)
- Lait en poudre pour le biberon
- Antitussif et gouttes pour le nez
- Crème contre les coups de soleil et les piqûres d'insectes
- Protection contre les piqûres d'insectes (repellant)
- Crème solaire
- Antibiotiques de réserve
- Dans les pays en développement, emportez une seringue et une canule

Sur le lieu de vacances

Les enfants aussi ont besoin d'une période d'acclimatation. Ne vous lancez donc pas, à peine les valises posées, dans de grandes excursions ou promenades. Laissez votre enfant s'habituer à son nouvel environnement.

Evitez aussi d'aller à la plage pendant les heures chaudes (de 11h00 à 15h00). Pour protéger l'enfant des coups de soleil et des brûlures, enduisez-le de crème solaire, emportez un parasol et mettez-lui un chapeau et un tee-shirt. En ce qui concerne les nourrissons, mieux vaut les laisser à l'ombre et les protéger des mouches avec du tulle ou une moustiquaire. L'enfant peut courir les fesses à l'air. S'il n'aime pas ça, dès qu'il sort de l'eau, changez son maillot mouillé contre un sec, pour éviter les infections des voies urinaires.

Une demi-heure avant d'aller au soleil, enduisez votre enfant de crème solaire (facteur de protection d'au moins 12) et répétez l'opération après chaque sortie de l'eau et toutes les heures. Veillez à utiliser une crème solaire qui ne contient ni conservateur, ni émulsifiant car ceux-ci peuvent provoquer des allergies ressemblant à de l'acné. Les meilleures crèmes solaires sont celles à base de lipoprotéines que vous trouverez en pharmacie.

Faites beaucoup boire votre enfant car ses va-et-vient continus en jouant lui font perdre de l'eau, du sel et des calories. Exceptionnellement, les jus de fruits et les limonades sont autorisés pour étancher sa soif !

En cas d'urgence

En cas de maladie ou de blessure, adressez-vous à un médecin local. Les organisateurs de voyages et le personnel des hôtels ou des campings pourront sans aucun doute vous renseigner sur le médecin ou l'hôpital le plus proche. Pour être paré en cas d'urgence, demandez cette adresse dès votre arrivée. N'oubliez pas non plus d'emporter le numéro de téléphone et l'adresse de votre médecin. En cas de problème, vous pourrez ainsi toujours lui demander conseil.

La pharmacie de voyage

La pharmacie de voyage doit être la plus compacte et la plus pratique possible. Elle ne peut en aucun cas remplacer le médecin mais peut être utile en l'attendant ou pour soigner les petits bobos et désagréments.

Les premiers symptômes

Votre enfant tousse, des taches rouges apparaissent sur son corps et ses yeux sont brillants ? Chacun de ces symptômes peut faire penser à une maladie différente. Comme les pièces d'un puzzle, plusieurs symptômes mis bout à bout constituent un tableau clinique particulier : dans ce cas-ci, votre enfant pourrait avoir la rougeole.

Les tableaux suivants vous aideront à déchiffrer les symptômes les plus courants. Ils ne permettent en aucun cas de poser un autodiagnostic et ne fournissent que des indications sur les maladies éventuellement en cause.

Dans la majorité des cas, seul le médecin peut poser un diagnostic précis.

Prendre sa température

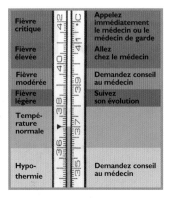

Fièvre critique		Appelez immédiatement le médecin ou le médecin de garde
Fièvre élevée		Allez chez le médecin
Fièvre modérée		Demandez conseil au médecin
Fièvre légère		Suivez son évolution
Température normale	►	
Hypothermie		Demandez conseil au médecin

Si votre enfant malade a de la fièvre, mesurez sa température matin et soir. Si la fièvre dépasse 39° C, contrôlez-la une fois de plus à midi et demandez conseil à votre médecin.

Attention !
Si la fièvre persiste plus de 24 heures, l'enfant doit être emmené chez le médecin. Lorsqu'un nourrisson a une température supérieure à 38,5° C, il faut également l'emmener chez le médecin - qui est le seul à pouvoir poser le diagnostic car, chez le nourrisson, la fièvre constitue parfois le seul symptôme de toute une série de maladies variant du rhume à la méningite, qui peut être mortelle.

Quand un enfant semble malade, il convient avant tout de vérifier s'il a de la fièvre. Chez les enfants, la température corporelle normale se situe entre 36,1° C et 37,8° C. Elle fluctue tout au long de la journée et atteint son maximum vers 18h00 et son minimum vers 4h00 du matin. Toute une série de facteurs peuvent influencer la température corporelle de manière momentanée ; elle peut par exemple monter jusqu'à 38° C quand l'enfant fait le fou, transpire abondamment ou est trop couvert pour dormir. Après les repas, quand il digère, sa température peut aussi être plus élevée. Quand vous aurez pris la température de votre enfant, reprenez-la de préférence encore une fois une demi-heure plus tard pour vous assurer qu'il ne s'agissait pas d'une élévation transitoire.

Mieux vaut un enveloppement qu'un suppositoire
La fièvre est une réaction du corps à toute une série d'influences : par exemple, une inflammation, une infection bactérienne ou virale, un déséquilibre hydrique ou encore le simple fait d'être trop couvert. Certains enfants ont de la fièvre pour un oui ou pour un non tandis que d'autres, même gravement malades, en ont très peu. La fièvre n'est jamais qu'un signe du combat entre l'organisme et une maladie. L'élévation de la température corporelle accélère les processus métaboliques, ce qui ralentit la multiplication des microbes. Pour cette raison, ne vous jetez pas sur les suppositoires dès que votre enfant a un peu de fièvre.

Bien sûr, en cas de température élevée, de frissons ou si l'enfant est sujet aux convulsions, mieux vaut faire baisser la température - dans ce cas, essayez d'abord l'enveloppement des mollets (page 200). Si vous voulez recourir à des médicaments, donnez à votre enfant du paracétamol et non pas de l'acide acétylsalicylique - qui, chez certains enfants, peut déclencher un syndrome dangereux, appelé le syndrome de Reye (page 190).

Prendre la température rectale
Chez les enfants de moins de 6 ans, on prend la température au niveau de l'anus, c'est-à-dire la température rectale. Avant cet âge, mesurer la température sous les aisselles n'offre pas suffisamment de précision et, dans la bouche, le thermomètre au mercure peut se briser et blesser l'enfant. Quant au thermomètre digital, l'enfant peut ne pas le tenir correctement en bouche.

Pour mesurer la température rectale, graisser le bout du thermomètre, par exemple avec de la vaseline, pour qu'il glisse bien. Si

Quand ça ne va pas
Prendre sa température

vous utilisez un thermomètre au mercure, laissez-le en place pendant minimum 3 minutes.

La température rectale se situe normalement entre 36,8° C et 37,5° C.

Mesurer la température chez le nourrisson : couchez le bébé sur le dos et maintenez légèrement ses deux jambes. Prenez un de ses pieds entre le pouce et l'index et l'autre entre l'index et le majeur de la même main. Avec l'autre main, enfoncez le thermomètre dans l'anus sur environ 1 cm. La meilleure manière de tenir le thermomètre est de le tenir comme un crayon dans la main. En maintenant l'index le long

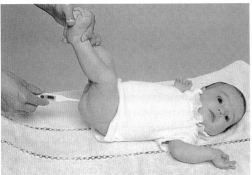 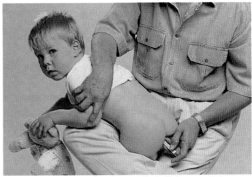

Pour mesurer correctement la température : chez le bébé, tenez les deux jambes soulevées, chez le petit enfant, penchez-le au-dessus de votre genou.

du thermomètre et en l'appuyant sur les fesses de bébé, vous éviterez qu'il ne se blesse s'il fait un mouvement brusque.

Mesurer la température chez le petit enfant : Etant donné que l'enfant sera souvent réticent, couchez-le sur le ventre, sur vos genoux, maintenez ses jambes entre les vôtres et penchez l'enfant au-dessus de votre genou. Maintenez fermement sa tête ou son bras avec une main et de l'autre introduisez prudemment le thermomètre.

Mesurer la température sous les aisselles

Chez les enfants de plus de 6 ans, la température peut être mesurée sous les aisselles. Pour cela, mieux vaut coucher l'enfant sur le dos. Placez le thermomètre sous l'aisselle et maintenez-lui les bras sur le corps pour que le thermomètre ne glisse pas.

Si vous utilisez un thermomètre au mercure, maintenez-le au moins 7 minutes sous l'aisselle. Etant donné que la température mesurée à cet endroit est d'environ 1 degré inférieure à la température corporelle, elle se situe normalement entre 36,2 et 36,8° C.

Quand ça ne va pas
Mesurer la température/
Contrôler le pouls

**Plusieurs types
de thermomètres**

• Le thermomètre en verre contient du mercure ou de l'alcool coloré qui indique la température. Il est facile à utiliser et relativement précis. Son désavantage : il peut se casser et blesser l'enfant.
Avant d'utiliser un thermomètre en verre, secouez-le jusqu'à ce que la colonne de mercure redescende en dessous du trait situé à 36° C.
• Les thermomètres digitaux émettent un signal acoustique ou optique quand la mesure de la température est terminée. Tant que les piles sont suffisamment chargées, ils sont très précis.
• Le thermomètre à infrarouge et le thermomètre auriculaire se glissent dans le conduit auditif et mesurent la température en quelques secondes au niveau du tympan. Ils ne donnent la température exacte qu'à condition d'être bien utilisés.
• Pour ne pas risquer de l'endommager, ne lavez le thermomètre qu'avec de l'eau tiède et du savon.

Mesurer la température dans la bouche

Si vous voulez prendre la température dans la bouche, donc la température orale, glissez la pointe du thermomètre sous la langue de l'enfant. Pour maintenir le thermomètre, l'enfant doit pincer les lèvres mais il ne peut pas mordre sur le thermomètre pour ne pas risquer de le casser. S'il a un gros rhume, vous ne pourrez pas prendre sa température orale étant donné qu'il ne pourra pas respirer par le nez. Si vous utilisez un thermomètre au mercure, laissez-le au moins trois minutes dans la bouche avant de le lire. La température orale moyenne oscille entre 36,7 et 37,3° C.

Contrôle du pouls

Si votre enfant a de la fièvre, prenez son pouls. Le pouls est une onde de pression qui se répand dans les vaisseaux au départ d'une pulsation cardiaque. La mesure du pouls permet de contrôler la vitesse et la régularité des pulsations cardiaques. Le nombre de pulsations par minute dépend de l'âge de l'enfant et de son degré d'activité : au repos, le pouls est plus lent, après un effort physique et en cas de fièvre, il est plus rapide.

Le mieux est de prendre le pouls dans le sillon entre les tendons du côté intérieur du poignet , à la base du pouce. Appuyer légèrement le bout de l'index, du majeur et de l'annulaire au fond du sillon et maintenez le poignet de l'enfant avec le pouce. Comptez les pulsations pendant 15 secondes et, ensuite, multipliez le résultat par quatre pour obtenir le nombre de pulsations par minute.

Le tableau ci-dessous reprend le nombre normal de pulsations en fonction de l'âge de l'enfant. Si le pouls de votre enfant se situe au-dessus ou en dessous de ces valeurs limites, demandez conseil à votre médecin.

Pulsations par minute au repos			
Valeur	Inférieure	Moyenne	Supérieure
Nouveau-né	70	130	170
1re année	80	120	160
2e année	80	110	130
4e année	80	100	120
6e année	75	100	115
8e année	70	90	110
10e année	70	90	110
14e année	60	70	80

30

Symptômes
Fièvre

Depuis la page 28, on vous parle de la fièvre, de la manière correcte de la mesurer et du moment où elle constitue le signe qu'il faut appeler le médecin. Parmi les causes possibles d'une température peu élevée, sans autre symptôme de maladie, il y a les poussées de croissance, un effort physique intense, une maladie avec fièvre de cause indéterminée ou une mauvaise utilisation du thermomètre.

Ce que peut cacher la fièvre

Symptômes	Causes possibles	Autres symptômes éventuels
Fièvre avec toux et rhume	Rhume (page 62)	Douleurs au niveau des oreilles
	Début de bronchite (page 67)	Essoufflement
	Début de pneumonie (page 69)	Essoufflement, douleurs abdominales
	Début de rougeole (page 165)	Conjonctivite, taches blanches dans la bouche
Fièvre avec douleurs au niveau de la gorge et/ou des oreilles	Laryngite (page 65)	Voix rauque, difficultés respiratoires
	Angine (page 70)	Troubles respiratoires
	Otite moyenne (page 81)	Vomissements, écoulement nasal
	Scarlatine (page 168)	Douleurs abdominales
Fièvre plus vomissements	Appendicite (page 87)	Douleurs abdominales, diarrhée, constipation
	Gastro-entérite (page 92)	Diarrhée, maux de ventre
	Méningite (page 141)	Raideur de la nuque, maux de tête
	Infection urinaire (page 105)	Lombalgies, maux de ventre
	Grippe (page 174)	Maux de tête, courbatures
Fièvre plus douleurs abdominales	Appendicite (page 87)	Maux de ventre, diarrhée, constipation
	Gastro-entérite (page 92)	Diarrhée, vomissements
	Pneumonie (page 69)	Troubles respiratoires, toux
	Scarlatine (page 168)	Mal de gorge
Fièvre plus érythème	Rougeole (page 165)	Conjonctivite, toux
	Rubéole (page 167)	Ganglions occipitaux gonflés
	Scarlatine (page 168)	Mal au ventre, à la gorge et aux oreilles
	Coup de soleil (page 113)	Nausées, maux de ventre, diarrhée
	Allergies médicamenteuses (page 146)	Vomissements, diarrhée
	Allergies alimentaires (page 145)	Nausées, problèmes de circulation
	Urticaire (page 155)	Sensations de brûlure, nausées, problèmes de circulation
Fièvre plus vésicules cutanées	Varicelle (page 170)	Fortes démangeaisons
Fièvre plus coloration jaune de la peau (ictère)	Jaunisse (hépatite, page 175)	Douleurs abdominales, selles claires, urines foncées
Fièvre plus mal de tête	Grippe (page 174)	Courbatures, douleurs abdominales, vomissements
	Sinusite (page 71)	Ecoulement nasal, difficultés respiratoires
	Méningite (page 141)	Raideur de la nuque, vomissements, abattement

Symptômes
Douleurs abdominales

Quand un enfant de moins de 7 ans a mal, il dira le plus souvent avoir mal à la tête ou au ventre - même s'il a mal à un tout autre endroit. Les petits enfants ne savent pas localiser avec précision leur douleur. Essayez dès lors de palper prudemment leur ventre : regardez si l'enfant a plus mal à un endroit qu'à un autre ou s'il fait des grimaces. Dès qu'ils sont en âge scolaire, les enfants donnent en général des renseignements plus précis sur leurs douleurs.

Beaucoup de nourrissons - et cinq fois plus de garçons que de filles - souffrent durant les 3 à 4 premiers mois de leur vie de douleurs abdominales pouvant aller jusqu'aux coliques. Le bébé crie, recroqueville les jambes et rien ne le console, ni l'attention de sa mère, ni le fait de lui donner à manger, ni les enveloppements. Ces coliques du nourrisson (page 42) sont dues à des flatulences et à l'immaturité intestinale.

Chez les enfants plus grands, les coliques (crampes accompagnées de douleurs abdominales) se reconnaissent à la position de l'enfant, soit arc-bouté soit recroquevillé sur lui-même, les mains appuyées sur le ventre et dans une attitude immobile. Dans les douleurs liées à l'appendicite, le plus souvent, l'enfant traîne aussi la jambe droite et évite d'y prendre appui. Dans les douleurs gastriques, il n'y a pas de coliques mais de fortes nausées. Les douleurs abdominales aiguës peuvent être dues à un grand nombre de maladies - de la grippe intestinale à la constipation opiniâtre.

Perte d'appétit

Généralement, quand un enfant est malade - surtout s'il a une infection et de la fièvre - il perd provisoirement l'appétit.

Si, par manque d'appétit, un enfant perd du poids ou s'il souffre de diarrhée, de constipation ou de douleurs abdominales diffuses avec perte de poids, demandez conseil à votre médecin.

Quand un enfant par ailleurs en bonne santé perd l'appétit, le problème est plus souvent à rechercher du côté des parents que de celui de l'enfant. Il ne faut pas non plus s'inquiéter trop vite car il est tout à fait normal qu'un enfant mange bien (jusqu'à 2 000 calories par jour) pendant des mois et puis perde l'appétit (et passe à 200 calories par jour) sur d'assez longues périodes. Jouer, courir au grand air et bien dormir stimulent l'appétit. Par contre, les chamailleries et les disputes entre les parents ou avec des frères et sœurs lors des repas familiaux peuvent "rester sur l'estomac" de l'enfant. Laisser les enfants à table jusqu'à ce que leur assiette soit vide est une méthode souvent tout aussi vouée à l'échec que leur dire sans arrêt qu'ils doivent manger : l'enfant apprend ainsi à pousser ses parents à bout par le "refus de manger". Les mauvaises habitudes alimentaires telles que les grignotages entre les repas et les en-cas riches en calories, par exemple les jus de fruit, coupent l'appétit au moment des repas. Comme les enfants imitent leurs parents, ceux-ci se doivent de leur montrer le bon exemple !

Symptômes
Douleurs abdominales

Etant donné qu'elles peuvent parfois être le signe d'une appendicite, des douleurs abdominales aiguës doivent toujours être prises au sérieux. Si les douleurs persistent plus de 6 heures, consultez le médecin. Les douleurs abdominales sont également souvent les symptômes accompagnateurs d'un rhume, d'une grippe, d'une pneumonie ou encore d'une maladie infantile, par exemple, les oreillons.

Si votre enfant souffre de douleurs abdominales chroniques, c'est-à-dire qui durent pendant des semaines ou des mois, il y a 80% de chance qu'il ait, en fait, des problèmes psychologiques qu'il somatise.

Vous pouvez essayer d'atténuer les douleurs avec un enveloppement abdominal chaud (page 198) ou une bouillotte. Si ces mesures ont pour seul résultat d'aggraver la douleur, il peut s'agir d'une appendicite. Dans ce cas, mettez immédiatement de la glace sur le ventre de votre enfant et emmenez-le d'urgence chez le médecin.

Ce que peuvent cacher des douleurs abdominales

Symptômes	Causes possibles	Autres symptômes éventuels
Douleurs abdominales subites	Chez le bébé : Coliques du nourrisson (page 42)	Recroqueville les jambes ou les tend quand il pleure
	A tout âge : Gastro-entérite (page 92) Occlusion intestinale Iléus intestinal (page 96) Appendicite (page 87) Pneumonie (page 69) Infection des voies urinaires (page 103)	Vomissements, diarrhée, fièvre Vomissements, constipation Vomissements, diarrhée ou constipation, fièvre Fièvre et toux Fièvre et sensations de brûlure à la miction, vomissements
Douleurs abdominales chroniques	Douleurs abdominales dues à une cause psychologique (page 180) Allergie alimentaire (page 145) Coliques du nourrisson (page 88) Parasites intestinaux (page 97)	Souvent uniquement dans les situations stressantes Vomissements, diarrhées Douleurs abdominales dans la région du nombril, situation stressante Démangeaisons au niveau de l'anus, cernes sous les yeux, perte d'appétit
Douleurs abdominales chroniques avec constipation	Constipation chronique (page 89) Iléus intestinal (page 96)	Vomissements Vomissements
Douleurs abdominales chroniques avec vomissements	Occlusion intestinale (page 96)	Constipation
Douleurs abdominales chroniques dans le haut de l'abdomen	Gastrite (page 90) Ulcère duodénal (page 90)	Douleurs abdominales après le repas Douleurs abdominales deux à trois heures après le repas

Diarrhée

Les enfants qui ont la diarrhée évacuent de grandes quantités de selles liquides auxquelles peuvent se mêler du sang ou des glaires. Le plus souvent, l'exonération est précédée de crampes abdominales douloureuses. Plus l'enfant est jeune, plus la diarrhée peut être dangereuse car une perte d'eau importante peut entraîner un risque de déshydratation, surtout lorsque la diarrhée est accompagnée de vomissements et de fièvre. La cause la plus fréquente de la diarrhée est la gastro-entérite (page 92).

Si votre enfant souffre de diarrhée, veillez à ce qu'il boive beaucoup - de préférence de la tisane à l'orange (page 205) ou des solutés "glucose-électrolytes" que vous pouvez acheter à la pharmacie. Soyez particulièrement vigilant en ce qui concerne l'hygiène, veillez à vous laver les mains après chaque soin et à désinfecter les toilettes dès que l'enfant les a utilisées.

Il faut consulter le médecin si la diarrhée persiste plus de :
- 6 heures chez un bébé,
- 12 heures chez un petit enfant,
- 18 heures chez un enfant plus grand.

Avant d'appeler le médecin, assurez-vous de pouvoir bien lui décrire les caractéristiques des selles de votre enfant : leur couleur, leur odeur, la présence d'aliments non digérés, de glaires ou de sang.

Ce que peut cacher une diarrhée

Symptômes	Causes possibles	Autres symptômes éventuels
Selles molles, liquides, de couleur jaune clair à vert et malodorantes	Gastro-entérite (page 92)	Vomissements, fièvre, coliques, perte d'appétit, déshydratation
Présence de sang et de glaires dans les selles	Infection à salmonelles (page 92)	Vomissements, douleurs abdominales, déshydratation, fièvre
Selles défaites à liquides	Allergies (page 144)	Coliques, éruption cutanée, vomissements, troubles du développement
Grande quantité de selles plates, grasses, brillantes et malodorantes	Mucoviscidose (page 189)	Ballonnement ; amaigrissement des bras et des jambes, difficultés respiratoires
Grande quantité de selles plates	Maladie cœliaque (page 186)	Perte d'appétit, arrêt de la prise de poids, ballonnement, irritabilité
Selles défaites à liquides mais la diarrhée peut aussi être remplacée par une constipation	Appendicite (page 87)	Fièvre, douleurs à la pression du flanc droit dans le bas du ventre, nausées, vomissements

Symptômes
Vomissements

Les vomissements sont un rejet incontrôlable par la bouche du contenu de l'estomac. Plus l'enfant est jeune, plus il vomira facilement et souvent. A peu près la moitié des nourrissons vomissent de temps en temps alors que 5% environ seulement sont vraiment malades. Chez le nourrisson, les vomissements sont parfois facilement confondus avec les régurgitations, c'est-à-dire le rejet (sans effort) d'une petite ou d'une grande quantité de lait par la bouche.

Comme dans la diarrhée, quand un enfant vomit beaucoup, il perd de grandes quantités de liquide. Veillez donc toujours à donner suffisamment à boire à un enfant qui vomit, soit sous la forme de tisanes aux herbes (page 205), de tisane à l'orange (page 205) ou de solution de réhydratation "glucose-électrolytes" que vous trouverez en pharmacie.

La persistance des vomissements est un signe d'aggravation d'une maladie. Si l'enfant vomit deux repas successifs ou se plaint simultanément de mal de tête, de vertiges, de fièvre ou de douleurs abdominales, il faut consulter immédiatement le médecin et ceci d'autant plus vite que l'enfant est jeune. Dans ces cas, veillez à pouvoir dire au médecin si l'enfant vomit des aliments digérés ou non digérés, si les vomissures sont mousseuses ou sanguinolentes, et quand et à quelle fréquence il vomit.

Ce que peuvent cacher des vomissements

Symptômes	Causes possibles	Autres symptômes éventuels
Aspect glaireux, présence d'aliments non digérés, beaucoup de liquide gastrique	Erreur diététique	Constipation, diarrhée, coliques, perte de poids brutale
Présence de liquide gastrique, résidus alimentaires non digérés, liquide bilieux	Gastro-entérite (page 92)	Diarrhée, fièvre, douleurs abdominales, perte de poids brutale, présence de sang dans les vomissures
	Appendicite (page 87)	Douleurs abdominales, diarrhée ou constipation, fièvre, douleurs à la pression dans le flanc droit de l'abdomen
Vomissements avec liquide gastrique ou matières fécales, présence de sang	Occlusion intestinale (page 96)	Douleurs abdominales, ventre dur comme du bois, abattement
Les vomissements sont toujours précédés de fièvre	Méningite (page 141)	Raideur de la nuque, mal de tête, fièvre élevée, abattement, convulsions
Présence ou non d'aliments, liquide bilieux	Migraines (page 142)	Mal de tête, le plus souvent unilatéral, vertiges, troubles de la vision
Vomissements apparaissant après l'absorption de certains aliments	Allergies alimentaires (page 145)	Diarrhée, éruption cutanée, perte de poids

Symptômes
Eruptions cutanées

Les éruptions cutanées sont très fréquentes chez les enfants et ont tendance à présenter un caractère répétitif. Ces éruptions peuvent toucher le corps entier ou se limiter à certaines parties : elles peuvent chatouiller et prendre toutes les formes possibles et imaginables - taches rouges ou pustules purulentes en passant par des papules de la taille d'un poing.

De nombreuses maladies d'enfant telles que la rougeole, la rubéole, la varicelle sont liées à des éruptions cutanées typiques mais également à d'autres symptômes et notamment la fièvre. Le soleil, la chaleur ou certaines substances chimiques peuvent également irriter la peau. Certains enfants présentent des réactions cutanées allergiques à certains aliments, médicaments ou même certains vêtements.

Il n'est pas toujours possible de déterminer la cause d'une éruption cutanée mais une observation précise et l'exclusion des maladies infectieuses permettent parfois de poser un diagnostic. Si une éruption cutanée vous inquiète - surtout si elle est accompagnée d'autres symptômes - emmenez votre enfant chez le médecin.

Ce que peut cacher une éruption cutanée

Symptômes	Causes possibles	Autres symptômes éventuels
Taches rouges apparaissant derrière les oreilles et se rassemblant pour former des taches plus grandes	Rougeole (page 165)	Le plus généralement fièvre élevée, toux, écoulement nasal, conjonctivite, courbatures
Eruption rubelliforme	Rubéole (page 167)	Pas ou peu de fièvre, pas de signe de rhume, gonflement des ganglions occipitaux
L'éruption commence au niveau de l'aisselle ou des creux inguinaux, douce au toucher	Scarlatine (page 168)	Pas d'écoulement nasal, pas de toux mais mal à la gorge, gorge et palais très rouges, éventuellement foyer infectieux au niveau des amygdales, fièvre, apparition de vésicules autour de la bouche
Eruption rubelliforme rougeole, le plus souvent entre 6 et 15 mois	Roséole infantile (sixième maladie) (page 164)	Fièvre élevée trois à quatre jours avant l'apparition de l'éruption
Erythème circiné	Erythème infectieux (page 161)	Eruption sur la face externe des bras et des jambes, ainsi que sur les joues, l'enfant ne se sent quasiment pas malade
Erythème en carte géographique	Allergies (page 144)	Apparition de taches urticariennes
Eruption avec vésicules contenant de l'eau	Varicelle (page 170) Zona (page 179) Herpès (page 115)	Eruption sur l'ensemble du corps, fièvre Eruption cutanée unilatérale en ligne Vésicules locales, le plus souvent à la base des narines et des lèvres et aux commissures labiales
Eczéma - lésions irrégulières et limitées, sèches ou humides, réparties de manière symétrique ou asymétrique sur l'ensemble du corps	Eczéma atopique (page 149) Croûtes de lait (page 48) Dermatite du siège (page 50) Allergies (page 144)	Démangeaisons par poussées Chez le nourrisson : le plus souvent sur le cuir chevelu Eruption locale, très rouge Démangeaison

Symptômes
Toux

La toux est une réaction de l'organisme à diverses irritations au niveau de la gorge ou des voies respiratoires : mucus, corps étrangers, virus, bactéries, allergènes, gaz. La toux accompagne également de nombreuses maladies. La toux sèche irritative se caractérise par plusieurs quintes se succédant rapidement sans expectoration. Une toux grasse commence en quintes, après une respiration profonde. Le mucus est alors expulsé vers le haut où il est soit avalé soit - à partir environ de 5 ans - recraché. Cette toux productrice de mucosités ne peut être réprimée par les médicaments étant donné que, si c'était le cas, ces mucosités resteraient dans les voies respiratoires.

Si votre enfant tousse depuis plus d'une semaine sans amélioration ou depuis moins longtemps mais qu'il a, par exemple, de la fièvre, mal à la gorge, mal aux oreilles ou qu'il vomit, consultez le médecin.

Ce que peut cacher la toux

Symptômes	Causes possibles	Autres symptômes éventuels
Toux sèche et irritative	Rhume (page 62)	Fièvre, mal de gorge, écoulement nasal, mal aux oreilles
	Début de bronchite (page 67)	Fièvre, essoufflement
	Début de coqueluche (page 158)	Première quinte de toux typique après deux semaines seulement
	Début de rougeole (page 165)	Fièvre, éruption cutanée, conjonctivite
	Début de pneumonie (page 69)	Fièvre, douleurs abdominales, essoufflement
	Début d'asthme bronchique (page 147)	Toux irritative sous la forme de quintes au moment du coucher, du lever ou après un effort physique
	Végétations (page 73)	Difficulté respiratoire, respiration par la bouche
Toux grasse et ronronnante	Bronchite (page 67)	Fièvre et essoufflement
	Coqueluche (page 158)	Vomissements
	Mucoviscidose (page 189)	Difficultés respiratoires, douleurs abdominales, constipation
	Pneumonie (page 69)	Fièvre, douleurs abdominales, difficultés respiratoires
Toux sèche avec sifflement à l'inspiration (stridor)	Corps étranger (page 242)	Toux sanguinolente, détresse respiratoire
	Laryngite striduleuse (page 66)	Difficultés respiratoires, angoisse
	Laryngite (page 65)	Fièvre, détresse respiratoire
Toux sèche irritative avec sifflement à l'expiration (stridor)	Asthme bronchique (page 147)	Détresse respiratoire
	Corps étranger (page 242)	Toux sanguinolente, détresse respiratoire
	Bronchiolite (page 67)	Fièvre, détresse respiratoire
Toux sanguinolente avec ou sans mucosités	Saignement du nez (page 238)	Vomissements avec présence de sang
	Grosse grippe (page 174)	Fièvre, courbatures
	Corps étranger (page 242)	Difficultés respiratoires

Maux de tête

Les enfants aussi peuvent avoir mal à la tête : en cas de rhume, de migraines, de sinusites, de fièvre ou de maladies infantiles. Il arrive aussi que le mal de tête ne soit pas synonyme de maladie mais soit dû uniquement à la mauvaise qualité de l'air, à la fumée de cigarette, à un changement de temps ou à des peurs et des angoisses.

La première mesure à prendre en cas de maux de tête sans autre symptôme est d'appliquer une compresse froide sur le front de l'enfant et de le laisser se reposer dans une pièce sombre. Si aucune amélioration n'apparaît, on peut éventuellement donner à l'enfant un antalgique mais il faudra alors consulter le médecin.

Le médecin identifiera plus facilement la cause des maux de tête de votre enfant si vous pouvez lui en indiquer le siège exact et les situations (moments) dans lesquelles ils surviennent.

Ce que peut cacher un mal de tête

Symptômes	Causes possibles	Autres symptômes éventuels
Mal de tête sans autre symptôme	Troubles de la vision (page 79)	Douleurs lorsque les yeux sont surmenés (après avoir regardé la télévision, après l'école)
	Strabisme (page 78)	
	Migraines (page 142)	Douleurs unilatérales, vomissements, troubles de la vision
	Sinusite chronique (page 71)	Douleurs essentiellement frontales
	Problèmes psychologiques (page 180)	Dépend souvent de la situation
Mal de tête surtout au niveau de la nuque, qui monte à l'arrière de la tête	Mauvaise position des vertèbres cervicales	Après une station assise prolongée (TV, école)
	Migraines (page 142)	Douleurs unilatérales, vomissements, troubles de la vision
Mal de tête accompagnant les mouvements rapides de la tête	Traumatisme par projection (après un accident de voiture, un freinage brusque, une chute)	Nausées, mobilité limitée
Mal de tête au niveau du front, des tempes et des orbites, du crâne ou de l'arrière de la tête, sommet de la tête	Otite moyenne (page 81)	Fièvre et douleurs aux oreilles
	Rougeole (page 165)	Fièvre, éruption cutanée, conjonctivite
	Oreillons (page 162)	Joues gonflées, fièvre et douleurs abdominales
	Rhume (page 62)	Ecoulement nasal, toux, fièvre et mal de gorge
	Grippe (page 174)	Fièvre, courbatures, douleurs abdominales
	Gastro-entérite (page 92)	Fièvre, diarrhée, vomissements
	Méningite (page 141)	Raideur de la nuque, fièvre, vomissements, prostration
Céphalées par accès	Migraines (page 142)	Vertiges et vomissements, troubles de la vision, céphalée unilatérale
Mal de tête à jeun : le matin ou longtemps après avoir mangé	Diabète sucré (page 126)	Sueurs froides, nausées, abattement
	Tumeur cérébrale (page 143)	Vomissements, troubles de la vision, troubles de l'équilibre

Symptômes
Ganglions gonflés

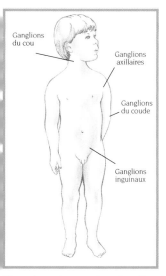

Ganglions du cou
Ganglions axillaires
Ganglions du coude
Ganglions inguinaux

Les ganglions - parfois appelés erronément "glandes" - constituent les filtres du système lymphatique qui est investi de la tâche importante de protéger l'organisme contre les maladies. Les microbes et les débris tissulaires sont transportés par les vaisseaux lymphatiques et captés dans les ganglions où ils sont rendus inoffensifs par les globules blancs.

Le corps compte environ 500 ganglions répartis un peu partout. En cas de lésion ou d'infection, aussi bien bactérienne que virale, certains de ces ganglions peuvent être gonflés. Chez les enfants, les ganglions les plus touchés sont ceux qui se trouvent dans la nuque et dans le cou et qui indiquent que l'enfant souffre d'une maladie dans la région nez-gorge-oreilles ou de la tête.

Ce n'est pas parce que des ganglions sont gonflés qu'il faut consulter immédiatement le médecin. Mais s'ils restent gonflés plusieurs jours ou sont douloureux à la pression, emmenez votre enfant chez le médecin.

Localisation des principaux ganglions

Ce qui peut se cacher derrière les ganglions gonflés

Symptômes	Causes possibles	Autres symptômes éventuels
Ganglions gonflés dans la région du cou	Angine (page 70)	Mal de gorge, difficultés de déglutition, fièvre
	Otite moyenne (page 81)	Douleurs au niveau du cou, des oreilles, problèmes d'audition, fièvre
	Rhume (page 62)	Ecoulement nasal, toux, conjonctivite, douleurs aux oreilles, mal de tête, fièvre
	Sinusite (page 71)	Ecoulement nasal, mal de tête, fièvre
	Végétations (page 73)	Difficultés à respirer par le nez, problèmes d'audition
	Rubéole (page 167)	Eruption cutanée typique
Ganglions gonflés dans la région des aisselles et de l'aine	Plaie (page 249)	Fièvre, rougeurs du circuit lymphatique
	Mycoses aux pieds, pied d'athlète (page 118)	Suintement interdigital, démangeaisons
	Eczéma (pages 144, 149)	Démangeaisons
	Vaccination (page 220)	Erythème et gonflement local, fièvre
Ganglions gonflés à divers endroits du corps	Mononucléose infectieuse, MNI (page 176)	Fièvre, enduit jaunâtre sur les amygdales
	Maladie de Hodgkin (page 188)	Pâleur, fatigue
	Leucémie (page 187)	Pâleur, fatigue, hématomes, fièvre, douleurs articulaires

Le bébé malade

Un bébé qui ne sent pas bien pleure. Il ne peut pas vous dire s'il a mal, ni où et vous ne pouvez donc que deviner : A-t-il faim ? A-t-il soif ? Veut-il être pris dans les bras et dorloté ? Est-il malade ? A-t-il mal aux oreilles ? A-t-il mal au ventre ?

Les bébés tombent facilement malades et de nombreuses maladies comportent un risque, notamment en cas de fièvre, de diarrhée ou de vomissements, parce que leur organisme se déshydrate rapidement.

Dans ce chapitre, vous trouverez des informations sur les problèmes de santé les plus courants chez les bébés.

Attention : au moindre doute, n'hésitez pas à demander conseil à votre médecin.

Qu'arrive-t-il à bébé ?
Coliques du nourrisson

Les coliques des trois premiers mois sont des ballonnements et des douleurs abdominales qui apparaissent vers la deuxième semaine et disparaissent spontanément vers 3 à 4 mois. Les petits garçons en souffrent plus que les petites filles. Les bébés se mettent souvent à pleurer, surtout en début de soirée et à la même heure, et rien ne les console, ni l'attention qu'on leur porte, ni les aliments qu'on leur donne.

L'enfant se tortille en étendant les jambes puis en les ramenant sur lui, son visage se tord de douleur. Les crises de pleurs peuvent durer des heures - avec des pauses - et puis s'arrêtent soudainement.

Les causes des coliques du nourrisson ne sont pas encore connues. Il est probable qu'un manque de maturité de l'intestin en soit partiellement responsable mais l'agitation du soir, une mauvaise alimentation de la mère, une tétée trop gloutonne, le fait d'avaler trop d'air ou une intolérance au lait (allergies alimentaires page 145) pourraient également y jouer un rôle.

SYMPTÔMES TYPIQUES
- **Crises de pleurs, bébé inconsolable le soir**
- **L'enfant se tortille en pédalant avec les jambes**

En tenant votre enfant dans la position ci-contre, vous lui procurerez de la chaleur devant et derrière, ce qui ne manquera pas d'apaiser ses coliques et vous permettra de bien le tenir.

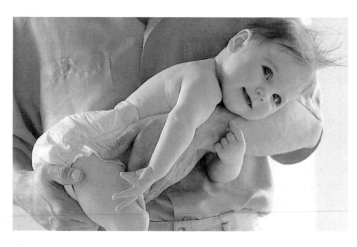

Faut-il consulter ?
Quand les coliques commencent, consultez le médecin afin de vous assurer que les crises de pleurs ne sont pas dues à une autre cause.

Que fera le médecin ?
Après avoir examiné votre bébé, il vous rassurera et vous prescrira des médicaments phytothérapeutiques ou traditionnels contre les ballonnements.

Qu'arrive-t-il à bébé ?
Coliques du nourrisson

Dans certains cas, tous les efforts ne servent à rien et on ne peut qu'attendre patiemment la fin des crises qui disparaissent vers trois à quatre mois. Votre amour importe beaucoup car il permet à votre enfant de surmonter plus facilement les désagréments de cette période.

Ce que vous pouvez faire

• Si vous allaitez : tout ce que vous mangez passe dans le lait maternel et peut provoquer des gaz intestinaux, éventuellement avec plusieurs heures de retard. Renoncez de préférence au café, au lait cru, au yaourt, aux légumineuses, aux choux, aux radis, à l'ail, au raifort et aux oignons.

• Si votre enfant fait facilement des coliques, limitez le débit de la tétée. Si vous allaitez, tirez les 30 premiers grammes avec un tire-lait et laissez téter bébé ensuite.

• Bébé est nourri aux biberons : remplacez l'eau du biberon par une quantité équivalente de tisane à la camomille, au fenouil ou au cumin, à laquelle vous mélangerez la quantité prescrite de poudre de lait dans un bol avant de remplir le biberon. Vous éviterez ainsi que le lait ne mousse. Le trou de la tétine ne doit pas être trop grand (une goutte par seconde) et la tétine ne doit pas être introduite trop profondément dans la bouche de bébé.

• Que vous allaitiez ou que vous donniez le biberon, faites une pause après une minute pour permettre à bébé de faire un rot. Répétez cette pause plusieurs fois sur la durée de la tétée ou du biberon pour permettre à bébé d'expulser l'air ingurgité.

• Quand les coliques apparaissent, massez-lui le ventre dans le sens des aiguilles d'une montre. Donnez-lui votre chaleur en le prenant sur votre ventre.

• Dans la position de l'avion, le bébé bénéficie de chaleur corporelle aussi bien devant que derrière et cette position est également propice à l'évacuation de l'air excédentaire. Pour faire sortir l'air ingurgité, tapotez-lui doucement le dos.

• Couchez votre bébé sur le côté et mettez-lui une compresse tiède et humide sur le ventre (page 198). Certains enfants se calment plus vite quand le papa les console.

• En homéopathie, donnez Chamomilla D30 ou du Calcarea carbonica D6 ou Calcarea phosphorica D5, à raison de cinq granules toutes les deux à trois heures.

• Si toutes ces mesures ne donnent aucun résultat, donnez les médicaments traditionnels prescrits par le médecin mais ne les ajoutez pas au biberon. Donnez-en la moitié avant le repas et l'autre moitié après le repas.

Qu'arrive-t-il à bébé ?
Diarrhée

Chez un bébé, la diarrhée est toujours grave et, sans traitement, elle peut même être mortelle, surtout lorsqu'elle est accompagnée de vomissements et de fièvre. Quand un bébé fait de la diarrhée, il perd beaucoup d'eau et se déshydrate rapidement. Si votre bébé a la diarrhée, consultez toujours un médecin avant d'instaurer un traitement.

La cause la plus fréquente de la diarrhée est la gastro-entérite (page 92) mais elle peut aussi être due à des erreurs diététiques ou à des allergies (page 144).

Au stade précoce d'une diarrhée, bébé a tendance à pleurer plus que d'habitude, se désintéresse de son environnement et rechigne à boire. Souvent, sa température monte et il vomit avant d'éliminer soudainement des selles aqueuses-glaireuses, de couleur vert-brun, plus malodorantes que d'habitude. Son petit ventre est ballonné et gargouille. Très rapidement, la paroi abdominale se creuse, en raison de la perte d'eau, et les yeux s'enfoncent dans leurs orbites.

Si le traitement suivant ne donne pas de résultats dans les 6 à 12 heures après son instauration, emmenez bébé immédiatement chez le médecin. Celui-ci pourra diagnostiquer la cause de la diarrhée et vous prescrire un traitement adapté. En cas de perte massive de liquide, l'hospitalisation peut s'avérer indispensable.

Traitement de la diarrhée chez les nourrissons

• Le plus important est de veiller à ce que bébé boive beaucoup, et ensuite, de lui donner un régime spécial qui mette son estomac et ses intestins au repos.

• Si la diarrhée est due à un microbe, celui-ci sera excrété naturellement avec les selles.

• Donnez à votre bébé du thé noir mélangé à du jus d'orange (page 205) que vous pouvez éventuellement mélanger à une tisane légère au fenouil ou à la camomille ou à une solution de réhydratation que vous trouverez en pharmacie, et ceci en quantités n'excédant pas 50 ml mais que vous lui proposerez toutes les 15 minutes.

De 6 à 8 semaines, donnez-lui en plus de la soupe de carottes et de l'eau de riz ou une solution glucose-électrolytes.

• A partir de 3 mois, vous pouvez également utiliser des aliments de régime antidiarrhéique, notamment de la pomme râpée ou de la banane.

• Quand la diarrhée s'améliore lentement, donnez à bébé, à partir de 4 mois, des carottes cuites réduites en purée et des pommes de terre vapeur.

• Quand bébé a retrouvé la santé, poursuivez ce régime deux jours encore et réintroduisez ensuite progressivement son régime alimentaire normal.

44

Qu'arrive-t-il à bébé ?
Vomissements

Quand un bébé vomit, c'est souvent de façon explosive et assez spectaculaire. Près de la moitié des bébés vomissent de temps à autre, sans pour autant être malades. Malgré tout, chez un nourrisson, les vomissements doivent toujours être pris au sérieux, car un bébé se déshydrate très rapidement.

Sténose du pylore

Un bébé de moins de 3 mois qui vomit fréquemment peut souffrir d'une sténose de l'antre du pylore. Ce problème est dû au rétrécissement du muscle circulaire situé à la sortie de l'estomac qui empêche la vidange des aliments dans le duodénum. Symptômes : les vomissements apparaissent généralement vers la deuxième semaine et deviennent rapidement (en six semaines) systématiques après chaque tétée ou repas, après quoi l'enfant hurle de faim.

En quelques jours, l'enfant perd du poids et produit moins d'urine. Les premiers jours, l'enfant est agité mais il devient ensuite apathique. Ce problème peut être mortel et l'enfant doit être emmené d'urgence chez le médecin. Le traitement de la sténose du pylore est un traitement chirurgical qui consiste simplement à inciser le muscle pylorique dans toute son épaisseur.

Rumination

Quand un bébé régurgite son alimentation et ensuite prend plaisir à la ruminer - le cas échéant en enfonçant les doigts loin dans la bouche - il se peut qu'il souffre du syndrome de rumination, un trouble psychologique. Dans ce cas, distraire l'enfant suffit souvent pour arrêter la rumination. Les bébés qui ruminent ont besoin de beaucoup d'amour et de tendresse et, si possible, d'une alimentation plus solide, par exemple sous la forme bouillie ou de lait épaissi, qui empêche la régurgitation.

Vomissements systématiques

Pendant les trois à quatre premiers mois de la vie, certains nourrissons boivent de manière tellement gloutonne qu'ils ingurgitent beaucoup d'air et "recrachent" régulièrement après leur repas de petites ou de plus grandes quantités de nourriture. Cela ne les empêche pas de se développer comme tous les autres enfants. Cette situation se rencontre surtout chez les enfants de mères inexpérimentées ou négligentes. Ces vomissements systématiques s'améliorent par l'administration de plus petits repas plus fréquents dans une atmosphère détendue qui permet à l'enfant de faire les rots nécessaires, et en rehaussant sa tête après qu'il a mangé (en plaçant par exemple un bloc en dessous de son matelas).

Occlusion intestinale

Un enfant qui vomit de la bile ou du sang peut souffrir d'une occlusion intestinale et doit être transporté immédiatement à l'hôpital. Ce diagnostic est posé rapidement grâce à une échographie et, le cas échéant, le traitement approprié est immédiatement instauré.

Qu'arrive-t-il à bébé ?
Rhume

Les bébés sont sujets aux rhumes. Outre la toux et le nez qui coule, ces rhumes peuvent être accompagnés de plusieurs jours de fièvre élevée et sont souvent suivis d'une otite moyenne (page 81). Si votre enfant a un rhume, essayez de le maintenir dans une atmosphère humide, non surchauffée (18° C) (page 19). Veillez aussi à ce qu'il boive beaucoup : lait maternel, tisane (page 203) ou eau.

Si le rhume persiste plus d'une semaine, consultez le médecin.

Si votre bébé est enrhumé mais qu'il n'a pas de fièvre, sortez-le (avec un bonnet !) et laissez-le dormir la fenêtre ouverte pendant la journée.

Ecoulement nasal

Les bébés qui ont le nez bouché dorment mal et respirent bruyamment. Après quelques gorgées, ils sont forcés de s'arrêter de boire parce qu'ils n'ont plus suffisamment d'air. Des sécrétions épaisses ou visqueuses peuvent s'accumuler dans les fosses nasales. Si votre nourrisson arrête tout à fait de boire et présente des difficultés respiratoires, emmenez-le d'urgence chez le médecin.

Il n'y a pas de traitement spécifique contre l'écoulement nasal d'origine virale. La seule chose que vous puissiez faire, c'est veiller à ce que son nez soit bien dégagé, surtout juste avant qu'il ne mange. N'utilisez ni poire ni écouvillon, mais rincez son nez doucement avec des tortillons d'ouate imbibés d'eau. Les gouttes nasales maison (page 204), le beurre de marjolaine (page 203) ou quelques gouttes de lait maternel permettent de dégager les narines. En homéopathie : contre l'écoulement épais Sambucus D3, 5 granules trois fois par jour, contre l'écoulement clair Alium cepa D4, 5 granules trois fois par jour.

Pour rincer le nez de bébé ou lui mettre des gouttes, maintenez sa tête entre ses deux petits bras que vous immobilisez avec votre avant-bras et une main. N'utilisez pas de gouttes ou pommades qui contiennent du camphre ou du menthol qui pourraient déclencher des convulsions et des troubles respiratoires graves.

Toux

Presque tous les enfants enrhumés toussent. Si, en plus, bébé a de la fièvre, souffre de détresse respiratoire ou que sa toux ne s'est pas améliorée au bout d'une semaine, consultez un médecin. Dans la négative, les tisanes antitussives et les sirops antitussifs maison (page 204) peuvent être donnés jusqu'à 4 fois par jour.

Fièvre

Quand ils sont enrhumés, les bébés ont plus vite de la fièvre que les enfants plus grands. Si la température dépasse 39° C, demandez immédiatement conseil à votre médecin. Si la fièvre persiste plus de trois jours à 38,5° C ou plus, consultez également un médecin. Sinon, vous pouvez faire baisser la fièvre en enveloppant les mollets (page 200) ou en utilisant des suppositoires antipyrétiques spécialement conçus pour les bébés.

Un bébé qui a de la fièvre ne doit pas être habillé aussi chaudement que d'habitude, que du contraire.

Qu'arrive-t-il à bébé ?
Infection des yeux

Le nouveau-né a souvent les yeux qui collent. L'infection oculaire se traduit par un larmoiement d'un œil ou des deux yeux et peut parfois être accompagnée de sécrétions jaunâtres au coin de l'œil. Les causes : l'évacuation des larmes vers les fosses nasales est empêchée par une obstruction du canal lacrymal et les larmes qui s'accumulent favorisent l'installation des bactéries responsables des infections qui, non traitées, peuvent persister plusieurs semaines.

Faut-il consulter ?

Si vous suspectez une inflammation des voies lacrymales chez votre enfant, consultez le médecin.

Si, malgré le traitement instauré, l'inflammation ne diminue pas, consultez un ophtalmologue. Lui seul peut décider s'il faut sonder les voies lacrymales jusqu'aux fosses nasales pour rétablir le passage et, ainsi, venir à bout de l'inflammation.

Que fera le médecin ?

• Le médecin appuiera sur les sacs lacrymaux infectés pour déboucher le canal lacrymal obstrué et, ainsi, rétablir l'évacuation des larmes.
• Il vous montrera comment vous pouvez vous-même masser les sacs lacrymaux de votre enfant pour drainer ses voies lacrymales.
• Le cas échéant, le médecin prescrira un collyre contre l'infection.

SYMPTÔMES TYPIQUES
• **Larmoiement plus important d'un œil ou des deux yeux.**
• **Accumulation de sécrétions purulentes au niveau de l'angle interne de l'œil.**

Ce que vous pouvez faire

• Masser, chaque jour, comme vous l'a montré le médecin, la région des sacs lacrymaux et du canal lacrymal.
• Au lever, rincez les yeux de bébé avec de l'eau tiède préalablement bouillie (page 197). Utilisez une nouvelle compresse pour chaque œil - n'utilisez pas d'ouate qui peut pelucher. La camomille n'est pas recommandée car elle risque d'augmenter l'irritation de l'œil.
• En homéopathie, si du pus jaunâtre s'écoule d'un œil non irrité, donnez 5 granules de Pulsatilla D4 trois fois par jour, et, pour l'œil, des gouttes d'Euphrasia ou un bain oculaire d'Euphrasia (4 fois par jour une goutte dans les yeux ou 4 fois par jour un bain oculaire). Si l'écoulement aqueux n'est pas dû à une blessure, donnez jusqu'à cinq fois par jour 5 granules d'Allium cepa D4 qui a prouvé son efficacité, tandis qu'en cas de sécrétions purulentes épaisses, donnez trois fois par jour 5 granules d'Hepar sulfur D6.

47

Croûtes de lait

La croûte de lait (eczéma du nourrisson) est un eczéma sec ou humide. Son nom "croûte de lait" provient de la ressemblance de l'éruption avec du lait qui a coulé sur une plaque de cuisson. La forme sèche (eczéma séborrhéique) apparaît dans les premières semaines de la vie chez les enfants héréditairement prédisposés à avoir la peau grasse. La forme humide est une forme d'eczéma atopique (page 149) du nourrisson. Les croûtes de lait se forment au niveau du cuir chevelu, mais aussi des sourcils, derrière les oreilles et dans les grands plis articulaires, surtout sous les aisselles, et dans le creux axillaire et poplité. Il s'agit de taches jaunâtres parfois même rouges en partie suintantes qui ont tendance à s'épaissir et à se rejoindre.

Elles chatouillent et sont sujettes aux lésions de grattage qui permettent aux bactéries de pénétrer dans la peau et d'y déclencher des infections.

SYMPTÔMES TYPIQUES
- **Eruption cutanée, squameuse, jaune, située sur la tête, le cou et au niveau des aisselles et des articulations du genou**
- **Démangeaisons**
- **Suintements**
- **Stries de grattage**

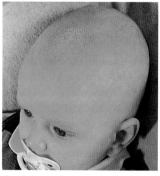

Croûtes de lait sur le cuir chevelu

Faut-il consulter ?
Si vous observez chez votre enfant des plaques rouges ou croûteuses qui s'écaillent, consultez toujours le médecin.

Que fera le médecin ?
- Il vous recommandera une crème à laquelle peut parfois être ajoutée de l'urée.
- Dans les cas graves seulement, le médecin prescrira des antibiotiques ou des pommades à base de cortisone.

Comment aider votre enfant
- Ramollissez les croûtes de lait avec de l'huile d'olive et rincez après avoir laissé pénétrer une demi-heure à une heure avec un shampooing pour bébé non parfumé. Si la croûte de lait est importante, demandez au pharmacien de mélanger de l'huile d'olive à de l'acide salicylique à 0,25%.
- Quand vous donnez le bain à bébé, ajoutez-y du son de blé (page 196) ou du permanganate de potassium (quelques cristaux dans un litre d'eau).
- L'alimentation de votre enfant n'a aucune influence sur ses croûtes de lait.
- En homéopathie, donnez 5 granules d'Hepar sulfur D4 trois fois par jour. En cas de squames très sèches, donnez du Natrum muriaticum D6 aux mêmes doses.

Qu'arrive-t-il à bébé ?
Candidose du siège

La candidose (ou mycose) du siège est due à des champignons micro-scopiques dont le principal responsable est la levure Candida albicans. Le plus souvent, ce champignon provient de l'intestin du nourrisson et s'installe sur sa peau. Le Candida colonise souvent la peau des adultes sans entraîner de conséquence. Il se peut donc qu'une mère transmette ce champignon à son bébé sans le remarquer, par exemple en l'allaitant et en le changeant. Ce champignon prolifère aussi dans la bouche où on l'appelle alors muguet et peut s'installer dans la région gastro-intestinale, ainsi qu'au niveau de la peau autour de l'anus.

Dans la bouche, il est responsable de dépôts blanchâtres relativement épais à l'intérieur des joues et des lèvres et sur la langue. Pour être certain de ne pas le confondre avec du lait qui se serait écoulé de la bouche de bébé et qui aurait séché, donnez-lui un peu de tisane : la tisane rince le lait, pas le muguet. Dans la région fessière - et plus particulièrement autour de l'anus et dans la région génitale - apparaissent des rougeurs plus ou moins étendues dont les bords sont légèrement bourrelés et squameux et qui essaiment à distance en petites pustules rondes espacées.

SYMPTÔMES TYPIQUES
- **Erythème au niveau de la région fessière, parfois avec desquamation et pustules sur le bord**
- **Muguet : dépôts blanchâtres à l'intérieur des joues, des lèvres et sur la langue**

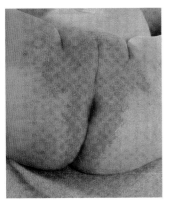

Candidose du siège

Faut-il consulter ?
Le médecin doit poser un diagnostic de certitude.

Que fera le médecin ?
Il prescrira une pommade ou des gouttes antimycotiques contenant de la nystatine.

Ce que vous pouvez faire
- Le plus important est de changer souvent les couches, si possible chaque fois que l'enfant s'est souillé. En été, laissez bébé courir sans couche. Un chauffage d'appoint placé au-dessus de la table à langer permet, en hiver, d'avoir une température suffisante pour laisser l'enfant un quart d'heure sans couche plusieurs fois par jour, bien sûr sous votre étroite surveillance.
- Si votre bébé est encore au biberon, veillez à ce que celui-ci soit d'une propreté irréprochable : stérilisez le biberon 10 minutes au moins avant chaque utilisation et, après un traitement antimyco-tique, changez de tétine.
- Chez les enfants nourris au sein, en cas de muguet, il faut également frictionner les mamelons de la mère, aussi bien avant qu'après la tétée, avec une solution antimycotique que le nourrisson ingurgitera donc indirectement.
- Les enfants qui souffrent de muguet ne doivent pas recevoir de jus sucrés ou de bonbons : le sucre favorise en effet la prolifération des levures.

Qu'arrive-t-il à bébé ?
Dermatite du siège

La dermatite du siège (infection de la peau) est due au contact prolongé de la peau avec l'urine. Quand les couches ont un caractère occlusif, la chaleur y est confinée, ce qui, combiné à l'absence d'aération à l'intérieur des couches, favorise la prolifération des bactéries qui dégradent l'urine : il y a formation d'ammoniac, à l'odeur forte, qui irrite et attaque la peau.

Les fesses de bébé sont abrasées, voire brûlées et présentent des fissures qui ressemblent à de petites écorchures, surtout au niveau du siège et du haut de la cuisse où le lange est en contact étroit avec la peau.

SYMPTÔMES TYPIQUES
• **Erythème**
• **Pustules**
• **Lésions ouvertes**

Faut-il consulter ?

Le médecin devra confirmer qu'il s'agit d'une dermatite du siège ou d'une candidose du siège (page 49). Le muguet du nourrisson dû à des champignons doit être traité différemment.

Que fera le médecin ?

• Le médecin vous conseillera sur la manière de traiter les lésions sur les fesses de bébé.
• Dans les cas difficiles, il pourrait prescrire des pommades antibiotiques ou à base de cortisone.

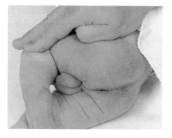

Dermatite du siège typique. Prévention : les couches en papier modernes absorbent l'humidité et possèdent un voile qui évite tout contact entre l'urine absorbée et la peau. En gardant la peau de bébé au sec, ils permettent d'éviter la dermatite du siège.

Ce que vous pouvez faire

• Le plus important, ce sont les soins. Renoncez aux changes en plastique. Optez pour les langes en tissu que vous changerez chaque fois qu'ils sont mouillés.
• Les langes en papier à usage unique sont mieux tolérés. Ils ne doivent cependant pas être trop serrés : plus ils sont larges, plus ils laissent passer l'air et n'attaquent pas la peau.
• Nettoyez bien les fesses de bébé à l'eau tiède et, de préférence, à l'eau courante. N'utilisez pas de lingettes imbibées d'huile. Pour sécher, tamponnez. Vous pouvez aussi sécher bébé en utilisant votre sèche-cheveux réglé sur la puissance minimum à une distance de 40 cm. N'oubliez pas de contrôler préalablement avec votre main la température de l'air.
• Les pâtes ou lotions contenant du zinc, que l'on trouve en pharmacie, peuvent être utilisées mais ne doivent être appliquées qu'en fine couche pour laisser la peau respirer.
• Ne mettez jamais de poudre sur une dermatite du siège suintante !
• En homéopathie, Chamomilla D30 (2 granules par jour) en plus des mesures déjà décrites donne souvent de bons résultats.

Qu'arrive-t-il à bébé ?
Problèmes de l'ombilic

L'ombilic d'un nouveau-né doit faire l'objet de soins particuliers car il constitue une porte grande ouverte aux microbes. Jusqu'à la chute du cordon, nettoyez l'ombilic avec de l'alcool à 70% et recouvrez-le d'une compresse stérile, que vous renouvellerez au moins une fois par jour. Veillez à ce que le bout du cordon ne soit pas pris dans le lange car il pourrait ainsi être souillé ou contaminé par les selles. Ne baignez pas votre bébé avant que le cordon ne soit tombé.

Granulome ombilical
Quand un nombril pas encore tout à fait guéri se met à proliférer, il forme un granulome ombilical : une excroissance fraise ou framboise suintante qui se développe dans l'ombilic ou en dehors de celui-ci. Dans ce cas, l'enfant doit être emmené chez le médecin qui cautérisera le granulome.

Hernie ombilicale
Quand l'anneau ombilical ne se referme pas suffisamment vite, il peut prendre une largeur excessive, pouvant parfois aller jusqu'à 3 cm de diamètre. Au niveau de l'ombilic on sent alors soit un creux, soit une tuméfaction qui peut toujours être réintégrée par une simple pression du doigt. Une petite hernie ombilicale disparaît généralement spontanément dans les premières années de la vie. Les bandages ombilicaux ne servent à rien. Si la hernie ombilicale continue à augmenter ou, en tout cas, ne diminue pas, une opération peut alors être envisagée.

Les hernies ombilicales et inguinales sont opérées en clinique de jour (page 23).

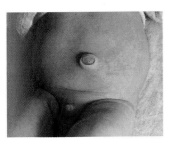

Une hernie se forme quand les viscères passent au travers de la paroi abdominale. Les creux inguinaux et l'ombilic sont à cet égard des régions propices. Quand l'enfant tousse ou pousse, la pression intra-abdominale augmente et les viscères peuvent s'insérer dans l'espace herniaire et le faire gonfler. Si ce gonflement ne peut être réduit par une simple compression, il y a risque d'étranglement.

Saignements
Dans les deux semaines qui suivent la chute du cordon ombilical, de petits saignements sont fréquents. Ils se présentent le plus souvent comme des croûtes de sang dans le nombril et dans le lange. Ces saignements ne sont pas dangereux et ne doivent faire l'objet d'aucun traitement. Même si vous observez des saignements, continuez donc à soigner l'ombilic de votre bébé comme décrit plus haut. Pas de bain !

Suintement ombilical
Le suintement ombilical est le signe d'une infection débutante. Si vous observez des sécrétions jaunâtres (pus) au niveau du nombril de votre bébé, consultez le médecin. Il se peut en effet que des bactéries aient pénétré dans son ombilic et risquent d'entraîner une septicémie.

Le médecin contrôlera, dans ce cas, s'il y a une fistule (canal ouvert au travers de la paroi abdominale) et vous prescrira une pommade antibiotique destinée à combattre l'infection.

Qu'arrive-t-il à bébé ?
Problèmes de peau

L'air frais est la meilleure chose pour la peau sensible de bébé. Laissez donc votre bébé le plus souvent possible nu - sans couche - se balader dans une pièce chaude en hiver et même dehors en été.

La peau douce de bébé est particulièrement sensible : comparativement à celle d'un adulte, elle est beaucoup plus fine et sa couche de protection acide contre les microbes ne se développe qu'au fil du temps. Pour cette raison, les nouveau-nés et les nourrissons souffrent souvent de problèmes de peau et les taches et éruptions sont monnaie courante. Nous avons fait ici la synthèse des problèmes cutanés les plus fréquents et peu graves qui, chez les bébés, disparaissent souvent spontanément. Malgré tout, attirez l'attention du médecin sur tout problème de peau de votre bébé afin qu'il puisse exclure une éventuelle infection bactérienne plus grave. Les croûtes de lait (page 48), la candidose du siège (page 49) et la dermatite du siège (page 50) sont autant de problèmes de la peau typiques chez les bébés qui nécessitent un traitement ciblé.

L'acné du nouveau-né
Les petits points blancs qui apparaissent surtout sur les joues et le front du nouveau-né peuvent être présents dès la naissance ou apparaître jusqu'à la 4e semaine. Cette séborrhée est sans doute due à des hormones de la mère qui ont été transmises à l'enfant par le placenta.

Ces petits points blancs disparaissent en quelques semaines et ne nécessitent pas de traitement. Surtout ne les percez pas car vous risqueriez de les surinfecter.

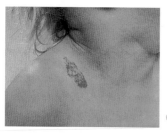

Hémangiome
L'hémangiome apparaît sous la forme d'un petit point rouge et évolue très rapidement vers une enflure dont l'aspect ressemble à celui d'une framboise. Il peut être présent à la naissance ou apparaître pendant les premières semaines de la vie et, éventuellement s'étendre à tous les endroits du corps. Il est dû à une croissance spongieuse des vaisseaux sous-cutanés. Les hémangiomes disparaissent le plus souvent avant l'âge de sept ans. Lorsqu'ils sont particulièrement mal placés, qu'ils défigurent l'enfant ou qu'ils risquent de saigner, ils sont enlevés chirurgicalement. Certaines cliniques utilisent le laser pour les enlever.

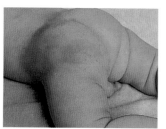

Tache ardoisée
La coloration ardoisée dans le bas du dos touche surtout les bébés à la peau foncée et est due à une pigmentation exagérée de l'épiderme. Ces taches sont observées chez pratiquement tous les bébés asiatiques et chez les Méditerranéens. Les taches disparaissent spontanément avant la puberté et ne nécessitent pas de traitement.

52

Qu'arrive-t-il à bébé ?
Problèmes de peau/
Problèmes aux testicules

Tache de vin

Les taches de vin sont des taches roses à rouges qui siègent au milieu du front, sur les paupières supérieures et sur la nuque et sont fréquentes chez les bébés de peau blanche à la naissance. Ces taches de vin ne doivent pas être traitées et disparaissent en principe spontanément dans les trois à quatre premières années de la vie. Les taches de vin situées à d'autres endroits du corps doivent être examinées par le médecin et, éventuellement, être enlevées chirurgicalement.

Problèmes aux testicules

Jusque très peu de temps avant la naissance, les testicules se développent à proximité des reins. Ensuite, ils migrent dans les bourses où ils continuent à se développer jusqu'à la puberté et commencent à produire le sperme et les hormones mâles mais ils doivent pour cela se trouver à une température inférieure à la température corporelle (37° C) - raison qui explique pourquoi les testicules sont situés à l'extérieur du corps.

A la naissance, le pédiatre examine les testicules du nouveau-né. S'il constate qu'ils sont encore trop hauts , après trois mois, l'enfant doit être traité avec des hormones ou opéré (ectopie testiculaire, page 106).

Si votre enfant souffre d'hydrocèle (image du haut), placez sous ses bourses un mouchoir en papier replié sur la longueur pour les soutenir.

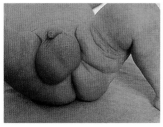

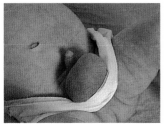

Hydrocèle

L'hydrocèle se caractérise par la présence de liquide dans les bourses, conséquence d'une communication entre la bourse et l'abdomen. Environ 10% des petits garçons naissent avec une hydrocèle.

La bourse des bébés est alors fortement gonflée d'un côté ou des deux côtés. Le médecin base son diagnostic sur la présence de liquide révélée par une forte lumière dirigée sur la bourse.

L'hydrocèle n'est généralement pas traitée. Si votre bébé souffre d'une hydrocèle, placez un mouchoir en papier replié dans la longueur sous ses bourses, d'une jambe à l'autre, et veillez, quand vous le langez, à ce que ses organes génitaux soient dirigés vers le haut - pour permettre une résorption plus rapide de l'œdème.

Si le traitement instauré ne donne aucun résultat, une intervention chirurgicale sera éventuellement envisagée pour éviter une pression trop importante sur les testicules.

Qu'arrive-t-il à bébé ?
Jaunisse du nouveau-né

Pratiquement tous les bébés deviennent jaunes autour du 2e ou 3e jour. Cette jaunisse appelée physiologique est due au fait qu'un nouveau-né en bon état de santé vient au monde avec un nombre anormalement élevé de globules rouges. Ces globules rouges surnuméraires meurent en libérant de la bilirubine. Le foie du nouveau-né n'est cependant pas encore capable d'absorber rapidement cette bilirubine, qui est alors stockée dans la peau. La peau du bébé prend alors une coloration jaune tandis que ses urines et ses selles conservent une couleur normale.

Quand la jaunisse apparaît dans les 24 heures qui suivent la naissance, elle est le plus souvent due à une incompatibilité entre le sang de l'enfant et le sang de la mère (incompatibilité entre les groupes sanguins ou les facteurs rhésus). Dans ce cas, la jaunisse peut être importante et comporter un risque de lésion cérébrale.

La prudence est aussi de mise lorsque la jaunisse n'apparaît qu'après le 4e jour : elle peut alors être due à une infection liée à une septicémie.

SYMPTÔMES TYPIQUES
- **Coloration jaune de la peau**
- **Faiblesse à la tétée**
- **Somnolence anormale**

Faut-il consulter ?
Si la peau de votre bébé prend une coloration jaune dans les 48 premières heures de vie ou si cette coloration jaune est particulièrement intense ou persiste plus de 3 jours, consultez un médecin.

Ce que vous pouvez faire
- Veillez à ce que votre enfant soit exposé le plus possible à la lumière, par exemple à proximité directe de la fenêtre (fermée). La lumière favorise, en effet, la dégradation de la bilirubine.
- Donnez-lui beaucoup à boire (tisane).

Que fera le médecin ?
- Le médecin contrôle régulièrement le taux de bilirubine dans le sang. Lorsque ce taux est trop élevé, il peut prescrire une photothérapie qui consiste à exposer le bébé à une lumière blanche, bleue ou verte de longueur d'onde particulière qui favorise la dégradation de bilirubine et en accélère l'élimination.
- Si, malgré la photothérapie, la concentration de bilirubine reste élevée, il faut alors procéder à une exsanguino-transfusion.
- Si la jaunisse persiste plus de 10 jours chez un bébé en bonne santé, le médecin vérifiera s'il ne souffre pas d'un trouble métabolique.

Qu'arrive-t-il à bébé ?
Poussée dentaire

Dès le troisième mois apparaissent les premières dents. Là où vont percer les dents - les deux premières entre 4 et 8 mois - la gencive est gonflée. Quand apparaissent les canines et les molaires (10 à 14 mois), de petits vaisseaux sanguins peuvent être blessés, ce qui entraîne alors des bleus (hématomes) douloureux au niveau des gencives. En règle générale, les poussées dentaires ne posent pas de problèmes plus importants. On peut parfois observer une inflammation des gencives, parce que les enfants portent à la bouche tout ce qui est à leur portée - propre ou sale - car c'est ainsi qu'ils découvrent leur environnement : c'est en effet dans la muqueuse buccale que se trouve la majorité des corpuscules tactiles et bébé les utilise aussi pour appréhender son environnement.

La période de la poussée dentaire correspond à la phase orale qui dure, dans l'ensemble, de 3 mois à 2 ans. Pour diminuer les douleurs dentaires et, en même temps, calmer le besoin de mastiquer, donnez à votre bébé quelque chose de dur à mordiller. Sont recommandés : les anneaux de dentition remplis de liquide, les croûtes de pain sec, les quartiers de pomme, les carottes, les morceaux de fenouil cru ou les tiges de céleri blanc. Les racines de guimauve vendues en pharmacie sont contraires à toutes les règles de l'hygiène car elles ne peuvent pas être nettoyées.

En homéopathie, les problèmes dentaires sont traités avec deux à trois granules de Chamomilla D30 que vous mettrez dans les bajoues de bébé. Si votre bébé pleure parce qu'il a mal, vous pouvez lui mettre des suppositoires de paracétamol ou lui donner des sirops spéciaux que vous trouverez en pharmacie.

Les teintures lénifiantes que l'on trouve en pharmacie ont un effet anesthésique léger et de courte durée sur la gencive. La tisane de sauge ou la teinture de sauge diluée vendues en pharmacie sont plus appropriées mais ont un goût amer.

Donnez à bébé un objet dur qu'il puisse mastiquer ou mordiller ; cela vaut mieux que de le laisser mordiller son doigt.

Qu'arrive-t-il à bébé ?
Luxation de la hanche

La luxation de la hanche est une anomalie congénitale de l'articulation de la hanche à caractère souvent familial et héréditaire. Les filles sont beaucoup plus souvent touchées que les garçons.

Il y a luxation de la hanche quand ce que l'on appelle la cavité cotyloïde, la partie du bassin dans laquelle se loge la tête du fémur, n'est pas encore bien formée et est encore trop plate. Dans ce cas, la tête du fémur ne rencontre aucun arrêt et peut glisser hors de sa cavité et provoquer, alors, la luxation à proprement parler.

La luxation de la hanche se guérit très bien lorsqu'elle est diagnostiquée et traitée de manière précoce. Pour cette raison, tout nouveau-né doit être examiné dans les premiers jours de sa vie par un pédiatre ou un orthopédiste - et une échographie systématique serait souhaitable.

Si, en langeant votre enfant, vous éprouvez des difficultés à écarter facilement ses cuisses ou si vous constatez que ses plis fessiers sont à des hauteurs différentes, parlez-en à votre médecin.

Quand la luxation de la hanche n'est pas diagnostiquée ou n'est pas traitée, les articulations de la hanche s'usent prématurément et on peut observer chez ces enfants une arthrose douloureuse dès l'âge de 20 ans.

SYMPTÔMES TYPIQUES
- **Difficultés lors de l'écartement des jambes**
- **Plis fessiers de hauteurs différentes**

Dans la luxation de la hanche (à droite sur l'image), le toit du cotyle de la hanche est aplati, ce qui ne permet pas à la tête du fémur de s'insérer correctement dans son articulation.

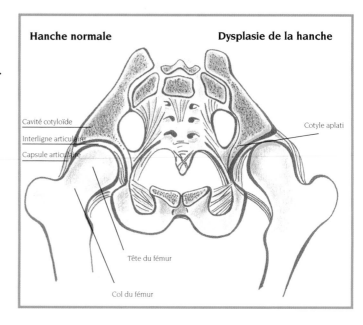

Hanche normale **Dysplasie de la hanche**

Cavité cotyloïde

Interligne articulaire

Capsule articulaire

Cotyle aplati

Tête du fémur

Col du fémur

Qu'arrive-t-il à bébé ?
Luxation de la hanche

La culotte de contention doit être gardée environ 8 semaines jour et nuit, jusqu'à ce que les os de la hanche reprennent leur forme normale.

Faut-il consulter ?

• Si vous suspectez une luxation de la hanche ou s'il y a des antécédents familiaux, consultez le médecin.

• Quand aucun examen de dépistage de la luxation de la hanche n'a été effectué chez un nouveau-né, le pédiatre doit procéder à un examen et à une échographie au plus tard entre la 4e et la 6e semaine.

Comment aider votre enfant

• Veillez à ce que votre enfant porte sa culotte en permanence. Ceci ne fait pas mal et, avec un peu d'habitude, l'enlever et la remettre devient un jeu d'enfant.

Que fera le médecin ?

• En cas de luxation de la hanche, le médecin prescrira à votre bébé un appareillage souple qui maintiendra ses jambes écartées à 150° environ pour permettre à la tête du fémur de rester dans la cavité cotyloïde, et éviter à bébé les faux mouvements. La cavité cotyloïde insuffisamment formée pourra ainsi terminer lentement son développement.

• Lorsqu'il y a luxation à proprement parler, le traitement doit être orthopédique. Dans ce cadre, la tête du fémur est replacée dans la cavité cotyloïde et fixée sous anesthésie générale. Le bébé est alors plâtré et ce plâtre est ensuite régulièrement contrôlé par le médecin et remplacé au fur et à mesure que bébé grandit. La durée du traitement dépend du développement de la cavité cotyloïde.

L'enfant malade

Dans le chapitre qui suit, nous allons passer en revue les maladies les plus courantes de l'enfance. Elles ont été rassemblées par système : voies respiratoires, yeux, oreilles, dents, tube digestif, cœur, sang et circulation, reins, voies urinaires et organes sexuels, peau, métabolisme et glandes, os, muscles et articulations, cerveau et système nerveux, maladies allergiques, maladies typiquement infantiles, autres maladies infectieuses et enfin les troubles psychologiques.

Outre les symptômes de la maladie et son évolution, les signes indiquant qu'il faut consulter un médecin et les traitements médicaux, vous trouverez également des encadrés reprenant les mesures que vous pouvez prendre vous-même ainsi que des conseils pour les soins à la maison.

Voies respiratoires

Le système respiratoire comprend les voies respiratoires, les poumons et les muscles respiratoires. Les voies respiratoires servent à nettoyer, filtrer et réchauffer l'air inspiré. Les poumons sont le siège de l'échange entre l'oxygène inspiré et le gaz carbonique produit lors de son utilisation et ramené dans les poumons d'où il est "expiré". Les poumons ne sont séparés de la paroi thoracique que par un très petit espace. La dépression qui règne dans cet espace oblige les poumons à adhérer constamment à la paroi thoracique : ils ne peuvent se collaber. Les muscles respiratoires soulèvent et abaissent la cage thoracique, dilatant ainsi les poumons à l'inspiration et les faisant se contracter à l'expiration.

Les poumons sont séparés de la cavité abdominale par une mince couche musculaire, le diaphragme. Lors de l'inspiration, le diaphragme s'abaisse (les poumons se dilatent, permettant l'entrée de l'air), lors de l'expiration, le diaphragme se relâche et remonte vers le haut de la cage thoracique.

Important : respirer par le nez

L'ensemble des voies respiratoires (nez-gorge-larynx et parois bronchiques) est tapissé d'une muqueuse qui humidifie l'air. Les cils des muqueuses arrêtent les poussières, les virus et les bactéries et les évacuent vers l'extérieur. Dans les fosses nasales, les parois internes sont recouvertes de structures enroulées, traversées de gros vaisseaux : les cornets. L'air traverse les cornets où il est réchauffé.

Il est donc aussi important que votre enfant respire par le nez : pour nettoyer, humidifier et réchauffer l'air ambiant qu'il respire. Dans le naso-pharynx s'abouchent les orifices des sinus et les conduits d'aération de l'oreille (trompes d'Eustache des deux oreilles moyennes) ainsi que les canaux lacrymaux par où s'écoulent les larmes. La paroi supérieure et arrière de la cavité nasale constitue une paroi osseuse de séparation avec le cerveau.

C'est au travers de la lame criblée de l'os ethmoïdal que les nerfs olfactifs venant du cerveau pénètrent la muqueuse olfactive.

Toutes les voies respiratoires sont tapissées d'une muqueuse et protégées par un épithélium cilié. L'irritation de la muqueuse par de la poussière, un air vicié, des virus ou des bactéries provoque le réflexe de la toux et une augmentation de la production de mucus. Les particules nocives et le mucus sont ensuite retenus par les cils et évacués par la toux vers les voies aériennes supérieures où ils sont éliminés.

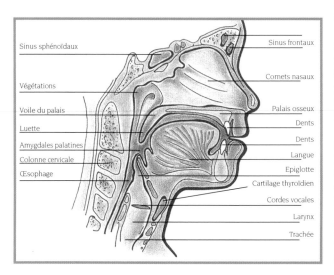

Sinus sphénoïdaux
Sinus frontaux
Cornets nasaux
Végétations
Palais osseux
Voile du palais
Dents
Luette
Dents
Amygdales palatines
Langue
Colonne cervicale
Epiglotte
Œsophage
Cartilage thyroïdien
Cordes vocales
Larynx
Trachée

Voies respiratoires

Motif principal des visites chez le médecin : les infections respiratoires

Les infections des voies respiratoires supérieures (le nez, le pharynx, la trachée, mais pas les poumons) constituent le motif principal de consultation chez le pédiatre. Quatre-vingt-dix pour cent de ces infections sont d'origine virale, et non bactérienne. Contre les virus - contrairement aux bactéries - aucun antibiotique n'est efficace. Ces virus sont transmis par voie aérienne par la toux, les éternuements ou la parole tout simplement. Le plus gros risque de contamination se situe les premiers jours de la maladie. De nombreuses souches virales n'apparaissent qu'à certaines périodes de l'année et touchent principalement certaines parties des voies respiratoires, par exemple les muqueuses nasales. Ces particularités fournissent au médecin des indications importantes dans l'établissement de son diagnostic et l'instauration du traitement approprié.

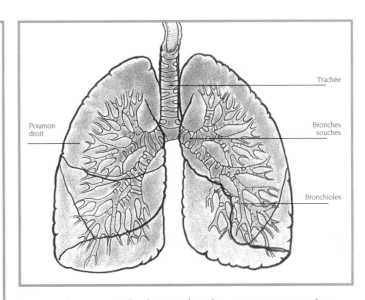

Trachée

Poumon droit

Bronches souches

Bronchioles

Le naso-pharynx est riche de tissus lymphatiques, notamment les amygdales pharyngées (polypes nasaux ou végétations adénoïdes) et les amygdales palatines. Les amygdales palatines se trouvent à droite et à gauche de la luette et sont visibles quand on ouvre grand la bouche. Chez les enfants, elles sont très grosses et peuvent se toucher en leur milieu. Comme le thymus, les polypes et les amygdales sont un atelier de fabrication de défenses immunitaires endogènes. Elles font donc partie du système immunitaire. Pour cette raison, elles ne doivent pas être enlevées chez les petits enfants uniquement sous prétexte qu'elles seraient "trop grosses" (page 73). Leur contact permanent avec les microbes les fait grossir et stimule le système immunitaire de l'enfant. Avec les années, l'enfant produit suffisamment d'anticorps et peut se protéger de nouvelles infections. La taille des polypes, des amygdales et du thymus diminue dès lors spontanément. Leur mission est accomplie et ils ne sont plus utilisés.

Quand l'air a traversé le naso-pharynx, il passe dans la trachée, arrive dans les bronches et atteint jusqu'à leurs plus petites ramifications (les bronchioles) pour finalement déboucher dans les alvéoles pulmonaires. Les parois de ces alvéoles sont parsemées de tout petits vaisseaux sanguins (capillaires). L'oxygène contenu dans les poumons passe alors dans le sang et le gaz carbonique contenu dans le sang rejoint les poumons.

Voies respiratoires
Rhume

Le rhume banal est une infection des voies respiratoires supérieures due au rhinovirus et qui se transmet par voie aérienne (toux, éternuement, postillons). Quand il s'agit d'un premier épisode, chez le nourrisson, l'infection tombe souvent sur les bronches et les poumons. Les enfants malades ne sont contagieux que quelques jours. Les enfants qui ont déjà eu des épisodes antérieurs ont suffisamment développé leur système immunitaire pour passer au travers de l'épidémie sans tomber malades.

Les symptômes sont un "abattement général", l'écoulement nasal et/ou la toux, l'inflammation des yeux, du nez et de la gorge et, éventuellement, aussi des oreilles. Chez les nourrissons, le premier contact avec le rhinovirus provoque souvent une trachéite. Il peut également y avoir de la fièvre - modérée à élevée.

Le rhume banal dure de 7 à 10 jours et laisse, en guise de souvenir, des anticorps conférant une immunité de plusieurs mois contre la souche de rhinovirus qui a provoqué le rhume.

SYMPTÔMES TYPIQUES
- **Abattement**
- **Ecoulement nasal**
- **Toux**
- **Inflammation des muqueuses**
- **Température**

Faut-il consulter ?

Si le rhume persiste plus de 5 à 6 jours, et si la fièvre ne disparaît pas dans les 48 heures, consultez le médecin. En cas de rhume chez un nourrisson, mieux vaut toujours consulter le médecin.

Que fera le médecin ?

Il vérifiera peut-être à l'aide d'un frottis nasal si, outre le virus, des bactéries ne sont pas impliquées. Si c'est le cas, il pourrait prescrire des antibiotiques.

Ce que vous pouvez faire

- Il n'existe aucun traitement ciblé pour lutter contre les rhumes d'origine virale. Un traitement symptomatique peut être instauré avec des mucolytiques, éventuellement des antitussifs et des suppositoires antipyrétiques.
- En principe, les sirops antitussifs et les mucolytiques à base de plantes (page 204) suffisent. Les gouttes nasales fabriquées à partir de solutions sucrées (page 204) et les inhalations (page 205) dégagent le nez.
- En homéopathie : les remèdes homéopathiques sont choisis en fonction des symptômes. Votre médecin vous guidera volontiers dans ce choix.
- Faites boire à votre enfant chaque jour un jus d'orange pressée - qui lui assure un apport suffisant en vitamines C.
- Ne donnez pas à votre enfant du lait chaud avec du miel qui favorise l'encombrement muqueux des voies respiratoires.
- Si votre enfant n'a pas de fièvre, laissez-le sortir autant qu'il en manifeste le désir. Placez dans sa chambre un sèche-linge garni de serviettes humides. Cela permet d'améliorer la qualité de l'air. Veillez à ce que la température de la chambre à coucher ne dépasse pas 15°C.

Voies respiratoires
Rhino-pharyngite

SYMPTÔMES TYPIQUES
- **Eternuements**
- **Ecoulement nasal**
- **Sécrétions d'abord aqueuses et limpides et ensuite visqueuses et jaunâtres**

La rhino-pharyngite compte parmi les maladies les plus courantes : chez les enfants en bas âge, elle peut être observée jusqu'à 9 fois par an, chez les enfants en maternelle jusqu'à 12 fois par an - ils passent alors pratiquement d'une infection à la suivante - chez les enfants plus grands jusqu'à 6 fois et chez les adultes, en moyenne, 3 à 5 fois par an.

Les responsables de la rhino-pharyngite sont le plus souvent des virus transmis par voie aérienne (toux, éternuement). Sa durée d'incubation va de quelques heures à quelques jours et elle apparaît d'abord sous la forme d'un picotement dans la gorge suivi d'éternuements et d'un écoulement nasal aqueux et clair. Les muqueuses du nez et de la gorge sont rouges et gonflées. Les sécrétions prennent progressivement un aspect plus visqueux et jaunâtre. La respiration par le nez devient difficile. Chez les nourrissons, cette situation peut également entraîner des problèmes pour boire. Les nourrissons (page 46) et les petits enfants peuvent présenter de la température pendant quelques jours. La rhino-pharyngite disparaît en 8 à 10 jours.

Si elle persiste plus d'un mois, elle est peut-être le signe d'une malformation de la cloison nasale, d'une sinusite ou d'une allergie. Dans ce cas, le médecin procédera à des tests qui lui permettront d'identifier et de traiter la maladie réellement en cause.

Ce que vous pouvez faire
- Principe de base : laisser l'enfant à l'air frais le plus souvent possible s'il n'a pas de fièvre. Les nourrissons doivent sortir tous les jours ou, du moins, dormir près d'une fenêtre ouverte, même en hiver, dès qu'il y a 7° C ou plus. Habillez chaudement bébé et emmenez-le dehors en veillant à lui couvrir la tête pour le protéger des otites !
- Quand les muqueuses nasales ont dégonflé, administrez-lui des gouttes nasales de votre fabrication, du beurre de marjolaine (page 203) ou les gouttes prescrites par le médecin. Attention : l'utilisation des gouttes traditionnelles peut fortement dessécher les muqueuses et les endommager !
- En homéopathie, de nombreux remèdes sont utilisés dans la rhino-pharyngite, par exemple Allium cepa D3 quand il y a écoulement nasal prédominant (5 granules toutes les deux à trois heures), Kalium bichromicum D6 s'il y a expectoration de paquets de glaires (5 granules trois fois par jour). Chez le nourrisson, Sambucus D3 (5 granules trois fois par jour).
- N'utilisez pas de poire ni de coton-tige pour nettoyer le nez de bébé mais plutôt un tortillon d'ouate ou de mouchoir en papier. Aidez les petits enfants à se moucher : appuyez sur une narine et faites-les "souffler". Si l'enfant se mouche mal, les sécrétions peuvent se diriger vers l'oreille et y entraîner, éventuellement, une otite moyenne. Pour cette raison, il vaut parfois mieux laisser le nez couler.
- Les lésions qui apparaissent autour du nez et des lèvres sont dues au fait que l'enfant doit souvent se moucher ; elles peuvent être traitées avec du beurre de marjolaine (page 203) ou de la pommade à base de calendula que vous trouverez en pharmacie.

Faut-il consulter ?
- Un nourrisson qui boit mal doit être emmené chez le médecin.
- Si la rhino-pharyngite persiste plus de deux semaines sans amélioration, emmenez l'enfant chez le médecin. Celui-ci décidera alors si un frottis s'avère nécessaire pour déterminer s'il y a surinfection bactérienne.

Que fera le médecin ?
Il pourra prescrire à l'enfant des gouttes nasales décongestionnantes.

Voies respiratoires
Pharyngite

La pharyngite peut être due à des virus ou à des bactéries. Chez les enfants de moins de 2 ans, son origine est le plus souvent virale. Au jardin d'enfants et à l'école primaire, par contre, les angines d'origine bactérienne sont plus fréquentes et sont surtout dues aux streptocoques hémolytiques du groupe A qui peuvent également provoquer la scarlatine (page 168).

Les pharyngites se transmettent par voie directe (toux, éternuement) et par voie indirecte (vêtements, literie, fèces, urine, etc. infectés).

La pharyngite apparaît plus ou moins brutalement et se caractérise par une douleur de la gorge, des difficultés de déglutition, ainsi qu'une rougeur et un gonflement des muqueuses du pharynx, du palais, de la luette et des amygdales, muqueuses sur lesquelles on peut voir un dépôt membraneux brillant. Certains enfants ont de la fièvre. Les ganglions du cou sont gonflés et peuvent même atteindre la taille d'une fève. Si la pharyngite est due à un virus, on note plutôt des muqueuses gonflées, légèrement rouges et vitreuses et une fièvre plus modérée. Les bactéries donnent des muqueuses rouge vif et gonflées, avec dépôts membraneux ou un piqueté purulent accompagné d'une température plus élevée.

Pour savoir si votre enfant souffre d'une pharyngite, prenez une lumière vive (lampe de bureau ou lampe de poche). Demandez à votre enfant de basculer la tête fortement en arrière, d'ouvrir la bouche et de dire un long "Aaaah". Cela vous permettra de voir la muqueuse du pharynx. Si la langue bouche la vue, abaissez-la avec le dos d'une cuillère ou d'une spatule propre le plus large possible. Mais, attention, allez-y doucement sous peine de provoquer des vomissements.

Les enveloppements chauds ou froids autour du cou apaisent les douleurs à la gorge et facilitent la déglutition.

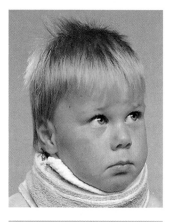

SYMPTÔMES TYPIQUES
- **Douleurs à la gorge**
- **Difficultés de déglutition**
- **Rougeurs de la gorge et muqueuses gonflées**
- **Fièvre**
- **Ganglions du cou gonflés**

Quand faut-il consulter ?
• Si, après trois à quatre jours, aucune amélioration n'est intervenue, emmenez l'enfant chez le médecin pour éviter les complications.
• Si vous soupçonnez la scarlatine, emmenez-le immédiatement chez le médecin !

Que fera le médecin ?
Il prescrira à l'enfant des pastilles calmantes à sucer ou des sprays. Eventuellement, il procédera à un frottis de la gorge afin d'identifier le microbe responsable. Si nécessaire, il lui prescrira des antibiotiques.

Ce que vous pouvez faire
• Pour soulager ses difficultés de déglutition, vous pouvez lui donner des pastilles ou des tisanes, notamment à la sauge, au thym, au lierre ou au plantain lancéolé.
• Vous pouvez également lui faire des enveloppements chauds ou froids du cou en fonction de ce qu'il préfère.

Voies respiratoires
Laryngite

La laryngite est le plus souvent due à des virus qui infectent aussi la trachée. Quelques jours après une infection transmise par voie aérienne (toux, éternuement), apparaît une toux sèche, rauque, aboyante, accompagnée d'enrouement. Parfois la toux est à peine audible et la voix peut être éteinte ou rauque. Certains enfants ont également de la fièvre.

L'épiglottite est une infection du clapet mobile qui obstrue le larynx et les voies respiratoires au moment de la déglutition et qui peut être dangereuse et potentiellement mortelle. Elle n'est pas accompagnée de toux mais l'élocution est laborieuse et la voie éteinte. En raison du risque de suffocation, qui y est lié, au moindre doute, appelez d'urgence le médecin ou rendez-vous le plus rapidement possible à l'hôpital !

SYMPTÔMES TYPIQUES
- **Toux sèche**
- **Enrouement**
- **Fièvre**

Complications
Surtout chez les nourrissons et les petits enfants, l'œdème des muqueuses peut dégénérer en laryngite striduleuse (page 66).

Faut-il consulter ?
• Une toux brutale, violente, irritative et sèche peut également être le signe que votre enfant a inhalé un corps étranger qui bloque sa trachée (page 242). Il faut donc toujours y penser !
• Si votre enfant tousse pendant plus de deux jours, emmenez-le chez le médecin.

Que fera le médecin ?
• Il vérifiera si votre enfant souffre de coqueluche, s'il a avalé quelque chose ou s'il souffre d'une épiglottite.
• Il lui prescrira peut-être des mucolytiques et des médicaments antitussifs.

Ce que vous pouvez faire
• Humidifiez la chambre de l'enfant avec de la vapeur chaude.
• Faites-lui des inhalations salines (page 196).
• Le sirop antitussif maison (page 204) dissout le mucus et soulage la toux.
• Si votre enfant n'a pas de fièvre, laissez-le sortir - s'il y a un vent froid, mettez-lui une écharpe devant le nez et la bouche. Il ne faut toutefois pas qu'il fasse trop d'efforts physiques.
• Votre enfant peut continuer à aller à l'école mais doit être exempté de la gymnastique et des autres sports.
• Parler peu et à voix basse favorise la guérison de la laryngite.

Voies respiratoires
Laryngite striduleuse (faux croup)

Environ 5% des enfants entre 9 mois et 4 ans 1/2 attrapent une laryngite striduleuse. Elle est le plus souvent déclenchée par une infection virale. Un temps froid et humide, la pollution atmosphérique et le tabagisme favorisent l'apparition de cette maladie du larynx dans laquelle on note une inflammation et un gonflement de la muqueuse. Chez les nourrissons et les petits enfants, le larynx est encore très étroit et le gonflement de sa muqueuse œdématisée rétrécit encore l'espace, menaçant même carrément de l'obstruer : il en résulte alors des difficultés respiratoires et une toux aboyante. Chez les enfants plus âgés, de 8 à 9 ans, le larynx est devenu suffisamment large et la laryngite striduleuse ne peut plus s'y installer (sauf rare exception).

Ses symptômes sont : le soir ou la nuit, après quelques heures de sommeil (position couchée) apparaît soudainement une toux rauque et aboyante, avec difficultés respiratoires et chuintement à l'inspiration (stridor). Celle-ci réveille les enfants qui respirent mal et sont angoissés. Le plus souvent, des symptômes de rhume précèdent l'apparition de la laryngite striduleuse.

SYMPTÔMES TYPIQUES
- **Toux aboyante qui réveille l'enfant la nuit**
- **Difficultés respiratoires**
- **Inspiration à consonance aiguë et sifflante**
- **Enfant inquiet, angoissé**

Ce que vous pouvez faire

- Surtout gardez votre calme !
- Remplissez la baignoire, fenêtre fermée, avec de l'eau chaude, de préférence en utilisant le pommeau de douche. Pendant que l'eau coule, enveloppez votre enfant dans une couverture, prenez-le dans vos bras et calmez-le en le mettant à l'air frais (ouvrez la fenêtre ou sortez sur le balcon) - même en hiver.
- Quand la salle de bains est bien embuée, installez-vous avec votre enfant. L'inhalation de la vapeur d'eau le soulagera.
- Veillez à ce que votre enfant boive beaucoup.
- Administrez-lui les suppositoires prescrits par le médecin. Conservez les suppositoires à la cortisone dans le compartiment réservé au beurre de votre frigo, pour les maintenir à la bonne température et les avoir à portée de main le cas échéant. Si vous voyagez, n'oubliez pas de les emporter.
- Si malgré la cortisone la détresse respiratoire persiste, appelez le SAMU. En attendant son arrivée, pratiquez la respiration artificielle (page 235).
- En homéopathie, donnez des gouttes de Spongia D5 ou de Sambucus D6 pour dissoudre les mucosités et Apis mellifica D6 en gouttes pour dégonfler les muqueuses. En cas de crise aiguë, alternez 5 gouttes de chacun de ces remèdes à 5 minutes d'intervalle jusqu'à l'apparition d'une amélioration.

Faut-il consulter ?

- Dès la première crise de laryngite striduleuse, appelez le médecin.
- Si les mesures que vous prenez n'améliorent pas les difficultés respiratoires, appelez immédiatement le médecin car il y a risque de suffocation !

Que fera le médecin ?

- Il prescrira à votre enfant un aérosol ou des suppositoires à base de cortisone, destinés à lutter contre l'inflammation et la détresse respiratoire.
- Si ce traitement n'entraîne aucune amélioration, il hospitalisera votre enfant.
- Après, le médecin vous prescrira des suppositoires antitussifs et des suppositoires de cortisone qui vous permettront de réagir d'emblée en cas de survenue d'un nouvel épisode.

La bronchite est une maladie infectieuse aiguë des muqueuses de la trachée et des bronches principales et secondaires. Dans 90% des cas, elle est d'origine virale.

Après une contamination par voie aérienne, l'enfant présente, 5 à 6 jours plus tard, une bronchite ou une bronchiolite. Les symptômes de la bronchite sont : une toux d'abord sèche et caverneuse, suivie, quelques jours plus tard, d'une toux avec expectoration de mucus blanchâtre, éventuellement accompagnée d'une respiration bruyante. Les nourrissons et les petits enfants expectorent le mucus mais ne peuvent pas le cracher et donc l'avalent. Dans les quintes de toux violentes, ce mucus peut être vomi en même temps que le contenu de l'estomac (toux émétisante). Une bronchite ne doit pas durer plus de 14 jours. De la fièvre peut être observée les premiers jours.

Bronchiolite

La bronchiolite est une forme particulière de bronchite dans laquelle les muqueuses des bronchioles (les ramifications bronchiques de très petit calibre) situées en profondeur dans les poumons sont infectées. Les microbes sont des virus, et cette maladie sévit surtout en hiver et au printemps. La bronchiolite entraîne une constriction des parois des bronchioles (spasticité) qui peut rendre la respiration difficile au point que l'enfant doive être hospitalisé.

Complications

Une bronchite peut dégénérer en pneumonie. La bronchiolite peut, quant à elle, provoquer une hyperréactivité du système bronchique (asthme bronchique page 147). Chez les nourrissons de moins de 6 mois, elle peut aussi mener à une bronchique spastique avec détresse respiratoire.

Faut-il consulter ?

En cas de fièvre supérieure à 38,5° C, d'expectorations purulentes de couleur jaune-vert ou si la toux ne s'améliore pas au bout d'une semaine, l'enfant doit être emmené chez le médecin.

Que fera le médecin ?

• En cas de toux irritative importante, il peut prescrire, les premiers jours, un antitussif contenant de la codéine. Dans la bronchiolite et la bronchite spastique, il prescrira des dilatateurs bronchiques.

• S'il s'agit d'une bronchite bactérienne, le médecin prescrira des antibiotiques.

SYMPTÔMES TYPIQUES

• **D'abord une toux sèche et, ensuite, toux avec expectoration**
• **Toux avec vomissements lors des quintes de toux**

Ce que vous pouvez faire

• Le plus important est de veiller à ce que l'enfant ait de l'air et de lui donner des mucolytiques à base de principes actifs végétaux, par exemple du thym (page 204) ou de principes actifs traditionnels que l'on achète en pharmacie (acétylcystéine).

• Les mucolytiques peuvent également être utilisés en enveloppement thoracique avec un cataplasme au saindoux (page 200)

qui stimule la circulation et permet ainsi aux mucosités de se détacher.

• Les rayons infrarouges (page 210) 10 minutes trois fois par jour et les inhalations à l'eau salée peuvent également aider (page 196).

• Ne donnez des antitussifs qu'en début de maladie et pendant un à deux jours seulement. Ensuite, quand le mucus se forme, il n'est pas souhaitable de réduire la toux.

• Homéopathie : un comprimé de Kalium bichromicum D6 trois fois par jour permet de dissoudre les mucosités. Une toux irritative est calmée avec Cuprum metallicum D3 (un comprimé trois fois par jour).

• Veillez à ce que l'enfant boive beaucoup, par exemple de la tisane tiède à l'orange (page 205).

• Humidifiez l'air en plaçant dans la chambre de votre enfant un sèche-linge sur lequel vous ferez pendre des serviettes humides.

Voies respiratoires
Bronchite chronique

Les bronchites répétées à court intervalle peuvent être chez l'enfant le signe de la lutte de son organisme face à l'environnement : son système immunitaire fourbit ses armes contre les infections. De nombreux enfants souffrent d'épisodes bronchitiques fréquents - qui ne sont pas pour autant une bronchite chronique - à chaque nouvelle phase de la vie, notamment à l'entrée au jardin d'enfants ou à l'école primaire.

La bronchite chronique doit, par contre, être envisagée quand l'enfant, sur une même année, a toussé plus de 3 mois de manière ininterrompue - avec ou sans vomissement de glaires.

Les causes les plus fréquentes de la bronchite chronique sont les sinusites chroniques purulentes - donc bactériennes - (page 71), les allergies (page 144), les agressions "physiques", surtout la fumée de tabac, les bronchiectases ou malformations congénitales, la mucoviscidose (page 189), ou encore l'inhalation d'un corps étranger.

SYMPTÔMES TYPIQUES
• **Toux qui s'étend sur plusieurs mois avec ou sans élimination de glaires**

Ce que vous pouvez faire
• Votre enfant a besoin, jusqu'à ce qu'il aille mieux, d'un traitement continu avec des mucolytiques (voir bronchite, page 67). Il peut aussi être utile de vous procurer un inhalateur et chaque accès doit être traité de manière radicale.
• Les séjours à la mer ou en haute montagne peuvent également contribuer à une amélioration à long terme.

Complications
La surpression provoquée par la bronchite chronique peut parfois mener au déchirement des parois alvéolaires, ce qui entraîne alors une baisse importante de la capacité respiratoire (emphysème).

Faut-il consulter ?
• Le médecin doit diagnostiquer s'il s'agit d'une bronchite chronique, d'une coqueluche ou d'une toux allergique.
• A chaque nouvelle poussée de la maladie, le médecin doit être consulté afin d'éviter toute séquelle éventuelle.

Que fera le médecin ?
• Le médecin essaiera d'éliminer les causes et de prescrire un traitement de fond. Pour le reste, il se contentera d'un traitement symptomatique et essaiera d'éviter les complications.
• Si votre enfant souffre d'allergie, il lui prescrira peut-être du cromoglycate pour protéger ses muqueuses bronchiques hypersensibilisées.

Voies respiratoires
Pneumonie

La pneumonie est une infection des poumons et, plus particulièrement, des alvéoles. Elle constitue parfois une complication d'un refroidissement, d'un rhume banal ou d'une bronchite mais peut aussi sembler tomber du ciel. Elle est due, dans pratiquement tous les cas, à des virus ou des bactéries.

L'enfant est très malade et a une température modérée ou élevée. Dans la pneumonie, la toux peut être sèche ou productive, aboyante ou quinteuse et douloureuse. L'enfant respire de plus en plus vite et s'essouffle rapidement ; il ne peut plus inspirer convenablement. Il souffre de détresse respiratoire entraînant un bleuissement des lèvres et de la bouche. Chez le nourrisson et le petit enfant, on constate lors de l'inspiration un creusement net de l'espace entre les côtes, ainsi qu'entre le larynx et les clavicules, et souvent encore des battements prononcés des ailes du nez. Beaucoup d'enfants se plaignent en même temps de douleurs abdominales.

SYMPTÔMES TYPIQUES
- **Fièvre**
- **Détresse respiratoire**
- **Toux**
- **Maux de ventre**

Ce que vous pouvez faire
• Si vous soignez votre enfant chez vous, veillez à bien aérer la pièce où il se trouve. L'enfant peut se reposer la fenêtre grande ouverte - jour et nuit. Le médecin décidera s'il doit garder ou non le lit.
• Veillez à ce que votre enfant boive beaucoup, de préférence des tisanes.
• Les mucolytiques sont également utiles (voir traitement de la bronchite page 67).
• Surélevez la tête du lit, par exemple en plaçant des annuaires sous les pieds du lit.
• Pour faire baisser la fièvre, essayez l'enveloppement des mollets (page 200) ou utilisez des suppositoires antipyrétiques.
• Homéopathie : peuvent aider en complément, 5 granules d'Aconit D3 ou de Belladonna D3 trois fois par jour. En cas de fièvre élevée, administrez les remèdes toutes les heures jusqu'à ce que la fièvre baisse. Pour diluer les mucosités, donnez-lui Kalium bichromicum D6 à raison de 5 granules trois fois par jour.
• Important : les nourrissons respirent par le ventre, il faut donc que celui-ci soit dégagé. Dès lors, ne jamais mettre un bébé qui a une pneumonie sur le ventre.

Faut-il consulter ?
• Le moindre soupçon de pneumonie doit vous inciter à vous rendre immédiatement chez le médecin !
• Les nouveau-nés et les nourrissons de moins de 4 mois doivent être hospitalisés. Chez les enfants plus grands, l'hospitalisation sera décidée en fonction du degré de gravité de la maladie.

Que fera le médecin ?
• S'il soupçonne une pneumonie virale, le médecin peut ne pas instaurer un traitement antibiotique d'office ; dans ce cas, il auscultera votre enfant plus fréquemment.
• En cas de nouvelle poussée de fièvre, après une première amélioration ou une évolution anormale, les antibiotiques seront nécessaires pour combattre le risque de surinfection bactérienne.

Examen du pharynx : la cavité buccale fait apparaître des amygdales palatines rouges.

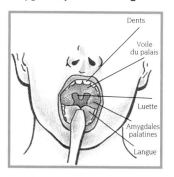

Dents

Voile du palais

Luette

Amygdales palatines

Langue

L'angine aiguë est une infection virale ou bactérienne des amygdales palatines. L'angine bactérienne est souvent due aux streptocoques et commence généralement par une hausse brutale de la température et de fortes douleurs à la déglutition. L'enfant se sent très mal et refuse de manger. L'examen de sa bouche révèle une rougeur des amygdales, souvent accompagnée d'une rougeur au niveau de la luette, du palais et de la muqueuse du pharynx. Les amygdales peuvent également présenter des points blancs ou des bandes blanchâtres circinées. Les ganglions du cou, sous la mâchoire et en dessous des oreilles sont gonflés et douloureux à la pression.

Dans l'angine virale, les ganglions sont à peine gonflés et les amygdales et la langue ne sont pas chargées. Les amygdales et le pharynx sont rouge vif. L'enfant ne se sent pas tellement malade. Important : la scarlatine (page 168) est une forme particulière d'angine à streptocoques ; en cas d'angine, ce diagnostic doit toujours être fait.

SYMPTÔMES TYPIQUES
- **Fièvre élevée**
- **Mal de gorge**
- **Perte d'appétit**
- **Amygdales très rouges**
- **Points blancs sur les amygdales**

Faut-il consulter ?
Un enfant qui souffre d'une angine doit toujours être traité par le médecin.

Que fera le médecin ?
- Seul le médecin pourra vérifier s'il s'agit d'une angine à streptocoques ou d'une angine virale. Dans l'angine à streptocoques, il prescrira immédiatement 10 jours d'antibiotiques, un traitement qu'il faudra absolument poursuivre même après la disparition totale des symptômes.
- Si les épisodes d'angine (bactérienne) purulente et fébrile surviennent plus de six fois par an, il convient alors d'envisager l'ablation chirurgicale des amygdales.

Ce que vous pouvez faire
- Administrez à l'enfant des suppositoires antalgiques pour soulager son mal de gorge et améliorer la déglutition.
- Pour faire baisser la fièvre, vous pouvez lui mettre des suppositoires antipyrétiques ou lui faire un enveloppement des mollets (page 200). Aussi longtemps que la fièvre persiste, votre enfant ne peut pas sortir.
- Votre enfant doit boire beaucoup, de préférence de la tisane chaude, par exemple une camomille enrichie au jus d'orange.
- Vingt-quatre heures après l'instauration de l'antibiothérapie, votre enfant n'est plus contagieux. Mais il n'est pas guéri pour autant et doit rester à la maison pendant toute la durée du traitement aux antibiotiques.
- Dans l'angine virale, on peut donner en homéopathie 1 comprimé d'Aconit D30 ou de Belladonna D30 trois fois par jour. En cas de dépôts sur les amygdales : Mercurius solubilis D6 et de l'Hepar sulfur D6 (5 granules toutes les deux heures en alternance) peuvent aider. Contre la douleur : Apis mellifica D6 et Cantharis D6, 1 comprimé trois fois par jour.
- Une angine bactérienne doit être traitée avec des antibiotiques ! Après un épisode d'angine à streptocoques ou de scarlatine, il convient de faire un examen cardiaque (auscultation) et urinaire (tigette) après trois semaines.

Voies respiratoires
Sinusite

Il existe quatre types de sinus, les sinus maxillaires, les sinus frontaux, les sinus sphénoïdaux et les sinus ethmoïdaux. Chez les petits enfants et les adolescents, les sinusites surviennent principalement dans le cadre d'une rhinite virale. Les sinus touchés dépendent surtout de l'âge de l'enfant. Les infections des sinus maxillaires et des sinus ethmoïdaux n'apparaissent qu'à partir de 2 ans 1/2, tandis que les infections des sinus sphénoïdaux n'apparaissent pas avant l'âge de 6 ans. Les sinus frontaux se forment à partir de l'âge de 2 ans mais ne sont impliqués dans les sinusites qu'à partir de l'âge de 10 ans.

Les sinusites aiguës d'origine virale présentent une évolution similaire à celle d'une rhino-pharyngite aiguë et durent de 1 à 2 semaines.

Les sinusites bactériennes, par contre, ne démontrent aucune tendance à l'amélioration et exigent - après culture - l'administration d'antibiotiques. Les symptômes typiques de la sinusite sont des sécrétions jaune verdâtre, un jetage nasal purulent et une toux irritative due

Les sinus sont reliés à la cavité nasale par de petits conduits. Les sinus sphénoïdaux (dessin page 60) et les cellules ethmoïdales se trouvent à la base du crâne et ne sont dès lors pas dessinés sur le croquis ci-contre.

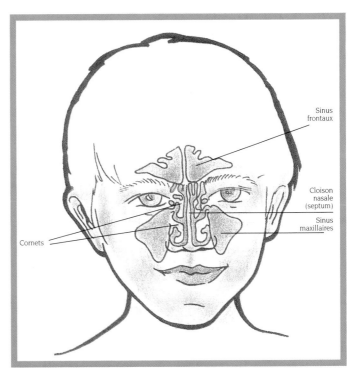

Sinus frontaux

Cloison nasale (septum)

Sinus maxillaires

Cornets

Voies respiratoires
Sinusite

à l'arrivée des mucosités dans le pharynx. Les enfants toussent souvent pendant plusieurs minutes, pouvant aller jusqu'au vomissement, surtout le soir, une à deux heures après l'endormissement et le matin peu avant le réveil. De nombreux enfants se plaignent également de maux de tête, surtout lorsqu'ils penchent la tête vers l'avant.

Si les sécrétions s'insinuent dans l'oreille moyenne, elles peuvent provoquer une otite moyenne douloureuse (page 81).

SYMPTÔMES TYPIQUES
- **Ecoulement nasal**
- **Ecoulement de sécrétions jaune verdâtre**
- **Toux irritative**
- **Maux de tête**

Complications
Une sinusite qui traîne peut dégénérer en périostite chronique ou, quand les cellules ethmoïdales sont touchées, en méningite.

Faut-il consulter ?
Si l'on suspecte une sinusite, l'enfant doit toujours être emmené chez le médecin.

Que fera le médecin ?
• Pour poser son diagnostic, il faudra faire soit une échographie, soit une radio des sinus.
• En cas de sinusite bactérienne purulente, il procédera à un frottis pour déterminer quelle bactérie incriminer et choisir l'antibiotique le plus efficace.

Ce que vous pouvez faire
• La sinusite virale aiguë est traitée comme une rhino-pharyngite (page 63).
• Faites prendre l'air à votre enfant le plus souvent possible.
• Les infrarouges ont prouvé leur efficacité dans la sinusite (10 minutes trois fois par jour à 30 à 50 cm de la lampe, pour éviter tout risque de brûlure !).
• Les inhalations avec du sérum physiologique (page 196), surtout avant d'aller dormir, sont également très utiles.
• Il est important de surveiller l'humidité de l'air : les serviettes humides placées sur un sèche-linge dans la chambre du petit malade conviennent idéalement à cet effet.
• Si possible, laissez la fenêtre ouverte la nuit aussi.
• Etant donné que les remèdes homéopathiques sont spécifiques aux différents symptômes et types de patients, mieux vaut demander conseil à un pédiatre homéopathe ou un spécialiste ORL pour traiter la sinusite par homéopathie.

Voies respiratoires
Hypertrophie des végétations adénoïdes

Quand les enfants fabriquent activement des anticorps, ils développent leurs amygdales pharyngées (adénoïdes) situées au fond du nez, au-dessus du palais, et appelées dans le langage populaire "les polypes". Leur taille ne donne donc pas d'indication sur la présence d'une maladie. Ils peuvent devenir volumineux au point de gêner la respiration nasale et obliger l'enfant à respirer par la bouche ; ils lui donnent une voix nasillarde et le forcent à ronfler la nuit.

Quand les polypes obstruent les canaux d'aération entre l'oreille moyenne et la cavité nasale (trompes d'Eustache), ils sont responsables de l'accumulation de sécrétions à l'intérieur de la caisse du tympan (catarrhe tubaire, page 82). L'enfant souffre alors d'otalgie et entend mal. Les amygdales palatines, situées à la base de la langue, à droite et à gauche, derrière la luette, sont investies également d'une fonction de défense et sont donc aussi souvent gonflées chez ces enfants (hyperplasie amygdalienne).

Les amygdales tuméfiées ont la même couleur que la muqueuse qui les entoure ; elles sont soit lisses, soit fortement bosselées. On peut également observer dans leurs petits sillons des foyers blanchâtres à jaunes : il ne s'agit pas de pus mais d'une "sécrétion" des amygdales. Dans certains cas, les amygdales atteignent un volume tel qu'elles se touchent en leur milieu, provoquant une voix nasillarde et gênant la respiration par le nez.

Ce que vous pouvez faire
• Faites prendre l'air le plus souvent possible à votre enfant.
• Renforcez son système immunitaire en lui donnant des douches écossaises (page 196).
• Les inhalations améliorent la respiration (page 196).
• Les remèdes homéopathiques étant spécifiques à chaque symptôme et type de patient, demandez à un pédiatre homéopathe quel est le traitement le plus approprié.

Faut-il consulter ?
Si votre enfant a sans cesse mal aux oreilles et entend mal, s'il ronfle la nuit et perd l'appétit, faites examiner ses amygdales par le médecin.

Que fera le médecin ?
• En cas d'hypertrophie des végétations, le médecin ne proposera pas immédiatement de les enlever. Si la taille des végétations provoque une détresse respiratoire ou une otite moyenne chronique, elles devront être enlevées. Chez un enfant en bonne santé, les végétations sont enlevées en hospitalisation de jour. Il convient toutefois de s'assurer préalablement que l'enfant a une coagulation normale. Une prise de sang et des tests en laboratoire sont dès lors nécessaires. Il faut aussi que l'opération soit effectuée à un moment où l'enfant n'est pas malade - donc pas enrhumé.
• L'hypertrophie des végétations ne doit être opérée que si elle gêne fortement la respiration.
• Si votre enfant a plus de six angines purulentes et fébriles par an (page 70), les amygdales doivent être retirées. Pour cela, votre enfant devra rester quelques jours à l'hôpital.

Yeux

L'œil se compose du globe oculaire, des muscles oculaires, des paupières, des cils et des glandes lacrymales.

Le globe oculaire est entouré d'un tissu graisseux et conjonctif, lui-même inséré dans une orbite osseuse. La paroi du globe oculaire est constituée de trois couches : la couche extérieure, appelée la sclérotique, qui devient, à l'avant, la cornée translucide, la couche moyenne constituée de l'iris et de la choroïde et, enfin, la couche interne constituée de la rétine photosensible.

La rétine transforme les stimuli lumineux en stimuli nerveux qui sont, ensuite, transportés par les nerfs oculaires vers le centre de la vision dans le cerveau. Les cellules sensorielles de la rétine sont de deux types : les bâtonnets, sensibles à l'intensité lumineuse, et les cônes qui perçoivent les différences de couleur.

A l'avant du globe oculaire, un orifice situé dans la rétine - la pupille - laisse entrer la lumière. La pupille régule l'intensité de la lumière incidente : elle se contracte quand la lumière est vive et se dilate quand la lumière est peu abondante. Les rayons lumineux traversent donc la cornée, passent au travers de la pupille et sont focalisés sur le cristallin qui focalise les rayons lumineux pour former une image nette sur la rétine. Pour accomplir cette mission, le cristallin peut modifier son pouvoir de réfraction : pour la vision rapprochée, la contraction du muscle ciliaire lui permet de prendre une forme plus arrondie, ce qui augmente son pouvoir de réfringence. Pour la vision de loin, c'est le contraire : le muscle ciliaire se relâche, le cristallin s'affaisse et la réfringence diminue. La chambre postérieure, entre le cristallin et la rétine, est remplie d'une masse translucide gélatineuse appelée le corps vitré.

Chaque œil possède 6 muscles qui permettent de faire bouger le globe oculaire dans toutes les directions. Les paupières et les cils protègent l'œil des influences extérieures. Les paupières sont recouvertes à l'intérieur par la conjonctive. Les glandes lacrymales siègent au-dessus du repli palpébral et les larmes qu'elles produisent sont réparties, grâce au battement des paupières, sur l'ensemble de l'œil, pour prévenir son dessèchement. Les larmes arrivent dans les sacs lacrymaux, dans l'angle interne de l'œil, et s'écoulent ensuite dans les narines, par le canal lacrymal.

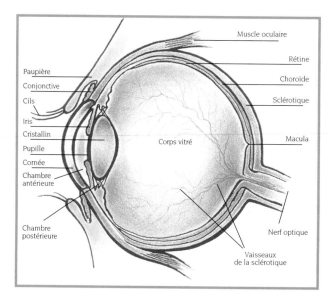

Muscle oculaire
Rétine
Choroïde
Sclérotique
Macula
Paupière
Conjonctive
Cils
Iris
Cristallin
Pupille
Cornée
Chambre antérieure
Chambre postérieure
Corps vitré
Nerf optique
Vaisseaux de la sclérotique

Yeux
Conjonctivite

La conjonctivite est une infection de la conjonctive - la muqueuse qui tapisse l'œil et la face interne des paupières - et peut avoir de nombreuses causes : la fumée, la poussière, une lumière trop vive, les virus ou les bactéries. La conjonctivite peut aussi être due à des allergies ou être le symptôme d'autres maladies, notamment la rougeole.

Les yeux sont douloureux, pleurent, sont très rouges et sensibles à la lumière ; on peut éventuellement observer une sécrétion aqueuse ou purulente.

Faut-il consulter ?

Si la conjonctivite ne régresse pas dans les 48 heures, consultez le médecin.

Que fera le médecin ?

- Lorsque la conjonctivite est due à une infection, le médecin prescrira un collyre ou une pommade ophtalmique.
- Si le problème provient d'un corps étranger, il enlèvera ce dernier.
- Si l'enfant souffre de conjonctivite allergique, le médecin lui prescrira un collyre antiallergique, par exemple au cromoglycate disodique, et essaiera d'identifier les allergènes en cause.

Ce que vous pouvez faire

- Si la conjonctivite de votre enfant est due à de la fumée ou à une lumière trop vive, elle disparaîtra généralement quelques jours après la suppression de ces facteurs.
- Rincez les yeux de l'enfant plusieurs fois par jour avec de l'eau tiède préalablement bouillie (page 197). Utilisez une nouvelle compresse en coton ou en lin pour chaque œil, surtout pas de la ouate qui s'effiloche. L'application de compresses froides soulage également.
- Mettez l'œil atteint au repos par l'application d'un cache-œil qui soulagera les douleurs.
- Mieux vaut garder votre enfant à l'intérieur et, en tout cas, à l'ombre. Faites-lui porter des lunettes de soleil (pas un modèle bon marché en plastique).
- En homéopathie, vous pouvez lui donner des granules d'Euphrasia D4 et des gouttes d'Euphrasia. Contre l'inflammation des muqueuses, on peut donner Apis mellifica D4 (5 granules trois fois par jour).

Yeux
Orgelet

L'orgelet est une infection aiguë purulente et très contagieuse des glandes de la paupière. Elle est le plus souvent due à un staphylocoque.

Elle se caractérise par l'apparition d'une rougeur douloureuse dans la région de la conjonctive, aussi bien sur la paupière supérieure qu'inférieure. La zone touchée gonfle. Après quelques jours, apparaît une pustule purulente qui peut s'ouvrir, soit vers l'intérieur et la conjonctive, soit vers l'extérieur sur la paupière. Dans les cas graves, des bactéries peuvent ainsi envahir la circulation sanguine.

Faut-il consulter ?
Un orgelet doit toujours être traité par le médecin. Il est en effet lié à un risque de surinfection et à une aggravation vers les glandes lacrymales ou les sacs lacrymaux.

Que fera le médecin ?
Le cas échéant - même en cas d'orgelet très infecté - le médecin prescrira une pommade antibiotique. Dans les cas très graves, il pourrait prescrire des antibiotiques à prendre par voie orale.

Ce que vous pouvez faire
• Les rayons infrarouges (page 206) permettent d'accélérer la maturation de l'orgelet.
• Ne faites jamais éclater un orgelet - cela pourrait provoquer une nouvelle infection.
• Les compresses humides et froides (ne pas utiliser d'ouate !) soulagent la douleur.
• En homéopathie, vous pouvez donner à votre enfant Staphisagria D30, 1 comprimé une fois au début de la maladie et, à son stade purulent, Pulsatilla D4 ou Hepar sulfur D6, 5 granules trois par jour. Contre les douleurs et le gonflement, donnez-lui en plus Apis mellifica D4, 5 granules trois fois par jour.

Orgelet sur la paupière inférieure

Yeux
Inflammation des paupières, blépharite

L'inflammation du bord libre des paupières (ou blépharite) fait souvent suite à un rhume ou à un eczéma (page 149). Elle peut aussi être due à une allergie ou à des agents physiques, notamment les grains de poussière ou de sable.

Les paupières sont particulièrement rouges sur les bords, gonflées et recouvertes de croutelles. Il peut aussi y avoir formation de croûtes et les paupières collent. Parfois, les glandes lacrymales et les racines des cils sont également infectées. Il y a alors risque d'apparition d'un orgelet (page 76).

Faut-il consulter ?

Consultez un médecin qui confirmera le diagnostic. Si, après 6 jours environ, l'inflammation des paupières n'a pas régressé, il enverra votre enfant chez un ophtalmologue - l'inflammation des paupières peut en effet être due à un trouble de la vision qui peut, alors, être corrigé par le port de lunettes adaptées.

Que fera le médecin ?

Dans les cas graves, il fera un frottis afin de déterminer s'il y a infection bactérienne et prescrira, le cas échéant, un collyre antibiotique.

Ce que vous pouvez faire

- Rincez-lui les yeux trois à quatre fois par jour avec de l'eau tiède, préalablement bouillie (page 197). Avant d'enlever les croûtes, ramollissez-les. Pour cela, utilisez un linge en coton ou en lin - pas d'ouate. Si votre enfant est enrhumé, traitez son rhume (page 62).
- En homéopathie, peuvent également être utiles : Euphrasia D3, 5 granules trois fois par jour, et un collyre d'Euphrasia.

Strabisme

Un enfant qui louche n'est plus capable de faire converger les deux axes visuels vers le point qu'il fixe. Un de ses yeux, ou les deux, dévient. Au cours des trois premiers mois de la vie, cette anomalie est très courante. Plus tard, elle ne persiste que chez environ 4% des enfants - et est le plus souvent due dans ce cas à un déséquilibre au niveau des muscles oculaires ou à une presbytie. Un enfant qui louche n'utilise qu'un seul œil et si son strabisme n'est pas traité il perdra l'acuité visuelle de l'autre œil. L'enfant qui louche ne peut pas non plus développer sa vision dans l'espace - car pour cela, son cerveau a besoin de l'interaction entre ses deux yeux. Il est dès lors nécessaire d'identifier et de corriger le strabisme le plus tôt possible. Chez les bébés de 6 mois, un cache-œil suffit souvent pour rétablir la vision normale. Chez un enfant de 6 ans, par contre, le port d'un cache-œil n'est plus d'aucune utilité.

SYMPTÔMES TYPIQUES
- **L'enfant louche lorsqu'il fixe des objets à courte distance**

Strabisme prononcé

Faut-il consulter ?
- Seul le pédiatre est habilité à dépister un vrai strabisme chez les enfants dont le regard n'est pas tout à fait parallèle.
- Si vous constatez que votre enfant louche, prenez rendez-vous chez l'ophtalmologue. Celui-ci, grâce à des examens spéciaux, peut diagnostiquer le strabisme, même chez un bébé.
- De grâce, ne pensez surtout pas que le strabisme disparaîtra en grandissant.

Ce que vous pouvez faire
- Au moindre doute, consultez.
- Persuadez votre enfant de l'importance de mettre un cache-œil ou de porter ses lunettes.

Que fera le médecin ?
- Lorsque le strabisme est diagnostiqué de manière précoce, la vision normale peut être rétablie grâce à l'utilisation d'un traitement occlusif. Ce traitement consiste à placer un cache-œil pendant quelques heures, alternativement, sur l'un et l'autre œil, pour permettre à l'œil le plus faible de s'entraîner. Des lunettes spéciales avec verre correcteur ou opaque permettent également d'entraîner l'œil déficient.
- Si le strabisme persiste, le médecin vous conseillera une opération qui se fera à partir de 6 ans (et seulement très exceptionnellement avant cet âge). Cette opération consiste à corriger le déséquilibre de tonus entre les muscles oculaires.
- Le strabisme bilatéral, dû à la presbytie, se corrige également par le port de lunettes. Si ces dernières n'apportent aucune amélioration, il ne reste alors que l'opération.

Yeux
Troubles de la vision

On ne voit bien que lorsque l'image qui s'imprime sur la rétine est nette. Lorsque les rayons lumineux ne sont pas focalisés de manière correcte sur la rétine, par exemple parce que le globe oculaire est trop long ou trop court ou que la cornée est déformée, l'acuité visuelle laisse à désirer.

Dans le cadre des visites de contrôle, le médecin vérifie la vue de l'enfant. Si, malgré tout, vous avez l'impression qu'il présente un trouble de la vision, prenez rendez-vous chez un ophtalmologue qui prescrira, le cas échéant, des lunettes.

Presbytie

La presbytie congénitale est due à un défaut de réfraction : la vision lointaine est bonne mais la vision rapprochée n'est pas nette. L'œil est trop court pour permettre la convergence et l'image qui apparaît sur la rétine n'est donc pas nette. Cette anomalie de la vision se corrige par une lentille convergente.

Myopie

L'œil est incapable de reconnaître clairement les objets éloignés. L'image focale nette se forme en avant de la rétine et non pas sur la rétine comme dans la vision normale. La cause de cette anomalie est soit un globe oculaire trop allongé, soit un pouvoir de réfraction trop important du cristallin. Une lentille divergente permet de corriger ce défaut.

Astigmatisme

La cornée ou le cristallin présente une courbure irrégulière, ce qui empêche la formation d'une image nette de l'objet sur la rétine. L'enfant qui souffre d'astigmatisme ne voit donc pas bien ni de loin, ni de près.

Cette anomalie de la vision ne peut être aussi facilement corrigée que la myopie ou la presbytie. Des verres cylindriques spéciaux ou des lentilles de contact sont utilisés pour essayer d'arriver à une acuité visuelle la meilleure possible.

Daltonisme

Huit pour cent environ des garçons et un pour cent à peine des filles naissent avec un défaut incurable de la vision des couleurs. Le plus souvent, il s'agit d'un daltonisme rouge-vert : l'enfant ne sait pas distinguer le vert du rouge. Des tests sont réalisés par le médecin pour voir si l'enfant voit et distingue toutes les couleurs.

Lentilles

Un enfant peut porter des lentilles dès que sa faiblesse visuelle s'est stabilisée et qu'il est suffisamment habile pour les mettre et les enlever lui-même.

Les bébés qui naissent avec une cataracte peuvent être protégés de la cécité par le placement de lentilles : le cristallin trouble est extrait chirurgicalement et l'ophtalmologue place une lentille qui compense le pouvoir de réfraction défaillant. En fonction de la croissance de l'œil, la lentille est remplacée par des modèles de plus en plus grands, d'abord par l'ophtalmologue et, ensuite, par les parents. Plus tard, quand les fonctions visuelles seront développées, le placement d'un cristallin artificiel peut être envisagé.

Oreilles

L'oreille est l'organe sensoriel de l'audition. Il se compose de l'oreille externe, de l'oreille moyenne et de l'oreille interne. Le pavillon de l'oreille, le conduit auditif externe et la membrane du tympan constituent l'oreille externe qui, comme un entonnoir, capte les ondes sonores. Ces dernières font vibrer la membrane du tympan - la fine membrane située entre l'oreille externe et l'oreille moyenne. Au niveau de l'oreille moyenne, les vibrations sont répercutées sur les trois os articulés de la caisse du tympan : le marteau, l'enclume et l'étrier qui transmettent ainsi les ondes sonores vers l'oreille interne. Dans la partie antérieure de la caisse du tympan arrive la trompe d'Eustache, le canal qui assure la liaison avec le naso-pharynx. La trompe d'Eustache assure l'équilibre des pressions de l'air de part et d'autre du tympan. Elle est souvent la voie qu'empruntent les infections naso-pharyngées pour envahir l'oreille. Une deuxième membrane, la fenêtre ovale, relie l'oreille moyenne à l'oreille interne, la cochlée, qui constitue l'organe de l'audition à proprement parler.

Toute perturbation au niveau de ce processus entraîne des problèmes d'audition, voire la surdité. Toutefois, une mauvaise audition peut aussi être due à la simple obstruction de la trompe d'Eustache ou à un écoulement séreux dans l'oreille moyenne qui gêne la ventilation et empêche ainsi la membrane tympanique de vibrer.

Dans la zone de l'oreille interne se trouve également l'organe de l'équilibre, la cochlée, qui est un conduit rempli de liquide et tapissé de cellules ciliées. C'est là que les vibrations transmises à la fenêtre ovale sont transformées en ondes qui seront captées par les cellules auditives ciliées et transmises sous la forme d'impulsions au centre de l'audition dans le cerveau.

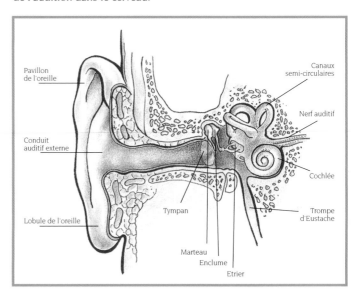

Pavillon de l'oreille

Canaux semi-circulaires

Nerf auditif

Conduit auditif externe

Cochlée

Trompe d'Eustache

Lobule de l'oreille

Tympan

Marteau

Enclume

Etrier

Oreilles
Otite moyenne

L'otite moyenne est fréquente chez les nourrissons et les petits enfants et est souvent le résultat d'une infection ascendante émanant du naso-pharynx. Les microbes, le plus souvent des virus, ne doivent en effet franchir qu'une très courte distance pour pénétrer dans l'oreille. Chez les petits enfants, la trompe d'Eustache, qui relie l'oreille au pharynx, est encore courte et étroite et enfle facilement en cas d'infection, entraînant ainsi une accumulation des sécrétions et du pus au niveau de l'oreille moyenne.

L'otite moyenne commence le plus souvent subitement par des otalgies fortes et pulsatiles qui réveillent l'enfant la nuit et le font pleurer de mal. Les petits enfants ont tendance à balancer la tête d'avant en arrière et à mettre la main à l'oreille douloureuse. Les nourrissons qui souffrent d'une otite moyenne sont agités, boivent mal et peuvent éventuellement avoir une diarrhée et de la fièvre. Chez eux, l'otite moyenne est facilement ignorée, jusqu'à ce que la membrane tympanique perce et que le pus qui s'est accumulé dans l'oreille moyenne coule du conduit.

Lorsque le traitement est instauré suffisamment tôt, les douleurs disparaissent généralement après 1 à 3 jours. La présence de liquide dans l'oreille peut toutefois persister un peu plus longtemps (page 82).

Ce que vous pouvez faire

• Pour faire dégonfler la muqueuse de la trompe d'Eustache et rétablir la ventilation de l'oreille, faites des rayons infrarouges (page 206) ou des inhalations (page 196) ; le cas échéant, administrez à l'enfant des gouttes décongestionnantes pour le nez.

• Les gouttes pour les oreilles ne servent à rien étant donné qu'elles ne peuvent atteindre le siège de l'infection - elles ne sont utiles que dans les infections du conduit auditif externe.

• La chaleur soulage les douleurs : laissez votre enfant placer l'oreille infectée sur une bouillotte ou faites-lui un enveloppement avec de l'alcool ou des oignons (page 199).

• En homéopathie : le premier jour Apis mellifica D3, 5 gouttes dans la bouche toutes les deux heures, à partir du 2e jour, Pulsatilla D4, 1 comprimé dissous dans un peu d'eau quatre fois par jour. N'oubliez pas de garder l'oreille au chaud.

Complications

Toute otite moyenne peut se compliquer de mastoïdite, c'est-à-dire d'une contamination des cellules mastoïdiennes, les cavités naturelles situées dans l'os mastoïde juste en arrière de l'oreille à la base du cerveau. Le mastoïde peut aussi s'infecter de manière aiguë et flamber dans les méninges sous-jacentes, autrement dit entraîner une méningite (page 141).

SYMPTÔMES TYPIQUES
• **Lancements violents et douloureux dans les oreilles**
• **Fièvre**
• **Chez les nourrissons : agitation, pleurs, éventuellement diarrhée et fièvre**

Faut-il consulter ?

Si vous suspectez une otite moyenne, emmenez l'enfant chez le médecin. Chez un nourrisson qui a de la fièvre, un médecin expérimenté examinera les oreilles, même s'il a la diarrhée.

Que fera le médecin ?

• Le médecin examinera les oreilles de votre enfant avec un otoscope qui lui permettra de voir si la membrane tympanique est enflammée. Le cas échéant, il prescrira à votre enfant des antibiotiques et des gouttes nasales.

• Il pourra aussi prescrire, pour lutter contre la douleur, des suppositoires ou un sirop, par exemple du paracétamol.

Oreilles
Otite séreuse

Chez les enfants, le rhume se complique facilement d'une otite séreuse. Il s'agit d'une inflammation non infectée de l'oreille moyenne qui se remplit de mucosités épaisses qui ne peuvent plus s'écouler, entraînant une inflammation chronique.

En règle générale, l'otite séreuse est une complication d'une infection des voies respiratoires supérieures. La muqueuse qui tapisse la trompe d'Eustache est alors gonflée et enflammée, ce qui entraîne la stagnation des sécrétions dans la caisse du tympan de l'oreille interne. Cette accumulation, à son tour, réduit l'aptitude du tympan et des osselets à vibrer et à transmettre les vibrations sonores, ce qui peut entraîner des troubles permanents de l'audition. Les petits enfants, chez qui les trompes d'Eustache sont courtes et étroites, sont plus sujets à l'otite séreuse que les enfants plus grands.

SYMPTÔMES TYPIQUES
- **Perte de l'audition au niveau de l'une ou des deux oreilles**
- **Impression de surdité**
- **Rhino-pharyngite chronique**

Faut-il consulter ?
Si vous constatez que votre enfant entend mal, demandez à votre médecin d'en déterminer la cause.

Que fera le médecin ?
- Le médecin pourra prescrire des gouttes nasales décongestionnantes ou tout autre traitement approprié. Dans 80% des cas, l'otite séreuse guérit sans problème.
- Si, après trois mois, l'otite séreuse n'a toujours pas régressé, le médecin recommandera l'ablation chirurgicale des amygdales.
- Il peut éventuellement aussi envoyer votre enfant chez un oto-rhino-laryngologue qui après une paracentèse (incision dans la membrane du tympan) aspirera les mucosités. Cette ouverture est parfois maintenue quelques mois par le placement d'un drain. Si votre enfant porte un drain, il faudra veiller à ce qu'il ne mette pas la tête sous l'eau.

Ce que vous pouvez faire
- Les inhalations (page 196), les rayons infrarouges (page 206) et les cataplasmes aux oignons (page 199) constituent des remèdes décongestionnants éprouvés.
- Vous pouvez également donner en plus à votre enfant du sirop ou des gouttes à base de thym que vous trouverez en pharmacie.
- En homéopathie, pour fluidifier les sécrétions, on utilise Kalium bichromicum D12 (5 granules trois fois par jour). Si des sécrétions visqueuses vert-jaune s'écoulent dans l'oro-pharynx, donnez-lui également Hepar sulfur D6 (5 granules trois fois par jour).

Oreilles
Problèmes d'audition

Les troubles de l'audition non seulement isolent l'enfant de son environnement mais ralentissent également l'acquisition du langage. Ils sont à l'origine de nombreux troubles psychologiques et freinent le développement intellectuel. Si vous consultez régulièrement votre médecin, celui-ci déterminera facilement si votre enfant a un problème d'audition. A partir de 5 mois, un enfant doit tourner la tête vers une source sonore et, à partir de 10 mois, réagir à son nom.

Si vous n'êtes pas certain que votre enfant entend bien, placez-vous derrière lui pour qu'il ne vous voie pas et froissez du papier parchemin. Il devrait se retourner et essayer de localiser le bruit.

Les troubles de l'audition doivent être identifiés et traités le plus tôt possible car un enfant qui n'entend pas bien ne peut pas bien apprendre à parler. Si vous constatez des troubles dans l'acquisition du langage chez votre enfant, avant de vous adresser à un logopède, faites vérifier son audition. Les tests de l'audition peuvent être réalisés même chez un nourrisson.

Faut-il consulter ?
A la moindre suspicion de trouble de l'audition, demandez conseil à votre médecin.

Que fera le médecin ?
• Il procédera à des tests auditifs qui lui permettront de déterminer si votre enfant entend bien ou non. S'il y a un problème, il enverra votre enfant chez un ORL qui, le cas échéant, lui proposera un appareil auditif et lui prescrira un traitement logopédique.
• Si le trouble de l'audition est dû à une infection de l'oreille ou à un rhume chronique, il disparaî-tra dès que la maladie de fond sera traitée.
• Un problème d'audition peut aussi être dû à un bouchon de cérumen qui obstrue le conduit auditif. Dans ce cas, le médecin rincera l'oreille de votre enfant et son audition se rétablira.

Ce que vous pouvez faire
• Si votre enfant doit porter un appareil auditif, veillez à faire contrôler ce dernier régulièrement.

Dents

La dent est faite d'une couronne, la partie visible, et d'une racine solidement ancrée dans la gencive. Entre les deux se situe le collet, également recouvert par la gencive. La couronne est, quant à elle, recouverte d'émail, la substance la plus dure du corps. Sous l'émail se trouve la dentine, qui remplit la majeure partie de l'intérieur de la dent et forme la racine. La dentine entoure la pulpe qui se compose des nerfs et des vaisseaux sanguins.

Jusqu'à l'âge de trois ans, un enfant fait, en moyenne, 20 dents de lait - 10 dans la mâchoire supérieure et 10 dans la mâchoire inférieure. Elles ne viennent pas toutes en même temps mais apparaissent le plus souvent par paires. A partir de 5 ans, les dents définitives remplacent progressivement les dents de lait et, vers 14 ans, il ne manque plus à l'enfant que les dents de sagesse qui peuvent, parfois, ne venir que très tard.

Mauvais alignement des dents

Les dents de lait, comme les dents définitives, peuvent parfois être mal implantées : elles peuvent, par exemple, pousser avec un angle à 90° ; les dents définitives peuvent percer alors que les dents de lait ne sont pas encore tombées. Certains enfants ont la mâchoire trop petite ou le palais trop étroit, ce qui pose alors un problème de place.

Si vous pensez que les dents de votre enfant sont mal alignées, demandez à votre pédiatre de vous donner le nom d'un orthodontiste. Celui-ci vous conseillera quant au meilleur moment pour intervenir. Les défauts d'alignement ne doivent être corrigés que sur les dents définitives, donc souvent pas avant l'âge de 12 ans, quand toutes les dents, sauf les dents de sagesse, sont sorties.

Dents cassées - que faire ?

Les enfants qui courent et grimpent sur tout tombent souvent, parfois sur la figure, ce qui peut faire éclater une dent ou en casser un morceau ou encore la déchausser. Si le nerf est touché, la dent meurt et prend une coloration grise (mortification). Ces dents de lait "mortes" ou dents de lait atteintes doivent être conservées pour "occuper la place". Une dent tombée est le plus souvent irrécupérable. Si votre enfant a perdu une dent, emmenez-le chez le dentiste qui décidera s'il faut ou non procéder à la mise en place d'une dent-tuteur pour permettre à la dent définitive en attente de se glisser en temps voulu à la place qui lui était dévolue.

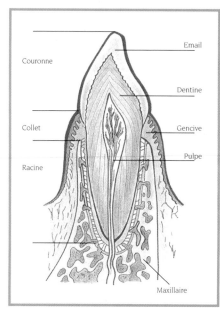

Couronne

Email

Dentine

Collet

Gencive

Pulpe

Racine

Maxillaire

Dents
Caries

La carie est l'attaque, voire la destruction, de l'émail par les acides présents dans la plaque bactérienne. Le processus peut être avancé au point de ne laisser à l'enfant que quelques chicots noirs purulents. Les incisives et les canines sont les plus touchées. Si la carie touche une dent de lait, elle peut se propager à la dent adjacente et parfois même à la dent définitive qui se trouve sous la dent de lait. Les principaux coupables sont les biberons de tisane ou de jus sucrés que l'enfant garde à la bouche toute la journée - pour consoler ses chagrins ou juste parce qu'il aime ça. Le sucre présent dans ces boissons fermente en présence des bactéries et forme des acides qui attaquent l'émail. Principal danger : quand le sucre reste trop longtemps dans la bouche, l'enfant, en suçant son pouce, en imprègne ses gencives.

Dents de lait cariées

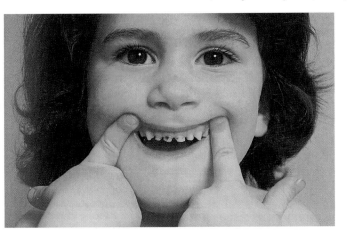

Faut-il consulter ?
Les visites régulières chez le dentiste sont à recommander - lui seul peut en effet juger du bon développement et de l'état de santé des dents.

Que fera le dentiste ?
En cas de caries, le dentiste essaiera d'enrayer le processus en nettoyant les zones touchées et en les recouvrant d'un "vernis" spécial - qui est toutefois loin d'être la panacée.

Ce que vous pouvez faire
• Ne donnez pas à votre nourrisson des biberons de tisane ou de jus sucrés. Renoncez aussi, de préférence, à l'ajout de sucre dans le lait ! Si vous lui donnez du jus de fruit, limitez-vous au jus frais et donnez-le-lui à la cuillère.
• Ne laissez votre enfant boire du jus ou de la tisane sucrée qu'au verre, jamais dans un biberon ! Ces tisanes et ces jus sucrés ne conviennent de toute façon pas pour étancher la soif.
• Sont particulièrement dangereux pour les dents : les encas sucrés quand les dents ne sont pas brossées juste après.

• Habituez votre enfant, le plus tôt possible, à se laver les dents régulièrement, et ceci après chaque repas principal - cela permet de limiter les dégâts causés aux dents par le sucre.
• Sans ces mesures de prévention, tous les compléments de fluor n'auront aucun effet.

Appareil digestif

Les organes de la digestion - l'estomac, l'intestin grêle, le côlon et le rectum - font partie du système digestif fonctionnel au même titre que la cavité buccale, les dents, l'œsophage, les glandes digestives et les glandes salivaires. N'oublions pas le foie et la rate, la vésicule biliaire et le pancréas. Tous ces organes assurent ensemble la fonction de digestion.

D'abord, les dents fractionnent les aliments en plus petits éléments : les incisives découpent et les molaires mastiquent les aliments que la langue leur renvoie inlassablement. A l'aide de la salive et des enzymes qu'elle contient, les aliments sont transformés en une bouillie qui est avalée puis transportée par portions dans l'estomac en traversant l'œsophage.

Dans l'estomac, la digestion chimique se poursuit. Les acides gastriques et le suc gastrique se mélangent au pepsinogène, une enzyme protéolytique, et à la lipase, une enzyme lipolytique. L'acide chlorhydrique présent dans le suc gastrique tue les substances nocives qui contaminent la nourriture et fait progresser la digestion. Les aliments restent de 4 à 10 heures dans l'estomac. Les glucides n'y séjournent que brièvement, les graisses, par contre, très longtemps. Si les aliments sont suffisamment digérés, le péristaltisme de la paroi gastrique les transporte plus loin, vers l'antre pylorique.

La bile, produite par le foie, et le suc pancréatique, produit par le pancréas, se déversent ensuite dans le duodénum.

Le passage dans l'intestin grêle provoque une nouvelle dégradation des aliments, qui permet l'absorption dans le sang de leurs produits de dégradation, des vitamines et des minéraux. Les résidus alimentaires non digérés continuent leur trajet vers le côlon où ils sont fermentés par la flore et prennent de la consistance après dessiccation. Les résidus finaux sont stockés dans le rectum et expulsés par intervalles sous la forme des selles (fèces) au travers de l'anus.

La digestion est la transformation mécanique et chimique des aliments ingurgités par la bouche pour permettre l'absorption dans le sang de leurs composants élémentaires. Elle garantit donc l'équilibre métabolique et la couverture des besoins énergétiques de l'organisme.

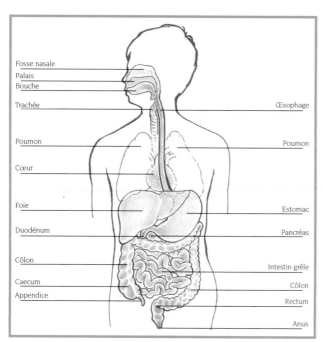

Fosse nasale
Palais
Bouche
Trachée
Poumon
Cœur
Foie
Duodénum
Côlon
Caecum
Appendice

Œsophage
Poumon
Estomac
Pancréas
Intestin grêle
Côlon
Rectum
Anus

Appendicite

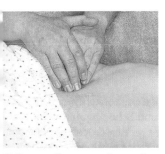

Si l'appendice est enflammé, l'enfant ressent une douleur élective au toucher.

L'infection appendiculaire, ou appendicite, est une infection bactérienne aiguë de l'appendice situé dans le bas fond cæcal du côlon, et qui touche plus les petits garçons que les petites filles. Bien que l'appendicite puisse survenir à tout âge, 70% des appendicectomies sont réalisées entre 5 et 30 ans, avec une pointe entre 10 et 15 ans.

L'appendicite commence quasi toujours par des crises de douleurs récidivantes et irrégulières dans l'ensemble du ventre, souvent aussi dans le haut du ventre et dans la région du nombril. La douleur descend progressivement vers le bas du ventre, à droite, où elle devient alors permanente. Elle s'intensifie au lâcher de la pression sur la paroi abdominale (signe du rebond) et on note un creusement quand on demande à l'enfant de sautiller sur la jambe droite.

L'appendicite peut également être accompagnée de fièvre, de diarrhée ou de constipation, et surtout de vomissements et être confondue avec une gastro-entérite.

SYMPTÔMES TYPIQUES
- **Douleurs dans l'ensemble de l'abdomen mais surtout dans la partie inférieure droite**
- **Contracture de la paroi abdominale**
- **Fièvre modérée, jusqu'à 38,5° C**
- **Nausées, vomissements, constipation ou diarrhée**

Faut-il consulter ?
En cas de douleurs abdominales aiguës, sans cause apparente, et qui persistent plus de deux heures, une appendicite peut être suspectée et il faut demander conseil au médecin. Si vous êtes en vacances, rendez-vous à la clinique la plus proche, surtout s'il s'agit de douleurs de type colique soudaine et que votre enfant se couche spontanément sur le côté droit en chien de fusil.

Que fera le médecin ?
Pour confirmer son diagnostic, le médecin prendra la température de l'enfant et fera faire une prise de sang. Si la température et les globules blancs sont élevés, il faudra opérer. En cas de complication, l'enfant restera hospitalisé environ 10 jours.

Complications
Si la douleur disparaît subitement après quelques heures et que le ventre redevient mou, il peut s'agir d'une péritonite. Dans ce cas, l'enfant doit être opéré d'urgence !

Ce que vous pouvez faire
- Après son opération, l'enfant devra encore rester au moins une semaine à la maison, mais pas alité.
- Evitez tout effort et ne lui faites rien soulever de lourd pendant environ 4 semaines.

Pendant plusieurs semaines, votre enfant ne pourra pas pratiquer de sports violents.
- De petits exercices de gymnastique à la maison, préalablement convenus avec le médecin, sont toutefois recommandés.

Appareil digestif
Coliques opiniâtres

Les coliques sont des crampes abdominales douloureuses et récidivantes qui peuvent survenir à tout âge et peuvent avoir de nombreuses causes.

La colique du nourrisson (page 42) apparaît au cours des trois à quatre premiers mois de la vie. Dans la colopathie spasmodique, les douleurs abdominales plus ou moins vives et récidivantes sont localisées dans la région du nombril et qui apparaissent surtout entre 4 et 12 ans. Le plus souvent, elles sont de nature psychologique et provoquées par un système nerveux végétatif hypersensible. Cette maladie touche donc plus particulièrement les enfants sensibles et ambitieux et plus spécialement les filles - qui se disent vite surmenées et s'énervent facilement. Elles sont pâles, vomissent facilement et ont tendance à transpirer des mains et des pieds. Souvent, elles gèrent mal le cours des événements qu'ils soient angoissants ou réjouissants et la tension psychique qu'elles accumulent déclenche les douleurs abdominales.

Les crises surviennent un peu n'importe quand ; elles siègent dans la région de l'ombilic ou dans le haut du ventre et les enfants se plient en deux de douleur. Leur ventre reste souple. Les crises douloureuses s'arrêtent généralement après quelques minutes aussi soudainement qu'elles ont commencé mais il arrive qu'elles persistent jusqu'à deux heures. Certains enfants ont plusieurs crises par jour.

SYMPTÔMES TYPIQUES
- **Crises de douleurs dans le haut du ventre ou dans la région ombilicale**
- **Ventre souple**
- **Tension psychologique**

Ce que vous pouvez faire
- Massez-lui le ventre avec une main chaude.
- Les enveloppements humides et chauds et les compresses (page 198) soulagent les douleurs abdominales. Attention : en cas d'appendicite, l'enveloppement chaud aggrave les choses !
- En homéopathie : chez les enfants très nerveux, Chamomilla D30, 1 comprimé au début de la colique ; en cas de nausées simultanées, Nux vomica D4 (1 comprimé en plus). Si l'enfant est prostré : Tabacum D30 (1 comprimé). En cas de douleurs violentes, donnez en plus du Colocynthis D6 (1 comprimé).
- Veillez très tendrement sur votre enfant. Essayez d'éclaircir les conflits.
- Demandez à votre médecin si un soutien psychologique est susceptible de l'aider à mieux gérer ses tensions.

Faut-il consulter ?
Demandez toujours conseil à votre médecin, au moins pour exclure les maladies graves (appendicite !).

Que fera le médecin ?
- Le médecin examinera l'enfant de manière approfondie pour exclure toute cause organique à ses douleurs.
- Il interrogera l'enfant sur son environnement afin d'y détecter d'éventuelles situations conflictuelles.

Appareil digestif
Constipation

Ce n'est pas parce qu'un enfant va rarement à la selle qu'il est constipé. Chez les enfants aussi les habitudes en matière de défécation sont très individuelles : un enfant peut parfaitement aller à la selle trois fois par jour ou deux fois par semaine seulement. Il n'y a constipation que si un enfant (pas un nourrisson allaité, qui fait des selles cinq fois par jour ou seulement tous les 5 à 7 jours) n'a pas de selles pendant plus de quatre jours ou si ses selles sont dures et volumineuses au point de lui faire mal.

La cause de la constipation est, le plus souvent, une mauvaise alimentation. Trop peu de fibres, trop de chocolat et trop peu de liquides durcit les selles. Si l'exonération est douloureuse, les selles peuvent provoquer de petites fissures au niveau de l'anus. L'enfant a alors peur d'aller à la selle et se retient. Finalement, le côlon se détend et s'immobilise, le réflexe d'exonération disparaît et les selles ne sont plus expulsées qu'involontairement. L'anus est en permanence souillé par les selles molles, voire liquides, qui passent à côté des selles dures qui stagnent dans le côlon. Chez les enfants qui souffrent de constipation chronique, on peut sentir un paquet de selles dans la partie gauche du bas de l'abdomen et leur abdomen est ballonné.

SYMPTÔMES TYPIQUES
- **Selles rares, dures et sèches**
- **Douleurs à la défécation**
- **Crampes abdominales**
- **Perte d'appétit**
- **Encoprésie**

Mettre bébé sur le pot à heures fixes peut aider à condition que cette routine ne soit pas ressentie comme une contrainte.

Ce que vous pouvez faire
- En cas de constipation aiguë, un lavement ou un suppositoire de glycérine suffisent le plus souvent.
- En cas de constipation chronique, l'enfant devra peut-être prendre, pendant cinq à huit semaines, un laxatif prescrit par le médecin. Sa fréquence de défécation normalisée, vous pourrez remplacer les laxatifs par une alimentation riche en fibres : des crudités, des légumes et des céréales complètes associés à un apport important de liquide.
- Le nourrisson constipé doit également boire beaucoup entre les tétées (tisane, eau).

Faut-il consulter ?
Si vous pensez que votre enfant souffre de constipation, demandez conseil à votre médecin.

Que fera le médecin ?
- Le médecin examinera en détail votre enfant : il palpera son ventre et fera un toucher rectal. Il demandera aussi peut-être une échographie. Un lavement avec un produit de contraste peut être nécessaire pour exclure certaines causes organiques.
- Si la cause de la constipation est un trouble psychologique, il vous recommandera une thérapie familiale et vous indiquera les remèdes naturels nécessaires pour ramollir les selles. Il vous recommandera aussi peut-être une psychothérapie.

Appareil digestif
Gastrite, ulcère gastrique, ulcère duodénal

Dans 70% des cas, les ulcères gastro-intestinaux sont dus à l'Helicobacter. On pense toutefois aussi que les ulcères sont favorisés par un terrain héréditaire, les conflits psychologiques, les angoisses, le stress et le surmenage physique. Quand le responsable est l'Helicobacter, il peut être identifié par un test et ensuite traité par antibiotique.

L'ulcère gastro-duodénal s'observe également de plus en plus chez les enfants. Les ulcères aigus peuvent même toucher le nouveau-né et le nourrisson. L'ulcère chronique commence au plus tôt chez des enfants en âge scolaire et les adolescents. Les filles sont moins touchées que les garçons et une autre caractéristique de ce type de maladie est que dans la majorité des cas, un des parents souffre également d'ulcère.

Normalement, l'estomac et le duodénum sont recouverts d'une muqueuse qui les protège en formant une barrière contre le suc gastrique acide et les enzymes protéolytiques.

Chez les enfants stressés ou soumis à des conditions psychologiques difficiles, l'innervation de l'estomac, qui est extrêmement sensible, peut stimuler la muqueuse à produire plus de suc gastrique que d'ordinaire. Le suc gastrique acide stimule d'abord la muqueuse et ensuite la paroi gastro-intestinale qui se mettent à s'autodétruire. Il s'ensuit une gastrite qui peut se compliquer d'un ulcère gastro-duodénal.

Difficile à diagnostiquer chez les petits enfants

Les symptômes de la gastrite et de l'ulcère gastro-duodénal sont les mêmes. Les moyens dont dispose le nourrisson ou le petit enfant malade pour exprimer sa maladie ne sont pas des signes vraiment spécifiques : refus de s'alimenter, vomissements, irritabilité, crises de pleurs après avoir bu et coliques, comme dans les coliques du nourrisson (page 42), constituent des signes évocateurs précieux. Chez le nourrisson, la maladie n'est souvent diagnostiquée qu'après l'émission de selles ou de vomissures sanglantes.

Les enfants de maternelle se plaignent souvent, pendant des semaines voire des mois, de douleurs abdominales diffuses et récidivantes et ont l'air souffrant. Ils n'ont pas d'appétit, vomissent facilement avec parfois des traces de sang. Ce n'est qu'à partir de 6 à 7 ans que l'enfant est capable d'indiquer précisément où il a mal. Il ressent alors des douleurs brûlantes et térébrantes au niveau de l'estomac ou du nombril, est de mauvaise humeur et a souvent la langue chargée et une mauvaise haleine.

Dans l'ulcère gastro-duodénal, un symptôme typique est que la douleur disparaît pendant deux à trois heures après avoir mangé. Par contre, dans l'ulcère gastrique, la douleur est augmentée par l'alimentation. Une mauvaise haleine, des éructations acides et un sentiment de réplétion constituent d'autres signes de l'ulcère gastro-duodénal.

Appareil digestif
Gastrite, ulcère gastrique, ulcère duodénal

Complications
Si votre enfant vomit à répétition du sang et que ses selles sont noires, c'est que la maladie est en train de s'aggraver.

Faut-il consulter ?
Si votre enfant se plaint, le matin ou après avoir mangé, de douleurs abdominales pendant plus d'une semaine, par prudence, consultez votre médecin. Si votre enfant vomit du sang ou si ses selles sont noires (sang digéré dans les selles), l'enfant doit être immédiatement hospitalisé.

Que fera le médecin ?
• Le médecin s'assurera du diagnostic en faisant une prise de sang et un examen des selles, qui lui permettront de constater ou non la présence de sang.
• Une endoscopie gastrique peut s'avérer nécessaire, même chez des nourrissons. Dans ce cas, le médecin traitant procédera à un tubage de l'estomac en utilisant un endoscope.

SYMPTÔMES TYPIQUES
• **Crampes et piqûres sensibles ou brûlantes au moment du repas ou après mais aussi avant le repas, pendant la nuit ou tôt le matin (douleurs à jeun)**
• **Nausées**
• **Vomissements**
• **Perte d'appétit**
• **Mauvaise humeur**

Ce que vous pouvez faire
• En cas de crise aiguë, gardez votre enfant alité 3 semaines si possible ou, en tout cas, jusqu'à la disparition des douleurs (minimum 8 jours).
• Aucun régime particulier n'est nécessaire. De petits repas fréquents sont conseillés. Renoncez aussi aux aliments que votre enfant supportait mal.
• Il est important qu'en phase de convalescence votre enfant puisse bien se reposer. Les angoisses et les états de névrose peuvent être traités par une thérapie familiale.

• Homéopathie : 5 granules de Nux vomica D4 et d'Arsenicum album D6, avant et après le repas. En cas d'importantes lourdeurs d'estomac il y a plusieurs remèdes possibles mais ils ne peuvent être choisis que par un médecin homéopathe. Si votre enfant se recroqueville de douleur, donnez-lui Magnésium D4. Pour les douleurs qui s'améliorent par l'extension du corps, donnez-lui Belladonna D30 ou Mandragora D4 (5 granules trois fois par jour).

Appareil digestif
Gastro-entérite

La gastro-entérite est une maladie due surtout à des virus mais aussi à des bactéries. Dans 60% des cas, le coupable est un rotavirus ; dans 20% des cas, des bactéries, notamment les salmonelles (que l'on retrouve de manière prédominante dans les intoxications alimentaires), les shigella (responsables de la dysenterie) ou les colibacilles. Les 20% restants des germes pathogènes sont des micro-organismes, par exemple des Giardia lamblia ou des amibes ou champignons, notamment les levures (muguet). Les agents pathogènes pénètrent le plus souvent dans l'organisme par le biais de denrées alimentaires contaminées.

Une infection du tube digestif, ou gastro-entérite, peut se présenter schématiquement sous deux formes : une inflammation intestinale soit accompagnée de coliques et d'émission de selles défaites contenant des glaires et du sang mais sans vomissement, soit accompagnée d'autres symptômes digestifs, surtout de diarrhée aqueuse et de vomissements. Dans les deux cas, on peut observer une fièvre modérée à élevée. Ces symptômes apparaissent brutalement : l'enfant peut ressentir des nausées après un repas et vomir. La gravité de la maladie dépend de la quantité d'eau et de sels minéraux (électrolytes) perdus. Plus l'enfant est jeune, plus la perte liquidienne peut rapidement mener à la déshydratation et mettre sa vie en danger.

Quand votre enfant se remet d'une gastro-entérite, veillez à ne lui donner que des aliments faciles à digérer.

Prévention : évitez de consommer des denrées alimentaires contaminées ou périmées, celles qui ont dégelé trop vite ou qui ne sont pas bien cuites. La volaille, la crème glacée ainsi que les crèmes et les mayonnaises peuvent contenir des salmonelles. Les salades et les fruits non lavés et contaminés par des bactéries provoquent facilement la diarrhée. La meilleure protection contre une diarrhée dangereuse due à l'Escherichia coli : ne boire que du lait pasteurisé, donc pas de lait cru ni de lait acheté à la ferme et non bouilli et toujours bien cuire la viande de bœuf.

Si votre enfant souffre de diarrhée importante et sanguinolente, sa maladie pourrait être due, outre les salmonelles, à un Escherichia coli - de variété hémorragique - arrivé dans l'organisme avec du lait de vache cru ou de la viande de bœuf crue ou transmis par des porteurs sains. Dans un cas sur deux environ, cette gastro-entérite peut être compliquée d'une hémorragie intestinale et d'une insuffisance rénale.

Faut-il consulter ?
Consultez le médecin si les vomissements et/ou la diarrhée persistent plus de 6 heures chez un nourrisson. Chez les enfants plus grands, n'attendez pas plus de 12 heures, sauf si vous constatez une amélioration de leur état. Important : même si votre enfant ne souffre que de diarrhée et de crampes abdominales, il peut avoir une appendicite (page 87). A partir de 7 ou 8 ans, une poussée aiguë de la maladie de Crohn (page 187) doit également être envisagée.

Que fera le médecin ?
• Le médecin confirmera le diagnostic.
• Pour compenser la perte d'eau, il prescrira à votre enfant un apport liquidien suffisant (réhydratation). Si les vomissements ne cèdent pas, le médecin procédera à un apport liquidien par perfusion.
• Pour arrêter le réflexe de vomissement, le médecin peut également prescrire des suppositoires ou des gouttes.
• Il prescrira également un régime adapté à l'état de son estomac et de ses intestins.

Ce que vous pouvez faire
• Les solutions réhydratantes que l'on trouve en pharmacie sous forme de poudre sont particulièrement utiles pour compenser les pertes mais vous pouvez également préparer vous-même de la tisane à l'orange (page 205), des infusions aux plantes médicinales (page 204), de l'eau minérale salée et des bouillons de viande ou de légumes salés et dégraissés.
• Pour lutter contre la diarrhée, vous pouvez donner de la tisane à laquelle vous aurez ajouté du charbon de bois.
• Dans le cadre du régime sans graisse et sans sucre, donnez des biscuits salés, des Craquottes, des biscottes, des Grissini ou du pain rassis.
• Si les selles s'épaississent et deviennent plus rares, donnez à votre enfant pendant quelques jours des pommes de terre, du riz, des nouilles et des pommes râpées mélangées à de la banane écrasée. Après trois jours, il devrait être guéri.
• Aux nourrissons, le médecin peut prescrire un lait spécial.

Appareil digestif
Hernie inguinale

Il existe, dans la paroi abdominale, plusieurs zones plus vulnérables que d'autres, notamment le canal inguinal où passent les vaisseaux sanguins, les nerfs, les ligaments et les cordons spermatiques qui se dirigent au-dessus de la cuisse vers les organes génitaux. Chez 40% des enfants, ce canal inguinal est refermé à l'âge d'un an. Il y a hernie quand il y a saillie dans ce canal d'une portion des viscères qui s'immiscent au travers de la paroi abdominale. Parmi les autres zones à haut risque, on note surtout la région du nombril et du scrotum.

La hernie inguinale est la hernie la plus importante et la plus fréquente chez le nourrisson. Elle touche 1% des enfants et est 9 fois plus fréquente chez les petits garçons que chez les petites filles. Il n'est pas rare d'observer une prédisposition familiale à cette anomalie. Dans deux tiers des cas, la hernie inguinale survient avant l'âge de trois mois. Elle apparaît clairement dans le pli de l'aine, sous la forme d'une masse molle que l'on voit bien et que l'on peut également bien sentir. Elle peut être unilatérale ou bilatérale. Les saillies ou sacs herniaires apparaissent très clairement lors de la contraction des muscles abdominaux : quand l'enfant éternue, tousse ou crie ou encore quand il va à la selle.

Une hernie inguinale ordinaire ne provoque souvent ni douleur, ni malaise. L'opération qui s'impose peut donc être planifiée en toute tranquillité. Mais lorsque des portions de l'intestin sont étranglées, les douleurs sont très vives et l'enfant souffre de nausées et de vomissements. Une hernie étranglée doit être opérée d'urgence.

SYMPTÔMES TYPIQUES
- **Apparition d'une masse molle en saillie dans la région de l'aine**
- **Mal au ventre**

Dans la hernie étranglée, en plus :
- **Vomissements**
- **Constipation par iléus paralytique**
- **Teint gris-bleu**

Ce que vous pouvez faire
- Veillez à consulter le médecin à temps. L'opération est toujours indispensable, la hernie inguinale ne guérit pas spontanément.
- Si votre enfant doit être hospitalisé, vos petites attentions l'aideront à passer ce cap pénible.

Faut-il consulter ?
Toute masse dans la région du pli de l'aine n'est pas systématiquement une hernie mais peut aussi résulter de gonflements ganglionnaires ou d'une ectopie inguinale du testicule. Si vous suspectez une hernie inguinale, emmenez votre enfant chez le médecin.

Que fera le médecin ?
- La hernie inguinale doit toujours être opérée. Aussi longtemps que la hernie n'est pas étranglée, l'opération peut être planifiée en toute tranquillité.
- En cas de hernie étranglée, l'opération doit être pratiquée d'urgence.
- L'opération de la hernie inguinale peut se faire en hospitalisation de jour.

Appareil digestif
Invagination intestinale

L'invagination intestinale aiguë est la conséquence d'un péristaltisme anormal de l'intestin. Une partie de l'intestin, dans la majorité des cas la dernière portion de l'intestin grêle, pénètre à l'intérieur d'une portion voisine, le cæcum, en se retournant comme un "doigt de gant". L'invagination intestinale peut apparaître de manière tout à fait inopinée, chez l'enfant en bonne santé, principalement entre 3 et 9 mois mais rarement après 2 ans.

Elle se caractérise par des crises aiguës de douleurs abdominales violentes de type colique accompagnées de cris, de vomissements et de symptômes d'un état de choc (pâleur, sueurs froides et agitation), suivies de phases où l'enfant reprend un aspect normal et une vie normale. Par moments, l'enfant devient apathique et il peut y avoir du sang rouge dans les selles. Le plus souvent, le médecin pourra sentir, au palper, un boudin dans la partie droite du bas-ventre.

Important : si vous suspectez l'invagination intestinale, appelez d'urgence le médecin de garde. Sans traitement approprié, cette maladie peut entraîner la mort en quelques jours.

SYMPTÔMES TYPIQUES
- Coliques
- Diarrhée sanguinolente
- Symptômes d'un état de choc
- Intervalles asymptomatiques
- Vomissements importants

Faut-il consulter ?
L'invagination intestinale est une urgence médicale. L'enfant doit être immédiatement emmené chez le médecin ou à l'hôpital le plus proche pour éviter toute séquelle intestinale (nécrose).

Que fera le médecin ?
- Il confirmera le diagnostic et enverra immédiatement votre enfant à l'hôpital.
- A un stade précoce, il pourra essayer de réduire le boudin invaginé et remettre l'intestin en place en procédant à un lavement baryté avec un produit de contraste. S'il n'y arrive pas, l'enfant devra être opéré immédiatement.

Ce que vous pouvez faire
- En cas d'invagination intestinale, seul le médecin peut traiter votre enfant.
- Si possible, restez avec votre enfant à l'hôpital.
- Quand votre enfant sortira de l'hôpital, consolez-le - comme pour n'importe quelle autre opération d'ailleurs.
- Allégez son alimentation et veillez à ce qu'il ne fasse pas d'effort et surtout qu'il ne porte rien de lourd.

Appareil digestif
Occlusion intestinale

L'occlusion intestinale est l'obstruction du transit intestinal normal par un obstacle. Conséquence : le transport du contenu intestinal est partiellement ou totalement arrêté. L'occlusion intestinale peut être d'origine mécanique (corps étranger) ou due à un volvulus ou torsion intestinale ou encore une paralysie du péristaltisme. L'occlusion intestinale peut survenir à tout âge ou avoir une origine congénitale. Les symptômes de l'occlusion intestinale peuvent apparaître soit progressivement soit subitement, selon la portion de l'intestin où se situe l'obstacle.

Dans l'occlusion mécanique, l'intestin réagit par un hyperpéristaltisme destiné à vaincre l'obstacle. Un ballonnement douloureux par distension abdominale est accompagné de vomissements, de crampes abdominales et de constipation. Il peut également y avoir syndrome de choc : sueurs froides, agitation et pâleur extrême.

Chez les enfants, une forte infection peut être à l'origine d'une occlusion intestinale par paralysie. En effet, les réactions inflammatoires et toxiques peuvent entraîner une paralysie intestinale qui empêche le passage des aliments. Au stéthoscope l'abdomen est tout à fait silencieux. Le ventre est ballonné et les selles ne sont plus excrétées. Contrairement à l'occlusion due à la présence d'un corps étranger, les douleurs spontanées et les douleurs à la pression sont moins fortes. Mais des vomissements incoercibles, un choc, ainsi que des vomissements fécaloïdes (selles expulsées par la bouche) peuvent également être observés.

SYMPTÔMES TYPIQUES
- **Vomissements incoercibles**
- **Coliques**
- **Constipation**
- **Distension abdominale**
- **Pouls faible**

Faut-il consulter ?
A la moindre suspicion d'occlusion intestinale, emmenez d'urgence votre enfant à l'hôpital.

Que fera le médecin ?
- Le médecin confirmera le diagnostic d'occlusion intestinale par une échographie et des radios.
- S'il confirme le diagnostic, une intervention immédiate s'impose.

Ce que vous pouvez faire
- Après l'hospitalisation de votre enfant, veillez à ce qu'il ne soit pas surmené ni physiquement, ni psychologiquement. Il aura besoin de beaucoup de repos pendant sa convalescence.
- Elaborez avec votre médecin traitant un régime alimentaire pour la période postopératoire.

Appareil digestif
Parasites intestinaux

Les parasites intestinaux les plus courants chez les enfants et les adolescents sont les oxyures mais aussi les ascaris et le ver solitaire. Les parasites pénètrent dans l'organisme par l'intermédiaire des denrées alimentaires, des bacs à sable ou des animaux. Les œufs de ces parasites entrent par la bouche dans l'estomac et l'intestin et se développent directement dans l'organisme. La nuit, les femelles des oxyures sortent à la marge anale et y déposent leurs œufs microscopiques. Il en résulte une démangeaison et le grattage sert au transport des œufs qui se glissent sous les ongles des doigts et sont alors réintroduits dans l'organisme par la bouche (auto-infestation). Ce cycle dure jusqu'à deux mois et les enfants doivent donc souvent être traités à deux ou trois reprises.

Les oxyures sont de petits vers blancs et ronds de 1 cm de long. Ils sont visibles car ils bougent dans les selles. Les ascaris ressemblent au lombric. En ce qui concerne le ver solitaire, on retrouve dans les selles des morceaux de 5 à 10 mm qui ressemblent à des morceaux de nouilles. Les enfants infestés sont fatigués et abattus. Ils ont souvent des cernes sous les yeux et sont facilement irritables. Les enfants infestés par des oxyures sont souvent gênés la nuit par de fortes démangeaisons anales. Ceux qui sont infestés par des ascaris ont plutôt tendance à avoir mal au ventre et souffrent parfois même de coliques, sont ballonnés et ont des diarrhées inexpliquées. Ceux qui sont infestés par le ver solitaire se plaignent de douleurs abdominales vagues, d'une faim de loup ou, au contraire, n'ont aucun appétit et maigrissent considérablement.

SYMPTÔMES TYPIQUES
- **Démangeaisons dans la région anale**
- **Présence de vers vivants ou de parties de vers dans les selles**
- **Coliques**
- **Vomissements**
- **Cernes sous les yeux**
- **Fatigue**
- **Stagnation ou perte de poids**

Ce que vous pouvez faire
- Lisez toujours attentivement les notices qui accompagnent les vermifuges et respectez scrupuleusement les mesures d'hygiène préconisées, telles que les changements de linge après le traitement. La nuit, il est recommandé que l'enfant porte un maillot de bain collant pour éviter de se gratter.
- Etant donné que les œufs des parasites peuvent se glisser sous les ongles de l'enfant, ses jouets, ses vêtements ou ses aliments sont peut-être infestés. Lavez tout convenablement avec de l'eau chaude et du produit de vaisselle ou de lessive, sans quoi la contamination se poursuivra et d'autres personnes de votre famille pourraient être infestées.
- Coupez les ongles de votre enfant très courts.
- Donnez tous les matins à votre enfant, au lever, à jeun, une tasse de jus de choucroute ou 100 g de choucroute crue.
- Traitement supplémentaire contre les oxyures : Cina D4, Abrotanum D3 et Spigelia D4 - 5 granules trois fois par jour pendant deux semaines. Contre les ascaris : Teucrium marum D2, et contre le ver solitaire : Natrum sulfuricum D12 et Crotalus D12.

Faut-il consulter ?
Le traitement doit toujours être confié à un médecin. Dans le cas de l'infestation par les oxyures, le mieux est de faire examiner toute la famille.

Que fera le médecin ?
Il prescrira à votre enfant un vermifuge. Les médicaments modernes tuent les parasites sans être nocifs pour l'organisme de l'enfant.

Cœur, sang et circulation

Pour vivre, l'homme a besoin d'aliments énergétiques tels que des protéines, des graisses et des glucides à partir desquels l'organisme produit, grâce à l'oxygène, l'énergie nécessaire à tous les processus vitaux. L'organisme produit de l'eau, du carbone pauvre en énergie et différents produits de dégradation qui sont excrétés dans les urines, les selles et l'air expiré. Les substances énergétiques sont transportées par le sang vers les cellules où se déroule le métabolisme. Le cœur pompe, avec le ventricule gauche, le sang riche en oxygène qu'il envoie vers les artères jusqu'aux plus petits vaisseaux (les capillaires). C'est au niveau des capillaires qu'a lieu l'échange métabolique entre l'oxygène et les tissus. Le sang alors pauvre en oxygène reprend le gaz carbonique généré par le métabolisme cellulaire et le transporte par les veines vers l'oreillette droite (grande circulation). A partir de là, le sang passe dans le ventri-

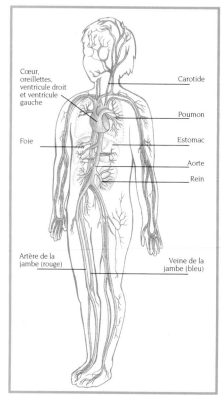

Cœur, oreillettes, ventricule droit et ventricule gauche

Foie

Artère de la jambe (rouge)

Carotide

Poumon

Estomac

Aorte

Rein

Veine de la jambe (bleu)

cule droit où commence la petite circulation : le cœur droit pompe le sang riche en gaz carbonique vers les poumons qui éliminent ce dioxyde de carbone en l'expirant. L'oxygène qui arrive dans les poumons par l'inspiration traverse la paroi des alvéoles pulmonaires pour passer dans le sang et imprègne les globules rouges. C'est ce qui explique la couleur plus foncée du sang veineux et le rouge plus clair du sang artériel qui contient l'oxygène.

Le sang remplit encore d'autres fonctions : outre les globules rouges, les érythrocytes, on y trouve également les globules blancs, les leucocytes et les lymphocytes. Les lymphocytes font partie du système de défense de l'organisme, ils "patrouillent" dans les ganglions lymphatiques, les circuits lymphatiques et le système vasculaire à la recherche des germes pathogènes qu'ils ont pour mission de détruire.

Dans ce système compliqué que constitue l'interaction entre le cœur, le sang et les vaisseaux lymphatiques, si un des organes n'est pas pleinement fonctionnel, la maladie peut s'installer. Si, par exemple, le muscle du cœur n'a pas la force de pomper pour assurer la perfusion indispensable de l'organisme ou s'il y a des trous dans la paroi de séparation entre les deux chambres du cœur ou encore si les valves cardiaques ne se referment pas bien, le sang s'accumule dans les organes en amont (foie et poumons). Tous ces troubles perturbent l'apport en oxygène de l'organisme. Chez les enfants, les problèmes cardiaques sont le plus souvent congénitaux (page 100).

Cœur, sang et circulation
Anémie

L'anémie se caractérise par une insuffisance de globules rouges (érythrocytes) et/ou d'hémoglobine (le pigment des globules rouges). L'hémoglobine transporte l'oxygène vital et donne aux globules rouges leur couleur. Chez l'enfant, l'anémie peut être consécutive à une hémorragie dans le cadre de blessures ou de troubles héréditaires de la coagulation sanguine (hémophilie). Elle peut aussi être due à d'autres causes : une production insuffisante de globules rouges dans la moelle osseuse ou un temps de vie réduit des érythrocytes dans ce que l'on appelle les anémies hémolytiques dont il existe de nombreuses formes. Dans l'anémie la plus couramment rencontrée chez les enfants, l'anémie ferriprive, le manque de fer entrave la production d'hémoglobine dans le sang.

L'anémie se caractérise par une pâleur de la peau, surtout sous les ongles des doigts, des lèvres et des conjonctives oculaires. Si ces symptômes sont accompagnés de fatigue, de problèmes de concentration, de manque d'énergie et de perte d'appétit, consultez le médecin. Seule une prise de sang permet de diagnostiquer l'anémie !

Important : de nombreux enfants qui ont l'air pâle et sont fatigués ne sont pas pour autant anémiques. La pâleur peut aussi être due à l'épaisseur de l'épiderme qui ne laisse pas transparaître les vaisseaux.

SYMPTÔMES TYPIQUES
- **Pâleur des lèvres et des ongles, ainsi que des conjonctives**
- **Fatigue**
- **Difficultés respiratoires à l'effort**

Faut-il consulter ?
Si vous suspectez de l'anémie, emmenez toujours l'enfant chez le médecin, parce que l'anémie peut aussi être le symptôme d'une autre maladie.

Ce que vous pouvez faire
- Donnez-lui des aliments riches en fer. Sont particulièrement recommandés : la viande, les abats et le jaune d'œuf. Les légumes à feuilles vert foncé et les noix contiennent également beaucoup de fer.
- La vitamine C favorise l'absorption du fer : donnez à votre enfant des fruits frais ou une orange pressée tous les jours.

Que fera le médecin ?
- Grâce à l'analyse de sang, le médecin pourra constater si votre enfant est ou non anémique. Il demandera éventuellement des examens plus approfondis qui seront effectués à l'hôpital.
- Si l'anémie est due à un manque de fer, le médecin prescrira une supplémentation en fer sous la forme de gouttes, de sirop ou de comprimés.
- Chez les prématurés et les enfants nourris uniquement au sein, l'administration préventive de fer permet d'éviter l'anémie ferriprive.

Cœur, sang et circulation
Malformation cardiaque

Attention : myocardite

Si votre enfant souffre d'une malformation cardiaque congénitale, il sera plus vulnérable aux infections. Les bactéries et les virus pourraient en effet infester toutes les parties de son corps, par exemple le muscle cardiaque (myocardite mortelle), le péricarde ou la paroi interne des ventricules (endocardite).

Le moindre petit foyer infectieux situé, par exemple, au niveau des dents, suffit. Le plus souvent, les streptocoques profitent d'une angine ou d'une carie pour s'infiltrer dans la circulation qui les amène au cœur.

SYMPTÔMES TYPIQUES
- **Fatigue importante**
- **Résistance moindre, pauses fréquentes lors du jeu**
- **Cyanose des lèvres, des doigts et des orteils**

Ce que vous pouvez faire

Si votre enfant souffre d'une cardiopathie, informez-en le médecin, même si vous le consultez pour un simple rhume car, dans son cas, la moindre infection bactérienne doit être systématiquement traitée aux antibiotiques !

Les principales cardiopathies chez l'enfant sont des cardiopathies congénitales. L'anomalie cardiaque la plus fréquente est la communication interventriculaire, un orifice dans la paroi de séparation entre les ventricules. Parmi les autres anomalies, on note des problèmes au niveau des valves ou encore une malposition des gros vaisseaux situés à proximité du cœur. Comparativement à un autre enfant du même âge, l'enfant qui souffre d'une cardiopathie sera moins "performant". Le médecin décèle souvent la cardiopathie au stéthoscope. Les bruits cardiaques et les battements sont en effet perturbés et on entend des bruits typiques (souffle). Le diagnostic exige toutefois des examens spécialisés tels qu'un ECG, une échographie, un phonocardiogramme, un ultrason et des radiographies. On lui placera même éventuellement une sonde (cathétérisme cardiaque) jusqu'au cœur pour mesurer la concentration d'oxygène et de dioxyde de carbone dans chacun de ses ventricules.

De nos jours, de nombreuses malformations cardiaques peuvent être corrigées chirurgicalement mais cette opération ne doit pas être systématique. Dans de nombreux cas, les anomalies septales se ferment spontanément.

Faut-il consulter ?

Si l'on suspecte une cardiopathie, l'enfant doit être immédiatement confié à un médecin.

Que fera le médecin ?

- Il auscultera le cœur de l'enfant et, si nécessaire, demandera des examens complémentaires. Un enfant sur trois a un souffle au cœur qui n'est absolument pas lié à la moindre maladie cardiaque et ne doit pas être traité. On parle alors de souffle innocent.
- S'il y a un petit trou dans le muscle situé entre le ventricule gauche et le ventricule droit (communication interventriculaire), le médecin devra examiner régulièrement l'enfant pendant sa première année. En principe, en grandissant, ces trous rétrécissent et ne gênent plus la fonction cardiaque.
- En cas de cyanose, le médecin est immédiatement frappé par la coloration bleutée des lèvres, des doigts et des orteils. La cyanose indique que l'organisme ne reçoit pas suffisamment d'oxygène. Cette situation engendre donc généralement une faiblesse physique. Dans ce cas, l'opération est indispensable.
- Les anomalies valvulaires, c'est-à-dire les troubles des valves qui régulent la direction de la circulation sanguine, ne doivent pas toujours être opérées. L'opération n'est indiquée que si le problème empêche l'enfant de pratiquer du sport.

Cœur, sang et circulation
Troubles du rythme cardiaque

Le rythme cardiaque est défini comme le nombre de battements du cœur par minute au repos. Chez l'enfant, ce nombre de battements dépend de l'âge, de l'activité physique, de l'entraînement, de l'état émotionnel et de la température corporelle (contrôle du pouls, page 30). Mais il se caractérise encore par une autre particularité : à l'inspiration, la fréquence cardiaque est supérieure à celle observée lors de l'expiration. Ces irrégularités se remarquent particulièrement au moment où l'enfant s'endort et pendant ses phases d'éveil, mais aussi quand il récupère après un effort physique.

Il convient donc de faire la distinction entre les irrégularités banales du rythme cardiaque et les troubles du rythme à proprement parler. Ces derniers comprennent la tachycardie, c'est-à-dire une accélération anormale des battements. Dans le langage populaire, on appelle cela des "palpitations". Elles peuvent être dues à l'énervement, à un effort physique intense ou à une forte fièvre. Chez les enfants, on observe également, en plus du rythme normal, des battements ectopiques des oreillettes et des ventricules que le médecin appelle extrasystoles. Les arythmies, ou irrégularités du rythme cardiaque par ailleurs normal, sont également très fréquentes. Certains enfants ont l'impression que leur cœur trébuche. Il ne s'agit pourtant généralement pas d'une maladie cardiaque : en effet, ces troubles du rythme sont observés chez des enfants et des adolescents en bonne santé mais instables sur le plan psychologique. Par contre, si ces troubles du rythme sont liés à un mauvais état circulatoire et que l'enfant se sent malade, il doit s'aliter et le médecin doit en être informé. Il y a en effet risque d'infection du muscle cardiaque (myocardite, page 100) !

Ce que vous pouvez faire
- Votre enfant doit éviter les efforts et l'énervement. Veillez à ne pas laisser monter sa température.
- Si, outre les troubles du rythme cardiaque, votre enfant vous semble également abattu, mettez-le au lit.
- Donnez-lui une alimentation légère et pauvre en sel et des repas en petites portions.

Faut-il consulter ?
Si vous constatez que le cœur de votre enfant bat trop vite ou marque des temps d'arrêt, faites-en déterminer la cause par le médecin.

Que fera le médecin ?
- Les troubles du rythme doivent être analysés par le médecin sur la base d'un ECG (électrocardiogramme). Celui-ci enregistre les battements du cœur au repos mais aussi à l'effort. Cet examen peut parfois prendre plusieurs heures mais il permet au médecin de déterminer s'il doit traiter les troubles du rythme cardiaque avec des anti-arythmiques ou non. Dans l'ensemble, les résultats des traitements instaurés dans les troubles du rythme chez les enfants sont favorables.

Reins, voies urinaires, organes sexuels

Les reins nettoient le sang des déchets du métabolisme et génèrent environ 1 à 1,5 l d'urine par jour. L'urine est transportée par l'uretère dans la vessie où elle s'accumule pour être excrétée ensuite par fractions via l'urètre.

Les reins servent principalement à la régulation ou équilibre hydrominéral. Outre l'excrétion liquidienne normale, le corps perd également de l'eau et des ions par la peau lorsqu'il transpire et par la respiration. En plus des aliments solides, l'individu a donc besoin de boire 1,5 l de liquide par jour (de préférence de l'eau ou de la tisane). Chez le nourrisson et le petit enfant, le besoin en liquide peut être augmenté par des vomissements ou une diarrhée. En cas de perte d'eau trop importante, l'enfant peut être en danger mortel.

Chez le nourrisson et le petit enfant, c'est le degré de remplissage de la vessie qui déclenche la miction. Plus l'enfant est grand, mieux il contrôle son réflexe sphinctérien.

Les organes sexuels sont étroitement liés aux organes urinaires. Ensemble, ils constituent le système génito-urinaire. Les organes sexuels externes masculins sont le pénis et les bourses. Les organes internes sont les deux testicules. De ceux-ci part le canal déférent qui mène aux vésicules séminales en remontant par le canal inguinal. Après avoir passé les vésicules séminales, le canal déférent arrive dans la région de la prostate et s'abouche à l'urètre.

Les organes sexuels féminins se composent des ovaires, des trompes de Fallope, de l'utérus et du vagin. Les organes sexuels externes comprennent : les grandes lèvres, les petites lèvres (vulve), ainsi que l'orifice du vagin et l'hymen.

Les organes sexuels tant féminins que masculins sont présents dès la naissance mais ne se développent qu'à la puberté. C'est à ce moment-là que se forment les cordons spermatiques. Chez les filles, l'apparition des premières règles traduit la présence d'ovules à maturité. A partir de ce moment-là, une grossesse est possible et il est plus que temps de parler avec votre enfant de la sexualité et de la prévention des maladies qui y sont liées.

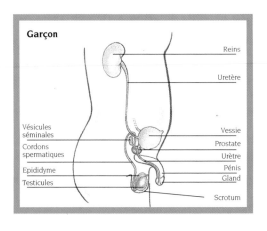

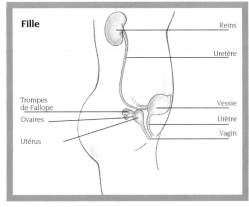

Reins, voies urinaires, organes sexuels
Infection des voies urinaires

L'infection des voies urinaires peut toucher l'urètre, la vessie ou l'uretère. Cette infection peut même s'étendre au bassinet, à l'intérieur des reins ou encore au tissu rénal. Les microbes sont des virus ou des bactéries qui pénètrent par l'urètre jusque dans la vessie. L'urine chaude leur procure un bouillon de culture idéal et leur permet de remonter ensuite jusqu'aux reins. Les infections des voies urinaires sont très fréquentes chez les enfants jusqu'à l'âge de 3 ans. Quatre à cinq pour cent des petites filles (voies urinaires plus courtes) et un pour cent des petits garçons en souffrent.

L'infection aiguë des voies urinaires peut se traduire par une sensation de brûlure à la miction, un besoin fréquent d'uriner, une température jusqu'à 38,5° C et des maux de tête. Les enfants qui étaient déjà propres ont tendance à se mouiller. Si les reins sont atteints, la fièvre est toujours élevée (supérieure à 39° C) et accompagnée de frissons (infection rénale, page 105). De fortes douleurs irradient depuis le dos jusque dans la région de l'aine. Mais seuls les enfants un peu plus grands peuvent exprimer ces symptômes typiques.

Les infections récidivantes doivent faire penser à une anomalie des voies urinaires, qu'il faudra exclure par des examens médicaux complémentaires.

Complications

Les infections des voies urinaires peuvent facilement devenir chroniques si elles ne sont pas diagnostiquées et traitées à temps. Par la suite, elles sont souvent la cause d'une infection rénale voire d'une insuffisance rénale.

Faut-il consulter ?

Si votre enfant présente des troubles de l'appétit, des douleurs abdominales ou s'il a la diarrhée ou de la fièvre, emmenez-le chez le médecin : il se peut qu'il ait une infection des voies urinaires.
L'infection urinaire doit toujours être traitée par le médecin.

Que fera le médecin ?

• Avant d'instaurer un traitement, il fera analyser l'urine de l'enfant à la recherche des bactéries (prélèvement d'urine, page 104).
• Si cette analyse révèle la présence de bactéries, le médecin prescrira des antibiotiques et procédera à un second contrôle. Comme cette maladie a tendance à passer à la chronicité, pour éviter les récidives, même dans les cas moins graves, les antibiotiques seront donnés à plus ou moins long terme.
• Après chaque infection des voies urinaires, les urines doivent être contrôlées régulièrement pendant plusieurs mois (toutes les deux à quatre semaines) pour diagnostiquer et traiter immédiatement toute récidive.

Pour procéder à un prélèvement d'urine chez un nourrisson, achetez en pharmacie un sac à urine. Lavez soigneusement l'enfant et collez le sac sur ses parties génitales. Enfilez-lui une culotte pour que l'enfant n'arrache pas le sac.

Analyse d'urine

Si vous effectuez le prélèvement chez vous, faites bouillir un pot en verre avec couvercle (pot à confiture) pendant dix minutes. Le matin, lavez convenablement votre enfant et accompagnez-le aux toilettes ou mettez-le sur son petit pot. Demandez-lui de faire pipi. Laissez-le commencer à uriner et placez ensuite le pot sur le trajet de l'urine. Recueillez-en 10 à 50 ml (prélèvement à mi-jet). Retirez ensuite le pot et laissez l'enfant terminer la miction dans les toilettes. Le pot en verre peut être conservé au frigo mais pas plus de deux heures.

Ce que vous pouvez faire

• Si le médecin confirme le diagnostic, mieux vaut garder l'enfant alité pendant la phase aiguë de la maladie.
• Veillez à ce que votre enfant boive beaucoup pour bien rincer ses voies urinaires (page 205).
• Maintenez les pieds et le bas du corps au chaud.
• En homéopathie : trois fois 1 comprimé de Rhus toxicodendron D30 ou de Dulcamara D30 ; chez les petites filles aussi Pulsatilla D4 jusqu'à amélioration définitive.
Si l'infection des voies urinaires ne s'est pas améliorée dans les dix jours, instaurez un traitement de quatre semaines avec Dulcamara D3 suivi de Berberis vulgaris D3 pendant quatre semaines et de Solidago D4 pendant quatre semaines encore à la même dose. Veillez à ce que l'enfant boive beaucoup.

Les organes urinaires féminins. Chez la fille, l'urètre est considérablement plus court que chez les garçons chez lesquels il s'abouche à la pointe du pénis. Du fait de cette particularité anatomique, les petites filles et les femmes souffrent plus fréquemment d'infections des voies urinaires : les microbes ont en effet un accès facile à la vessie.

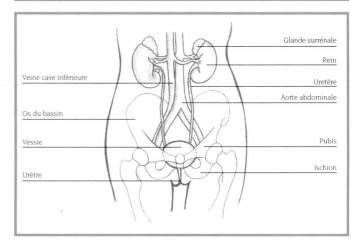

Glande surrénale

Rein

Veine cave inférieure

Urètre

Aorte abdominale

Os du bassin

Vessie

Pubis

Ischion

Urètre

Reins, voies urinaires, organes sexuels
Infection rénale

Si, deux à trois semaines après une scarlatine (page 168) ou une pharyngite (page 64), votre enfant refait un épisode de fièvre avec gonflement des paupières, maux de tête et que vous remarquez du sang dans ses urines (opaques - brunes), il peut s'agir d'une inflammation rénale aiguë (glomérulonéphrite). Les problèmes rénaux font souvent suite à d'autres maladies et touchent surtout les enfants de 2 à 12 ans. Les principaux microbes responsables sont les streptocoques ou des virus qui atteignent les reins via la circulation sanguine. Ces inflammations, dont les effets se répercutent toujours dans les reins via la circulation sanguine, ralentissent le débit de la miction et perturbent la perfusion rénale, entraînant une hypertension. Les protéines (albumine) et les globules rouges (oligurie) passent alors directement du sang dans la vessie, les produits de dégradation métabolique non excrétés et l'eau s'accumulent sous la peau (œdème) ou dans le sang (intoxication). L'œdème touche surtout le visage et les paupières de l'enfant malade : il a l'air bouffi.

La plupart des atteintes inflammatoires rénales cèdent facilement. Cette maladie est rarement grave et répond bien aux antibiotiques. L'enfant doit rester deux à trois semaines au lit et ensuite se remettre pendant quatre à six semaines. Après deux mois, les enfants scolarisés peuvent retourner à l'école. Après six mois, l'enfant peut également reprendre le sport.

SYMPTÔMES TYPIQUES
- **Le plus souvent après une angine pultacée ou une scarlatine**
- **Fièvre modérée à élevée**
- **Nausées et maux de tête**
- **Urines rouge brique**
- **Bouffissure du visage**
- **Douleurs dans les lombes irradiant jusque dans le creux inguinal**

Faut-il consulter ?
Si l'enfant présente les symptômes caractéristiques et si ceux-ci surviennent à la suite d'une pharyngite ou d'une scarlatine récente, consultez immédiatement le médecin !

Ce que vous pouvez faire
- Respectez l'alitement prescrit.
- Respectez le régime prescrit par le médecin.
- Gardez la région des reins au chaud et veillez à ce que l'enfant n'ait pas froid aux pieds.

Que fera le médecin ?
- Il prescrira une dose élevée de pénicilline ou d'un autre antibiotique et l'alitement de l'enfant pendant deux à trois semaines.
- Le médecin établira également un régime destiné à protéger et soulager la fonction rénale : peu de protéines et pas de sel, les graisses et les glucides sont autorisés. L'apport liquidien doit correspondre à la quantité d'eau éliminée pour rétablir l'équilibre hydrique.
- En phase aiguë, une hospitalisation peut s'avérer nécessaire.

Reins, voies urinaires, organes sexuels
Ectopie testiculaire

Chez le fœtus, les testicules se développent dans la cavité abdominale et migrent, en principe, dans les bourses avant la naissance. Chez un tiers des prématurés et chez trois pour cent des petits garçons nés à terme, un ou les deux testicules se trouvent hors des bourses à la naissance. Si on peut le localiser dans la région inguinale, le testicule retourne le plus souvent spontanément dans sa bourse dans les trois mois qui suivent. Pour cette raison, tous les petits garçons qui naissent avec une ectopie testiculaire doivent être contrôlés par le médecin à trois mois.

L'ectopie testiculaire peut être due à un trouble hormonal ou à une prédisposition familiale.

Particularité : de nombreux petits garçons ont également ce que l'on appelle un testicule mobile ou à ressort. Au chaud (lit, bain), les testicules sont palpables dans leur bourse mais dès que l'enfant bouge ou que la température baisse, ils retournent dans le canal inguinal. Le testicule mobile ne nécessite aucun traitement.

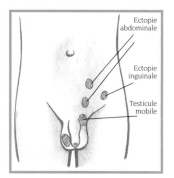

Ectopie abdominale

Ectopie inguinale

Testicule mobile

La position normale du testicule est représentée à gauche sur ce dessin. A droite : les endroits où peut se situer le testicule ectopique.

Faut-il consulter ?

• L'ectopie testiculaire requiert une attention particulière. Si le testicule ne réintègre pas sa bourse et qu'il reste donc dans un environnement chaud, il se développera moins bien. Si vous suspectez l'ectopie testiculaire, demandez donc au médecin de procéder régulièrement à un examen de contrôle.
• Le traitement de l'ectopie testiculaire doit être terminé avant deux ans sous peine d'entraîner des problèmes de fertilité plus tard.

Que fera le médecin ?

• Le médecin essaiera de provoquer l'abaissement du testicule par des hormones. Les injections hormonales sont aujourd'hui très courantes. Ce traitement est efficace dans la majorité des cas.
• Si le traitement hormonal est inefficace, votre enfant devra être opéré (en hôpital de jour le plus souvent).

Ce que vous pouvez faire
• Expliquez à votre enfant la raison de ce traitement pour atténuer sa peur des piqûres ou de l'opération.
• Après l'intervention, choyez votre enfant et suivez à la lettre les consignes du chirurgien.

Phimosis

Dans le véritable phimosis (orifice préputial), il y a disproportion entre la taille du gland et l'orifice préputial, ce qui rend le décalottage du gland difficile ou étrangle le gland à sa base une fois le décallotage difficile réussi. Le phimosis est toutefois très rare et ne doit pas être confondu avec les adhérences du prépuce, courantes chez le nourrisson et le petit enfant et qui disparaissent spontanément entre l'âge de 3 ans et la puberté. Les tentatives de décalottage forcées et répétées entraînent souvent des lésions et l'apparition de cicatrices qui peuvent mener à un phimosis par rétraction cicatricielle ou à des infections du prépuce (page 108).

Quand l'étroitesse du prépuce entraîne des troubles de la miction, le phimosis doit être opéré. Il peut en effet arriver que l'urine s'accumule derrière le prépuce, enfle cet espace et provoque des infections. Dans ce cas, le jet urinaire est le plus souvent très faible et la vessie ne se vide pas complètement.

SYMPTÔMES TYPIQUES
- **Décalottage difficile ou impossible**
- **Jet urinaire faible et sans pression**
- **Gonflement du prépuce au moment où l'enfant urine**

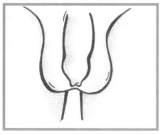

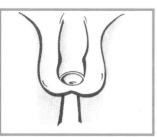

La circoncision consiste à exciser totalement ou partiellement le prépuce.

Faut-il consulter ?
Si vous pensez que votre enfant a un phimosis, demandez conseil à votre médecin.

Que fera le médecin ?
- Opération chirurgicale : le prépuce est raccourci, voire complètement enlevé (circoncision). Cette opération peut être réalisée à l'hôpital de jour.
- Après l'opération, le chirurgien vous expliquera exactement comment soigner votre enfant à la maison. Ces soins dépendent du résultat de l'opération.

Ce que vous pouvez faire
- Après l'opération, veillez à ce que votre enfant ne porte pas de sous-vêtement serrant (risque de contention).
- Si votre enfant ne trouve pas le sommeil la nuit à cause de la douleur, mettez-lui un suppositoire de paracétamol.
- Si l'intervention n'est pas urgente, programmez-la pour le printemps. L'enfant pourra alors circuler habillé d'une simple chemise.

Balano-prépucite

La balanite est une inflammation aiguë et douloureuse du prépuce ou de certaines parties du pénis. La peau est rouge vif, présente un œdème et peut saigner. Du pus s'accumule parfois en dessous du prépuce occasionnant une inflammation du gland. L'enfant peut ressentir des brûlures à la miction et se retenir d'uriner.

Cette infection est due à des bactéries (streptocoques ou staphylocoques) qui s'infiltrent par le biais des mains sales lors de la miction ou quand l'enfant joue avec son pénis.

SYMPTÔMES TYPIQUES
- **Œdème douloureux du prépuce ou de l'ensemble du pénis**
- **Brûlures à la miction**
- **Rétention urinaire**

Faut-il consulter ?
Étant donné que l'infection du prépuce est très douloureuse, il convient d'emmener l'enfant immédiatement chez le médecin.

Que fera le médecin ?
- Il prescrira à votre enfant des bains et des pommades antibiotiques.
- Dans les cas plus graves, le médecin fera hospitaliser l'enfant.

Ce que vous pouvez faire
- Les bains tièdes avec de l'huile de fleurs de camomille (page 195) ou des produits désinfectants achetés en pharmacie soulagent les douleurs. Vous pouvez utiliser un petit pot de yaourt vide dans lequel vous tremperez le pénis de l'enfant.
- Homéopathie : donnez toutes les deux heures et ensemble 5 gouttes d'Apis mellifica D3 et d'Arnica D4. S'il y a saignement, donnez 5 granules de Lachesis D12 trois fois par jour jusqu'à amélioration.

Reins, voies urinaires, organes sexuels
Vaginite

Les infections dans la région du vagin et des lèvres sont courantes et ont tendance à récidiver. Dans ce cas, la peau de l'ensemble de la région génitale est rouge et gonflée.

Le responsable de la vaginite peut être un virus, une bactérie, un champignon, un ver ou un corps étranger qui a pénétré, par accident, dans le vagin. Les causes de récidive peuvent être multiples et l'enfant doit être examinée par le médecin. Ce type de problème doit également faire penser à un éventuel abus sexuel.

Faut-il consulter ?
La répétition des symptômes infectieux évocateurs doit mener à une visite chez le médecin - ne fût-ce que pour exclure une infection des voies urinaires (page 103).

Que fera le médecin ?
- Le médecin examinera l'enfant et vérifiera qu'il n'y a pas de corps étranger dans le vagin, il l'extraira le cas échéant et fera un frottis.
- Des antibiotiques devront être donnés en cas d'infection bactérienne.
- Le médecin prescrira également des médicaments appropriés contre les champignons et les vers.
- Si la maladie est due à un virus, il n'existe aucun traitement particulier. Dans ce cas, il est recommandé de traiter l'enfant comme si elle avait une dermatite du siège (page 50).

Ce que vous pouvez faire
- Veillez à une hygiène parfaite de la région génitale.
- Vous pouvez également donner à votre enfant des bains de siège (page 195) avec de la tisane à la camomille. Vous pouvez aussi acheter en pharmacie de l'huile de fleurs de camomille ou ajouter de la teinture d'arnica à l'eau du bain de siège ou à l'eau de la lessive.
- S'il s'agit d'une petite fille et qu'elle porte encore des couches, optez pour les langes en tissu et veillez à ce qu'ils ne soient pas serrés et à les changer plus souvent. Prévoyez au moins un change supplémentaire pendant la nuit. Ne donnez surtout pas moins à boire à votre enfant pour éviter qu'elle ne se mouille. Chaque fois que l'occasion se présente, laissez votre enfant courir sans couche.

Peau

La peau est, d'une part, l'organe le plus externe du corps et, d'autre part, celui qui présente la plus grande surface. Elle remplit plusieurs fonctions vitales : elle transmet les perceptions sensorielles, protège des microbes et régule la température du corps. Les effleurements sont transmis au système nerveux central (moelle et cerveau) en empruntant des circuits situés sous la peau, et la chaleur, la pression et la douleur lui sont transmises par les nerfs.

Les affections cutanées sont gênantes, non seulement physiquement par les démangeaisons, les douleurs ou les tensions qu'elles suscitent, elles peuvent aussi être source de problèmes psychologiques liés à leur caractère ostentatoire. Les enfants qui présentent des symptômes cutanés clairement visibles ont en effet souvent peur d'être rejetés. Un seul regard de travers renforce encore souvent leur sentiment d'isolement.

La peau est exposée non seulement aux variations de température, au soleil, au vent et aux diverses conditions climatiques, mais aussi à des agresseurs qui prennent les formes les plus variées et, notamment, la pollution atmosphérique, le chauffage central, les allergènes contenus dans les aliments ou, encore, les vêtements et les produits de nettoyage et de lessive. La peau se compose de trois couches : l'épiderme, où se trouvent les glandes sébacées et sudoripares, les poils et les ongles ; le derme, qui soutient et nourrit l'épiderme et, enfin, le tissu sous-cutané, composé de cellules graisseuses et de tissu conjonctif qui sert de rembourrage et isole les organes internes.

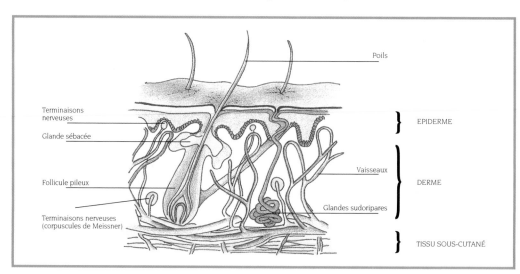

Peau
Abcès, furoncle

Les abcès et les furoncles sont dus à la pénétration des staphylocoques dans les couches profondes de la peau, le plus souvent le long des canaux des glandes sudoripares ou des glandes sébacées. Il arrive que les bactéries pénètrent également dans l'organisme par de petites lésions cutanées. A partir d'une petite vésicule à tête rouge peut se développer très rapidement un abcès dont la taille varie d'un petit pois à celle d'une noix. La pénétration dans les couches plus profondes de la peau constitue le furoncle : bouton douloureux qui prend une coloration rouge ou bleu-rouge, dur ou pâteux et dont la taille varie d'une tête d'épingle à une zone plus étendue.

SYMPTÔMES TYPIQUES
- **Abcès : bouton douloureux de la taille d'un petit pois à celle d'une noix**
- **Furoncle : tuméfaction rouge, dure et douloureuse**

Faut-il consulter ?

Si vous constatez chez votre enfant un abcès ou un furoncle, emmenez-le chez le médecin.

Que fera le médecin ?

- Les abcès superficiels seront désinfectés localement par le médecin. Ensuite, il appliquera une pommade antibiotique.
- Les plus gros abcès ou furoncles doivent être traités avec des emplâtres contenant du goudron. Ce traitement fait mûrir le furoncle et facilite son ouverture.
- En cas de furoncle, donnez à l'enfant les antibiotiques prescrits par le médecin pour éviter l'extension de l'infection.
- Il peut arriver qu'un abcès ou un furoncle doive être opéré (incision).

Ce que vous pouvez faire

- Les rayons infrarouges, 10 minutes trois fois par jour, accélèrent la guérison : les abcès et les furoncles peu profonds mûrissent et s'ouvrent souvent d'eux-mêmes.
- Homéopathie : pour les abcès, Belladonna D30 et Sulfur D6 (en alternance un jour sur deux). En cas de douleurs vives, Apis mellifica D4, 5 granules trois fois par jour. Pour les furoncles : Apis mellifica D4 et Belladonna D30 (5 granules trois fois par jour). En cas de début de suppuration, Mercurius solubilis D6, 5 granules trois fois par jour.
- Pour consolider les défenses de votre enfant, donnez-lui, après guérison de l'abcès ou du furoncle, Silicea D6 et Echinacea angustifolia D2, 5 granules trois fois par jour pendant un certain temps.

Peau
Acné

L'acné et les problèmes de peau sont typiquement liés à la puberté. La production exagérée de sébum, liée à l'âge, forme des bouchons qui obstruent les follicules des poils et provoquent l'apparition de comédons. Il s'agit de points noirs s'ils sont superficiels et de papules proéminentes s'ils se développent dans les couches plus profondes de la peau. Ces problèmes de peau à la puberté doivent être distingués de l'acné avec infection bactérienne, que le médecin doit traiter. Le sébum produit en excès libère des acides gras qui, mélangés aux bactéries, provoquent une inflammation/infection des follicules pileux : on observe alors l'apparition de papules rouges, de vésicules puis de pustules. Cette surinfection bactérienne, si elle est profonde, peut provoquer un abcès. L'acné ne touche, le plus souvent, que les adolescents et les adultes jusqu'à l'âge de 25 à 30 ans, très rarement le visage des nourrissons et des nouveau-nés (acné du nouveau-né, page 52).

Pendant l'adolescence, phase difficile de la vie, un visage boutonneux est ressenti comme particulièrement gênant. C'est pour cette raison que cette maladie - en soi inoffensive - doit être traitée. Plusieurs mois, voire plusieurs années de patience sont cependant parfois nécessaires pour en venir à bout.

SYMPTÔMES TYPIQUES
• **Comédons noirs ou blancs**
• **Papules rouges et pustules avec foyer purulent jaune**

Ce que vous pouvez faire
• Avant tout, il faut éviter la formation de comédons. L'orifice du follicule pileux ne doit pas être bouché pour permettre au sébum de s'écouler. Les décapants vendus en pharmacie (principe actif : acide rétinoïque ou peroxyde de benzoyle) permettent le détachement des squames et ralentissent la production exagérée de sébum.
• Mieux vaut ne pas percer les comédons, qui s'infectent facilement et peuvent provoquer plus de dégâts qu'autre chose. Une esthéticienne professionnelle nettoiera bien mieux les impuretés de la peau.
• Employez un savon acide.
• Pas plus qu'un régime spécial, le fait de renoncer à certains aliments, notamment le chocolat, les noix, les graisses ou les épices n'empêche pas l'apparition des boutons.

Faut-il consulter ?
Si les mesures à prendre soi-même ne donnent pas de résultat et que l'acné persiste, demandez une aide médicale.

Que fera le médecin ?
• En cas de forte infection, le médecin prescrira des antibiotiques.
• Les androgènes (hormones mâles) qui sont sécrétés en faible quantité chez les jeunes filles et les femmes renforcent l'acné. Pour cette raison, un traitement hormonal (pilule associée à des anti-androgènes) influence souvent positivement l'évolution de l'acné chez les jeunes femmes fortement touchées.

Peau
Coup de soleil

Les rayons ultraviolets peuvent, lors d'une exposition longue et intensive, provoquer un coup de soleil. La rougeur douloureuse observée localement sur la peau, et qui ne touche que l'épiderme, correspond à une brûlure du 1er degré (brûlures page 248). Lorsque apparaissent des vésicules et des lésions ouvertes et rouges, il s'agit d'une brûlure du 2e degré. S'il y a en plus de la fièvre, des maux de tête, des vertiges et éventuellement des vomissements, on risque de se trouver en présence d'une insolation (page 246). Dans ce cas, allongez immédiatement l'enfant à l'ombre. Si vous suspectez une insolation, veillez à l'amener rapidement chez le médecin.

Un chapeau et un tee-shirt protègent l'enfant des coups de soleil.

Faut-il consulter ?
Si le coup de soleil provoque l'apparition de vésicules, amenez l'enfant d'urgence chez le médecin.

Que fera le médecin ?
En cas de brûlures au 2e degré, il prescrira une pommade anti-inflammatoire et des suppositoires antalgiques.

Ce que vous pouvez faire
• En cas de coup de soleil du 1er et du 2e degré, mettez immédiatement l'enfant à l'ombre. Refroidissez les endroits brûlés avec de l'eau froide, le cas échéant en lui mettant un tee-shirt mouillé.
• Appliquez sur les parties rouges de la peau des compresses froides enduites de fromage blanc ou de yaourt mais veillez à ne pas en mettre sur les vésicules.
• Donnez à boire à votre enfant une grande quantité de liquide légèrement salé (environ 1 cuillère à café de sel pour 1 litre d'eau).
• Prévention : ne laissez pas votre enfant au soleil sans chapeau et laissez-lui de préférence son tee-shirt.
• Utilisez des crèmes solaires avec un indice de protection élevé (de 12 à 20), non parfumées, ne contenant ni conservateur ni émulsifiant qui provoquent des allergies. Appliquez la crème solaire une demi-heure avant l'exposition et répétez l'application plusieurs fois en cours de journée, et en tout cas chaque fois que l'enfant est allé dans l'eau.
• Allez-y progressivement et prudemment : le 1er jour, limitez l'exposition à 10 minutes. Evitez d'exposer l'enfant au soleil pendant les heures les plus chaudes.

Gale

La gale - jadis une des maladies les plus fréquentes - reste largement répandue. Elle est due à un parasite de l'ordre des sarcoptes, de 0,4 millimètre de long. La femelle creuse, dans l'épiderme, une galerie au bout de laquelle elle pond ses œufs, que l'on peut voir apparaître comme de petits points foncés. Lorsqu'elles ont atteint la maturité, les larves creusent à leur tour de nouvelles galeries.

Une fois sortis de la peau, les sarcoptes ne survivent que de deux à trois jours mais se transmettent facilement par contact corps à corps ou avec une couverture infestée, la literie, les mouchoirs et les vêtements.

Ces parasites siègent surtout sur la paume des mains et la plante des pieds, sous les aisselles et dans la région du siège où ils provoquent des foyers infectieux, érythémateux et fortement prurigineux, caractérisés par des points et de fins sillons qui démangent particulièrement la nuit. Leur grattage peut mener à une surinfection bactérienne.

Aoûtats

Les aoûtats (rougets, vendangeons) sont dus aux larves du trombiculidé et surviennent entre juin et septembre. Ils donnent lieu, après que l'enfant a joué dans les prairies, les taillis, le bois ou le foin, à l'apparition de gros placards rouges qui démangent et à la formation de pustules et de croûtes sur la peau et le cuir chevelu.

SYMPTÔMES TYPIQUES
- **Siège sur les mains et les pieds, sous les aisselles et dans la région du siège**
- **Fortes démangeaisons, surtout la nuit, quand les femelles creusent leurs galeries**

Faut-il consulter ?
Si votre enfant présente une éruption cutanée prurigineuse, consultez un médecin.

Que fera le médecin ?
Il prescrira à l'enfant une lotion antiscabies à base de lindane.

Ce que vous pouvez faire
- Appliquez pendant deux jours consécutifs sur les lésions une crème à base de benzoate de benzyle antigale. Laissez le médicament agir pendant 3 heures et rincez ensuite à l'eau et au savon.
- Important : juste avant le 1er traitement, donnez un bain à votre enfant pour que les pores de la peau s'ouvrent bien. Après le traitement, changez tout son linge de corps et toute la literie. Il suffit de laver et de repasser le linge pour tuer les sarcoptes restants.
- N'utilisez jamais un produit qui contient du lindane plus longtemps qu'indiqué sur la notice car ce produit est toxique.
- En homéopathie : contre les démangeaisons, Rhus toxicodendron D30 (1 comprimé une fois par jour), Rumex D4 (5 granules trois fois par jour) et poursuivre deux à trois jours après la disparition des démangeaisons.
- Etant donné que les nourrissons ont tendance à se lécher, il est préférable qu'ils soient traités à l'hôpital pour éviter les empoisonnements.
- Pour se protéger de la gale : appliquez sur la peau quelques gouttes de citronnelle ou de girofle ou utilisez une lotion repellante pour garder les sarcoptes à distance. Veillez aussi à ce que votre enfant ne joue plus à un endroit où il risque d'être réinfesté.

Herpès

**Les boutons de fièvre
(herpès labial)
sur la lèvre supérieure.**

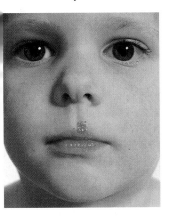

L'herpès est une maladie très fréquente due au virus Herpes simplex. Les virus se transmettent par voie directe et indirecte et, après une primo-infection, ils restent souvent plusieurs années dans l'organisme où ils provoquent des récidives.

• Stomatite aphteuse : le premier contact avec le virus de l'Herpes survient souvent très tôt dans la vie. Il passe souvent inaperçu mais peut aussi se traduire par une infection fébrile. La maladie commence alors de manière brutale et est accompagnée de fièvre, de vomissements et d'abattement. En quelques heures apparaissent sur l'ensemble des muqueuses buccales des vésicules blanc jaunâtre, douloureuses, qui éclatent et font mal au point que l'enfant ne peut presque plus manger ni boire. Cet herpès peut également infester les lèvres et l'entrée du nez où il forme des croûtes. Les ganglions du cou sont gonflés. Les vésicules évoluent vers une guérison sans cicatrice après 7 à 10 jours environ.

• Bouton de fièvre (Herpes labialis) : après une primo-infection, les rhumes ou viroses entraînent souvent une nouvelle poussée. On voit alors apparaître en un jour ou deux des rougeurs qui évoluent vers des pustules et des vésicules prurigineuses qui éclatent et forment des croûtes, surtout autour des lèvres, sur les gencives et à l'entrée du nez ou encore sur le visage. Ces vésicules évoluent spontanément vers la guérison après 10 à 14 jours. Les boutons de fièvre influencent peu l'état général de l'enfant.

SYMPTÔMES TYPIQUES
• **Vésicules douloureuses
qui s'ouvrent pour former
une croûte**
• **Démangeaisons**
• **Fièvre**

Faut-il consulter ?

Si vous pensez que votre enfant souffre d'une stomatite aphteuse, emmenez-le toujours chez le médecin, pour que celui-ci confirme le diagnostic et lui prescrive les médicaments *ad hoc*.

Que fera le médecin ?

Il lui prescrira un traitement anti-douleur. A un stade précoce, il pourra prescrire une pommade ou un sirop antiviral (Zovirax).

Ce que vous pouvez faire

En cas de stomatite aphteuse et de boutons de fièvre dans la bouche :
• Ne donnez à votre enfant que des aliments liquides, à température ambiante et sans sel. Supprimez tous les fruits acides ou les aliments au goût acide ; tout ce qui est froid, chaud ou acide, le brûle et lui fait mal. Vous pouvez, par contre, lui donner du pudding, du riz au lait, du bouillon sans sel, de la purée ou des gommes (nounours).
• Faites-lui rincer la bouche avec de la camomille tiède ou de la tisane à la sauge diluée.
• En homéopathie : vous pouvez essayer Mezereum D4 (5 granules trois fois par jour) et, en cas de douleurs vives, ajouter Acidum nitricum D4 (5 granules toutes les deux heures).
• Tamponnez sur les boutons de fièvre avec de la teinture de propolis (pharmacie) trois à quatre fois par jour. En cas de récidive, donnez Natrium muriaticum D200 (1 comprimé toutes les 4 semaines).

Impétigo

L'impétigo se caractérise par des vésicules très particulières. Il est très contagieux. Sur la photo, il est localisé sur la région fessière.

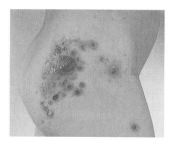

L'impétigo est une infection bactérienne de la peau extrêmement contagieuse, qui touche surtout le petit enfant et l'enfant scolarisé. On le rencontre principalement en plein été ou vers la fin de l'été et il se transmet par contact soit direct d'homme à homme, soit indirect (serviettes, verres).

Il se caractérise par l'apparition de vésicules de la taille d'une pièce de monnaie mais qui peuvent aussi atteindre la taille d'un poing. Ses localisations préférentielles sont le pourtour de la bouche, le visage et le cuir chevelu. Les vésicules peuvent subsister un certain temps ou éclater et libérer un liquide jaunâtre, transparent et collant qui laisse ensuite place à une croûte. Les foyers guérissent sans laisser de cicatrices mais des taches rouges ou fortement pigmentées persistent assez longtemps.

Faut-il consulter ?
L'impétigo doit toujours être traité par le médecin.

Que fera le médecin ?
• Plus l'enfant est jeune, moins ses défenses sont développées et plus une pommade antibiotique sera nécessaire. Dans les cas graves, le médecin prescrira également des antibiotiques par voie orale.
• Pour désinfecter les zones touchées, le médecin pourra prescrire une solution de bleu de méthylène qui présente le désavantage de colorer fortement la peau en bleu. Ce produit dessèche l'impétigo, empêche l'infection et calme les démangeaisons. Il agit aussi contre les bactéries et les champignons.
• En ce qui concerne le traitement à la maison, le médecin prescrira de la vaseline salicylique que le pharmacien préparera.

SYMPTÔMES TYPIQUES
• **Bulles qui évoluent en croûtes surtout autour de la bouche. Lorsque les bulles éclatent, un liquide jaunâtre s'en échappe.**

Ce que vous pouvez faire
• Il est important d'éviter la contamination. Les enfants qui souffrent d'impétigo ne peuvent dès lors pas aller à la crèche ou à l'école.
• Les vésicules et les croûtes guérissent très bien d'elles-mêmes. Vous pouvez accélérer la guérison en recouvrant les croûtes de vaseline salicylique (deux à trois fois par jour en fine couche sur les parties lésées).
• Si l'impétigo s'étend sur une zone importante, les bains au permanganate de potassium (1g de permanganate de potassium dans 10 litres d'eau) peuvent être donnés en bains assis ou bains complets.
• En homéopathie : application locale d'Aqua silicata pour favoriser le dessèchement (trois fois par jour). Pour lutter contre l'apparition des pustules, Antimonium tartaricum D4 (1 comprimé trois fois par jour). Si la peau cicatrice mal : Hepar sulfur D6 ou Silicea D6 (5 granules trois fois par jour). Contre les démangeaisons : une solution d'Avena sativa (paille d'avoine) ajoutée au bain, à utiliser conformément à la notice figurant sur l'emballage.

Peau
Intertrigo

L'intertrigo englobe les infections d'origines diverses, des commissures labiales, du lobe de l'oreille ou encore de l'espace entre les doigts et entre les orteils. Il est fréquent chez les enfants et le plus souvent dû à des staphylocoques ou à des streptocoques ou, encore, à des champignons (muguet) transmis par voie de contagion indirecte. L'intertrigo de l'ongle se complique facilement d'un doigt blanc.

Apparaît alors au coin de la bouche, sur le lobe de l'oreille ou dans l'espace entre les doigts et les orteils, un foyer plus ou moins grand, infectieux, rouge, suintant, ouvert et couvert de croûtes (ce qu'on appelle des crevasses ou rhagades). Ces crevasses peuvent aussi constituer le premier signe d'un eczéma atopique (page 149). Le fait de lécher l'angle de la bouche ou de se gratter entretient l'infection. Dans certains cas rares, la perlèche peut être le signe d'une anémie (page 99), qui doit être traitée par le médecin.

(page 149)
(page 99)

SYMPTÔMES TYPIQUES
- **Foyer rouge, suintant, squameux à la commissure des lèvres, sur le lobe de l'oreille ou dans les espaces entre les doigts et les orteils**
- **Démangeaisons**

Faut-il consulter ?
Quand l'intertrigo ne disparaît pas dans les deux semaines qui suivent l'instauration de remèdes naturels.

Que fera le médecin ?
L'intertrigo interdigital (main, pied), les surinfections par les bactéries ou les champignons sont très fréquents (pied d'athlète). Le médecin fera un frottis afin de dépister le germe en cause et choisir le médicament à administrer.

Ce que vous pouvez faire
- Enduisez les zones touchées pendant deux semaines environ d'une solution d'Argentum nitricum à 2%, que vous trouverez en pharmacie - cela suffit souvent pour faire disparaître l'intertrigo.

Peau
Mycoses

Les mycoses sont transmises à l'homme par les animaux, par les humains ou encore par des objets. Les enfants les plus exposés sont ceux qui sont en contact étroit avec des animaux domestiques. L'humidité et la chaleur (par exemple dans les salles de gymnastique, les piscines ou les douches communes) favorisent également l'apparition de cette maladie. Les champignons aiment s'installer dans les zones de la peau qui transpirent beaucoup, surtout en été. La seule chose dont ils aient besoin pour coloniser les lieux, ce sont de petites lésions dans la peau ou même, tout simplement, que celle-ci soit ramollie par la transpiration.

Les champignons dermatophytes se divisent en deux groupes : les levures qui répondent, par exemple, à un traitement à la nystatine et les champignons dermatophytes qui peuvent être traités, par exemple, avec de la griséofulvine. Chez les nourrissons et les petits enfants, la levure la plus fréquemment rencontrée est le Candida albicans qui provoque la candidose du siège et le muguet (page 49). Les champignons dermatophytes, quant à eux, provoquent différents symptômes selon leur localisation.

Exemple de champignons parasites

• Champignons dermatophytes (Tinea corporis) : foyer infectieux rond à ovale et prurigineux, qui s'agrandit pour former une roue de Sainte-Catherine, qui guérit en son milieu. Les bords sont rouges, surélevés, bien délimités et squameux. Le grattage peut occasionner une surinfection.

• Teigne (Tinea capitis) : le champignon s'installe sur le cuir chevelu où il provoque des démangeaisons et peut éventuellement donner lieu à une surinfection due au grattage. Il n'est pas rare que les cheveux des zones touchées cassent de manière irrégulière ou tombent par touffes (trichophytie). Un autre champignon dermatophyte, la microsporidie, se caractérise par une grande plaque alopécique arrondie, de 2 à 5 cm de diamètre, ou par de petits placards qui fusionnent. Cette maladie peut prendre un caractère épidémique dans les écoles ou les jardins d'enfants et doit donc être déclarée.

• Pied d'athlète : les parties plus molles entre les orteils et les zones de transition entre la voûte plantaire et l'arrière du pied sont rouges et squameuses. Elles peuvent être enflammées et suintantes et donner lieu à la formation de squames prurigineuses. On note également une transpiration des pieds plus abondante et à l'odeur plus prononcée. Les sources d'infection sont les douches des piscines, les douches des hôtels, ainsi que les sols des salles de sport où l'on fait la gymnastique pieds nus. La mycose peut être favorisée par le port de bas synthétiques, de bottes en caoutchouc, des chaussures de gymnastique et des chaussures bon marché à semelles de caoutchouc qui gardent l'humidité, favorisant le développement des champignons.

• Peri-onyxis : ils se glissent dans le lit de l'ongle ou se développent sous celui-ci. L'ongle devient cassant, s'épaissit et prend un aspect laiteux transparent. Ce type de champignon donne souvent lieu à une surinfection malodorante causée par les bactéries et la sueur.

Peau
Mycoses

Faut-il consulter ?

Toutes les mycoses doivent être examinées par un médecin.

Que fera le médecin ?

• Selon le type de champignon concerné, il prescrira des lotions, des sprays, de la poudre ou des pommades antimycotiques : les lotions pour les foyers suintants, les pommades pour les foyers secs et squameux, les crèmes pour les formes mixtes.

• Le médecin pourra également prescrire, mais ce sera rare, un antimycotique à prendre par voie orale.

• Pour les ongles : le traitement des ongles s'écarte du traitement normal des mycoses et le médecin prescrira soit une pommade destinée à ramollir l'ongle, soit il le retirera par une opération chirurgicale. Un traitement complémentaire à la griséofulvine (en comprimés) est ensuite indispensable pendant plusieurs mois.

Pour éliminer les sources d'infection :
• **Faites examiner tous les membres de la famille.**
• **Faites examiner les animaux domestiques par le vétérinaire.**
• **S'il s'agit d'une teigne et que les cheveux sont atteints, remplacez tous les peignes et brosses à cheveux.**
• **Ne lavez pas les taies d'oreiller et les serviettes de l'enfant contaminé avec celles des autres membres de la famille.**
• **Changez la literie régulièrement et faites bouillir le linge.**

Ce que vous pouvez faire

• Il est très important de trouver la source de contamination pour prévenir toute récidive.
• Dans le cas des ongles, le traitement dure des mois !
• N'autorisez la gymnastique et la natation que quand le médecin le permettra.
• En cas d'alopécie, l'enfant peut porter un bonnet jusqu'à ce que ses cheveux aient repoussé.
• Dans le cas du pied d'athlète, une hygiène irréprochable des pieds s'avère indispensable. Lavez les pieds à l'eau chaude et ensuite à l'eau froide matin et soir. Pour les sécher, utilisez systématiquement une nouvelle serviette. Mettez à l'enfant des chaussettes en coton pouvant être lavées à 90° C et changez-les tous les jours. A l'intérieur, le port de sandales en cuir est recommandé. Passez un spray antimycotique dans ses chaussures, bottes et chaussures de gymnastique.
• Les champignons ne disparaissent qu'avec un traitement antimycotique à long terme (le plus souvent deux à trois semaines pour le pied d'athlète et plusieurs mois quand il s'agit des ongles).
• En homéopathie, les remèdes ne peuvent venir à bout des champignons mais peuvent soulager les symptômes désagréables qui y sont liés. En cas d'éruption suintante, vous pouvez donner à titre complémentaire : Hepar sulfur D6 (5 granules trois fois par jour) ; contre des démangeaisons brûlantes, Rhus toxicodendron D30 (5 granules trois fois par jour) ; contre les démangeaisons nocturnes, Rumex D4 ou Magnesium carbonicum D4 (5 granules une fois par jour avant le coucher).

Peau
Piqûre de puce

Les puces piquent souvent de manière répétée et leurs piqûres sont donc très rapprochées les unes des autres.

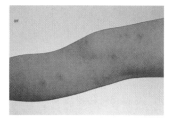

Certaines puces qu'on trouve fréquemment chez les chats et les oiseaux (rarement chez les chiens) peuvent se transmettre à l'homme. Les larves des puces peuvent en effet s'installer dans les fentes des planchers, les coussins et les paniers des animaux domestiques. Il ne faudrait jamais laisser un animal domestique s'installer dans un fauteuil ou dans un lit !

Les piqûres de puce se manifestent par des papules d'environ 1 cm de diamètre, très prurigineuses, rosées et disposées en grappe ou en ligne, au centre desquelles on distingue l'endroit exact de la piqûre. Ces papules durcissent dans les 24 heures qui suivent sous l'effet d'un grattage intempestif et l'on observe la formation d'un cratère rouge. Ces papules sont très prurigineuses et leur grattage favorise la surinfection.

SYMPTÔMES TYPIQUES
- **Papules rosées en ligne ou en grappe**
- **Fortes démangeaisons**

Faut-il consulter ?
Mieux vaut demander au médecin de confirmer s'il s'agit bien de piqûres de puce.

Que fera le médecin ?
- Il vous expliquera comment trouver la puce pour éviter qu'elle ne récidive.
- Il prescrira une pommade calmante pour éviter que l'enfant ne se gratte et que les piqûres ne s'infectent.

Ce que vous pouvez faire
- Le plus important, c'est de trouver la puce et de la détruire ou de déterminer où votre enfant l'a attrapée.
- Pour éviter que d'autres puces ne fassent des ravages, veillez à une hygiène irréprochable de l'endroit où dort votre animal domestique et de l'animal lui-même.
- Appliquez sur la piqûre de puce une lotion au zinc que vous trouverez en pharmacie ou un gel contre les insectes couramment vendus en pharmacie.
- En homéopathie : Ledum D4 (5 granules trois fois par jour) et, sur les piqûres de puce, une pommade de Cardiospermum.
- Changez le linge et la literie de votre enfant.
- Le cas échéant, portez ses vêtements au nettoyage à sec ou lavez-les.
- Les jouets doivent être désinfectés et aérés pendant un certain temps.

Peau
Poux

Chez les enfants, les poux s'installent le plus souvent sur la tête ; les poux du corps et du pubis (morpions) sont très rares. Les poux sont de minuscules insectes plats, sans aile, qui vivent sur le cuir chevelu et sucent le sang. Leurs piqûres au travers de la peau ne font pas mal mais leur salive provoque de fortes démangeaisons. Les poux pondent leurs œufs, que l'on appelle des lentes, à la racine du cheveu. Ces lentes éclosent après 2 semaines environ et libèrent des larves qui commencent alors à sucer le sang à leur tour.

Même à notre époque, les poux restent très répandus. Ils touchent le plus souvent les enfants des écoles maternelles et primaires et déclenchent de véritables épidémies. Le symptôme principal est la démangeaison qui n'apparaît souvent que plusieurs semaines après la contamination. Les poux aiment à se loger derrière les oreilles et dans la nuque et provoquent souvent un gonflement des ganglions de la nuque et du cou. Un examen du cuir chevelu permettra de découvrir les lentes qui ressemblent à de petits œufs grisâtres d'un millimètre de long.

SYMPTÔMES TYPIQUES
- **Démangeaisons du cuir chevelu**
- **Gonflement des ganglions de la nuque et du cou**
- **Lentes grisâtres à la racine des cheveux**

Ce que vous pouvez faire
- Traitez les cheveux de votre enfant avec le produit prescrit par le médecin deux fois à une semaine d'intervalle. Cet intervalle d'une semaine est important pour permettre de détruire aussi les poux qui auraient éclos pendant cette période. Ne laissez pas le produit agir plus de 3 heures.
- Les produits contenant du lindane sont toxiques et ne peuvent, en aucun cas, entrer en contact avec la bouche ou les yeux. Recouvrez la tête de l'enfant d'un bonnet ou d'une serviette aussi longtemps que vous laissez le produit.
- Après utilisation, lavez-vous convenablement les mains ainsi que celles de votre enfant.

- Vous pouvez éliminer les poux à l'aide d'un peigne à poux.
- En homéopathie : contre les démangeaisons, Ledum D4 (5 granules trois fois par jour) et une pommade de Cardio spermum.
- Cheveux courts, lavages fréquents de la chevelure, douches et changements de vêtements réguliers permettent d'éviter la récidive.
- Si vous voulez exterminer les poux avec du vinaigre, vous ne pourrez y arriver que si les cheveux de l'enfant n'ont pas plus d'un cm de long ! Lavez tous les jours, pendant une semaine, les cheveux avec du vinaigre dilué en proportion égale avec de l'eau. Laissez agir une heure puis rincez à l'eau claire. Passez ensuite le peigne à poux.

Faut-il consulter ?
Si vous découvrez des lentes dans les cheveux de votre enfant, emmenez-le chez le médecin.

Que fera le médecin ?
- Il prescrira une préparation antipoux.
- Après le traitement, le médecin examinera encore une fois l'enfant. Celui-ci ne pourra retourner à l'école que lorsque le médecin attestera qu'il n'a plus de poux.

Psoriasis

SYMPTÔMES TYPIQUES
- **Plaques squameuses, surtout sur les coudes et les genoux et sur le cuir chevelu**
- **Hémorragie en nappe lors du grattage des squames**
- **Evolution par poussées**

Le psoriasis est une prédisposition héréditaire mal comprise dans ses causes, dans laquelle la peau produit des cellules cornées épidermiques en nombre anormalement élevé. Un à deux pour cent de la population en souffre et, dans vingt pour cent des cas, le psoriasis apparaît avant la puberté.

Ces squames sèches, brillantes et nacrées se rencontrent surtout sur les coudes et les genoux, le cuir chevelu, le bas du dos, la voûte plantaire, les doigts et les ongles des orteils. Le psoriasis se caractérise par des plaques rouges, aux bords bien délimités, circulaires et légèrement surélevés, de la taille d'une tête d'épingle à celle d'une pièce de monnaie. Ces lésions sont recouvertes d'une sorte de pellicule blanchâtre sur les bords (appelée signe de la tache de bougie) qui démontrent une tendance à s'étendre. Si cette pellicule est enlevée par grattage, la peau dévoilée saigne facilement au contact. Son évolution est très variable : les poussées peuvent en effet être espacées de plusieurs semaines, voire de plusieurs années.

Plaques de psoriasis recouvertes de squames nacrées.

Faut-il consulter ?

Si vous suspectez le psoriasis, consultez le médecin.

Que fera le médecin ?

- Le médecin prescrira à l'enfant de la vaseline salicylée, une crème à base d'acide salicylique que le pharmacien préparera sur prescription magistrale.

- Les pommades contenant de l'acide fumarique peuvent également être utiles.
- En cas de fortes poussées de psoriasis, des pommades à base de cortisone peuvent se révéler nécessaires.
- Le médecin prescrira aussi éventuellement des rayons ultraviolets qui ont prouvé leur efficacité.

Ce que vous pouvez faire

- Détachez les squames en utilisant de la vaseline à l'acide salicylique. Réappliquez la crème aussi longtemps que la couche cornée reste dure. Sur le cuir chevelu, vous pouvez utiliser de l'huile d'olive avec de l'acide salicylique à 3% (demandez à votre pharmacien). Ensuite, rincez le cuir chevelu avec un savon acide.

- N'enlevez jamais les squames brutalement. Après que les squames se sont détachées, la pommade au goudron (vendue en pharmacie) donne de bons résultats. Appliquez-la en une couche la plus fine possible et faites bien pénétrer.
- Le psoriasis est rebelle au traitement et guérit très difficilement. Les régimes ne sont d'aucune aide.

- Les pommades à la cortisone ne peuvent être administrées que sur prescription du médecin !
- Les cures à la mer Morte sont très efficaces en raison de sa teneur élevée en sel.
- Le sel marin que l'on ajoute dans le bain ne peut pas remplacer ces cures mais il donne néanmoins des résultats pour un prix modique.

Peau
Tiques

Morsure de tique

Les tiques, on en rencontre partout en Europe. Elles aiment plus particulièrement les prairies humides, l'orée des bois et les forêts humides. Les tiques sucent le sang des mammifères, en général, et de l'homme, en particulier, et peuvent ainsi lui transmettre des maladies dangereuses telles que l'encéphalite russe verno-estivale ou encéphalite primitive à virus (page 173) aussi appelée maladie de Lyme (borréliose page 172).

On contracte des tiques dans les prairies et les forêts, où elles sont attirées par la transpiration et l'odeur corporelles ; elles mordent l'homme pour s'y attacher, le plus souvent à la base de la nuque, mais aussi sur les bras, les jambes ou à la taille. Le parasite ainsi fixé mesure de 2 à 5 mm, est rond et prend une coloration de plus en plus foncée au fur et à mesure qu'il suce le sang.

SYMPTÔMES TYPIQUES
- **Insectes accrochés et visibles, surtout à la base du cuir chevelu et sur les parties découvertes du corps**

Faut-il consulter ?
Mieux vaut demander au médecin d'enlever les tiques.

Que fera le médecin ?
- Il détruira la tête de la tique avec une aiguille ou une canule pour ensuite la retirer de la peau. Cela peut faire un peu mal.

- Il vous dira également de surveiller la morsure pendant 3 semaines. Si des cercles de couleur rouge apparaissent sur la peau, il se peut que l'enfant souffre d'une infection bactérienne appelée borréliose (page 172).

Ce que vous pouvez faire
- Le remède d'autrefois qui consistait à étouffer la tique sous la vaseline, l'huile ou le vernis à ongle et à ensuite l'extraire avec une pince à épiler n'est plus d'usage. Aujourd'hui, il a été prouvé que la salive de la tique à l'endroit de la morsure pouvait entraîner une borréliose ou une encéphalite russe verno-estivale. Il ne faut surtout pas écraser la tique, ce qui ne ferait que l'enfoncer avec ses germes pathogènes dans la peau. Vous pouvez essayer de la retirer avec une aiguille ou une pince à tique désinfectée.
- Ce qui est important pour se protéger des morsures de tiques : évitez les régions où l'on sait qu'elles prolifèrent. Si vous vous promenez avec votre enfant dans les prés ou en forêt, mettez-lui un bonnet, une blouse avec un col fermé ou un foulard, des manches longues et un pantalon. Faites-lui aussi porter des chaussettes. Si vous vous êtes rendu à un endroit où l'on sait qu'il y a des tiques, vérifiez si vous n'en avez pas ramené. Si vous en trouvez une : faites-la enlever dans les 24 heures (de préférence par le médecin). Mettez à votre chien ou à votre chat un collier antitiques pour qu'il n'en ramène pas à la maison.

Peau
Verrues

Exemple type d'une verrue "vulgaire" au doigt.

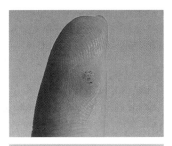

SYMPTÔMES TYPIQUES
- **Petites excroissances de chair**
- **Normalement non douloureuses sauf quand elles sont situées sous la voûte plantaire**

Ce que vous pouvez faire
• Les verrues répondent souvent à l'autosuggestion. Elles ont cependant tendance, à l'exception toutefois des verrues plantaires, à disparaître spontanément.

• En homéopathie : Teinture mère de Thuya (à appliquer sur les verrues trois fois par jour). En cas de verrues charnues : Thuya D4 par voie orale (5 granules trois fois par jour). Contre les verrues plantaires : Antimonium crudum D4 (1 comprimé trois fois par jour jusqu'à disparition des verrues).

Les verrues sont dues à des virus et se présentent sous la forme de petites excroissances cutanées bénignes qui se localisent au niveau du derme. On en distingue différents types selon le virus responsable de leur apparition et l'endroit où elles siègent :

• Les verrues plates se rencontrent surtout chez les enfants et les adolescents : comme leur nom l'indique, elles sont plates ou à peine saillantes, de la couleur de la peau et apparaissent par amas, surtout au niveau du visage et du dos de la main. Leur grattage entraîne leur extension en ligne suivant la strie de grattage.

• Les verrues "vulgaires" apparaissent à tout âge. Elles se multiplient par auto-infestation permanente. Elles apparaissent pratiquement toujours sur les mains, surtout chez les enfants dont les mains sont souvent moites et froides. Elles sont plus grandes et plus saillantes que les verrues plates et ont une surface beaucoup plus rugueuse et calleuse, à caractère parfois même filandreux.

• Les verrues plantaires sont les verrues "vulgaires" qui affectent la plante du pied. A cause du poids du corps, la verrue ne peut pas s'étendre vers l'extérieur et évolue donc vers l'intérieur, provoquant des douleurs vives lors de la marche. Des saignements au niveau du tissu de la verrue peuvent provoquer l'apparition de minuscules caillots sanguins, qui se manifestent par de petits points noirs.

• Les condylomes acuminés (crêtes de coq) affectent les muqueuses au niveau de la bouche et des lèvres, ainsi que l'anus et la région génitale. Ces verrues se transmettent sexuellement. Leur présence chez les enfants doit donc toujours faire suspecter un abus sexuel.

• *Mollusca contagiosa*. Cette affection cutanée est extrêmement contagieuse et donne facilement lieu à de véritables petites épidémies. Sa transmission se fait par contact direct. Son incubation est de plusieurs semaines au terme desquelles apparaissent des pustules, individuelles ou groupées, de forme saillante, présentant une dépression au centre et de couleur blanc nacré ou rosé. Elles sont particulièrement fréquentes sur le visage, le cou, le torse et le haut des bras.

Les verrues sont difficiles à traiter et on ne s'immunise jamais. On peut donc s'auto-infecter sans cesse. C'est pour cela qu'il ne faut jamais ni gratter ni appuyer sur une verrue.

Faut-il consulter ?
Quand les verrues deviennent inesthétiques ou sont douloureuses, mieux vaut consulter le médecin.

Que fera le médecin ?
• Les verrues plantaires seront traitées pendant plusieurs semaines avec un pansement adhésif contenant de l'acide salicylique ou des lotions. Si les verrues ne disparaissent pas, le médecin pourra les enlever sous anesthésie locale.

• Les verrues plates et les *Mollusca* disparaissent pratiquement toujours spontanément. Le médecin peut toutefois prescrire une crème contenant de l'acide rétinoïque.

Métabolisme et glandes

Prévention du rachitisme
Etant donné que les vitamines sont indispensables à toute une série de processus métaboliques, les maladies dues à des déficits vitaminiques font également partie des maladies métaboliques. Le rachitisme est la plus connue du grand public. En cas de déficit en vitamine D ou si un enfant n'est pas suffisamment exposé à la lumière, la pro-vitamine D présente au niveau de sa peau ne peut pas se transformer de manière efficace. Il en résulte un ralentissement de l'assimilation des sels phosphocalciques dans les os qui, dès lors, ne se solidifient pas. Quand l'enfant commence à marcher ou à se redresser, les os, surtout ceux des jambes, courbent sous son poids. C'est ce qu'on appelle le rachitisme ou maladie anglaise, qui entraîne une usure prématurée des articulations.
Aujourd'hui, la vitamine D donnée en prophylaxie pendant la première année de la vie de bébé a permis de faire quasiment disparaître le rachitisme.

Le rôle du métabolisme est d'apporter l'énergie nécessaire aux différentes fonctions de l'organisme, de remplacer les substances utilisées, entre autres, dans le processus de la croissance, un système complexe dans lequel s'entrecroisent de nombreuses réactions chimiques elles-mêmes étroitement corrélées et commandées par les hormones et les enzymes. Pour que ces réactions soient possibles, l'organisme doit fournir suffisamment de substances nutritives - glucides, protéines, graisses - ainsi que des vitamines et des minéraux.

Les maladies métaboliques apparaissent quand il y a des déficits fonctionnels ou quantitatifs enzymatiques ou hormonaux ou que les hormones sont produites en quantités inappropriées. Dans les pages suivantes, nous allons passer en revue les principales maladies métaboliques de l'enfant : le diabète sucré (page 126), une affection du pancréas, et les maladies de la thyroïde (page 127).

Pancréas

Le pancréas est entouré du duodénum et se situe en dessous de l'estomac au centre de l'abdomen supérieur. Il partage un canal excréteur commun avec la vésicule biliaire qui débouche dans le duodénum. La vésicule biliaire apporte les acides biliaires formés au niveau du foie et nécessaires à la digestion des graisses. Le pancréas produit, d'une part, l'enzyme nécessaire à la digestion des glucides, des protéines et des graisses et, d'autre part, des hormones dont l'insuline et le glucagon qui contrôlent la glycémie (taux de sucre dans le sang). Une production insuffisante d'insuline provoque le diabète sucré.

Thyroïde

La glande thyroïde siège au niveau du cou, en avant du larynx et juste en dessous de l'os hyoïde. Elle produit des hormones indispensables au développement tant physique qu'intellectuel et qui contrôlent différents processus métaboliques. Elle ne peut fonctionner que si l'alimentation est suffisamment riche en iode. Une carence iodée peut entraîner le risque de formation d'un goitre. La façon la plus facile d'éviter l'apparition d'un goitre est donc d'utiliser régulièrement du sel iodé. Les enfants ont besoin de 40 à 100 µg d'iode par jour.

Métabolisme et glandes
Diabète sucré

Le diabète (sucré) juvénile est toujours insulinodépendant. L'insuline (page 125) contrôle la glycémie (taux de sucre dans le sang) en assurant le transport du glucose - le sucre qui circule dans le sang - à l'intérieur des cellules. S'il n'y a pas assez d'insuline, la quantité de glucose qui pénètre dans les cellules n'est plus suffisante pour couvrir les besoins énergétiques de ces dernières. Le sucre s'accumule dans le sang (hyperglycémie, taux trop élevé de sucre dans le sang), ce qui oblige l'organisme à se débarrasser de ce sucre excédentaire en tentant de l'éliminer dans les urines. Cette émission abondante d'urines mènera finalement à la déshydratation. Etant donné que l'énergie apportée aux cellules ne suffit plus, celles-ci remplacent le sucre qu'elles ne reçoivent plus par des protéines et des graisses qu'elles puisent dans le tissu graisseux et musculaire environnant, ce qui entraîne une perte de poids. La dégradation des protéines et des graisses produit ce que l'on appelle des corps cétoniques, ce qui induit une acidité exagérée dans le sang et les tissus et peut provoquer le coma diabétique, extrêmement dangereux, voire mortel.

Un enfant diabétique a toujours soif et doit souvent aller faire pipi. Il est fatigué, abattu, il maigrit et ses performances à l'école diminuent. Quand l'évolution de la maladie est fulgurante, s'ajoutent encore à ces premiers symptômes des vomissements, des maux de tête, des douleurs abdominales et éventuellement même une perte de conscience ou un coma.

SYMPTÔMES TYPIQUES
- **Soif intense**
- **Urines abondantes**
- **Fatigue**
- **Perte de poids**

Ce que vous pouvez faire
- Vous pouvez par exemple participer à des cours de cuisine spécialement axés sur les régimes pour diabétiques.
- Surveillez les injections et le contrôle de la glycémie mais veillez à ce que votre enfant devienne le plus autonome possible.
- Essayez de laisser l'enfant diabétique mener une vie la plus normale possible : ne le surprotégez pas et n'en faites pas un marginal !
- L'homéopathie n'est d'aucune aide dans le traitement du diabète sucré.

Faut-il consulter ?
A la moindre suspicion de diabète sucré, emmenez immédiatement l'enfant chez le médecin.

Que fera le médecin ?
- La présence de sucre dans les urines est établie par une analyse d'urine (tigette), la présence de sucre dans le sang (hyperglycémie) par un test sanguin.
- Les enfants diabétiques devront pratiquer des injections d'insuline toute leur vie car l'insuline donnée par voie orale est détruite par les sucs digestifs dans l'estomac.
- Un enfant chez lequel on découvre un diabète doit être hospitalisé afin de déterminer avec précision son taux d'hyperglycémie et lui apprendre à se faire les piqûres et à contrôler sa glycémie.

Métabolisme et glandes
Maladies de la thyroïde

SYMPTÔMES TYPIQUES

Hypothyroïdie
Chez le nourrisson
- **Constipation**
- **Boit mal**
- **Peau sèche**
- **Langue volumineuse**
- **Retard de développement mental et physique**
- **Goitre**

Chez l'enfant plus grand
- **Constipation**
- **Recul des résultats scolaires**
- **Frissons en permanence**
- **Goitre**
- **Petite taille**

Hyperthyroïdie
- **Tachycardie**
- **Perte de poids**
- **Agitation, transpiration**
- **Goitre**
- **Extrusion du globe oculaire**

Ce que vous pouvez faire

- En homéopathie : en cas d'hypothyroïdie démontrée, vous pouvez donner à votre enfant, en plus des médicaments prescrits par le médecin : Thyreoidinum D10, 1 comprimé par jour.
- N'utilisez que du sel iodé pour cuisiner et mettez souvent au menu des aliments riches en iode (poisson de mer).
- Faites contrôler régulièrement la fonction thyroïdienne de votre enfant par le médecin.

Les maladies de la thyroïde sont fréquentes dans les régions où l'iode est insuffisant. Elles se rencontrent plus chez les filles que chez les garçons. Elles sont dues au fonctionnement insuffisant ou exagéré de la glande thyroïde.

L'hypothyroïdie est liée à un déficit en hormones thyroïdiennes dans le sang, déficit qui peut être soit congénital, soit secondaire à une carence en iode alimentaire, soit acquis après une thyroïdite. Le nourrisson qui présente une hypothyroïdie boit mal et est constipé. Sa peau est très sèche, sa langue est volumineuse et le force à garder la bouche ouverte. Sans traitement, l'hypothyroïdie congénitale mène à un retard tant physique que mental très important. Chez les enfants plus âgés, le déficit en iode acquis provoque une hypothyroïdie. Celle-ci commence de manière insidieuse : l'enfant est pâle, a toujours froid, est constipé et ne grandit plus.

Dans l'hyperthyroïdie, la glande thyroïde produit trop d'hormones qui accélèrent considérablement le métabolisme : la fréquence cardiaque augmente jusqu'à la tachycardie, l'enfant maigrit malgré son appétit féroce, il est agité, en sueur et dissipé. On note également chez ces enfants une saillie importante des globes oculaires hors des orbites (exophtalmie).

Faut-il consulter ?

Si vous suspectez une maladie de la thyroïde, consultez le médecin.

Que fera le médecin ?

- Il fera doser les hormones thyroïdiennes en procédant à un test sanguin.
- Hypothyroïdie : le médecin prescrira l'hormone manquante sous la forme de comprimés que l'enfant devra prendre tout le reste de sa vie. Un nourrisson souffrant d'hypothyroïdie congénitale traitée de manière régulière peut devenir un enfant au développement physique et mental tout à fait normal.
- Hyperthyroïdie : le médecin prescrira des médicaments qui ralentissent la production hormonale. Comme les doses doivent sans cesse être adaptées aux besoins changeants de l'enfant, le médecin devra donc procéder régulièrement à des tests de contrôle.
- En guise de dépistage, un test TSM est pratiqué peu après la naissance chez tous les nouveau-nés.

Os, muscles et articulations

L'appareil moteur composé d'os, de ligaments, de muscles et de tendons permet la position verticale de l'homme, détermine sa taille et sa structure corporelle. Il se compose d'éléments passifs - os, cartilages articulaires et ligaments - et d'éléments actifs - muscles et tendons, qui permettent le mouvement.

Le petit enfant a 350 os qui, en grandissant, finiront par ne plus en former que 225 quand il atteindra l'âge adulte. Le squelette est une charpente osseuse qui protège le cerveau, la moelle épinière et les fibres nerveuses, l'oreille interne et les yeux. Les os protègent également les muscles, les tendons et le tissu conjonctif. Le squelette est divisé en plusieurs parties : le crâne, la colonne vertébrale, le thorax, la ceinture scapulaire qui comprend les os des bras, les os du bassin et les os des jambes. Selon leur forme, on distingue les os longs (bras, jambes, orteils, doigts), les os courts (main, pied, vertèbres) et les os plats (notamment l'omoplate, le crâne, le bassin, le sternum). Les os longs sont composés d'une partie centrale (diaphyse) reliée à deux extrémités osseuses plus dures (épiphyses) par les cartilages de conjugaison. Les extrémités renflées des os longs forment la tête de l'os et la cavité glénoïde, qui glissent l'une dans l'autre avec un frottement minimum : le cartilage articulaire, présent dans l'espace interarticulaire qui les recouvre, élimine ou réduit le frottement. L'espace articulaire est entouré de la capsule articulaire constituée de tissu conjonctif et des ligaments articulaires qui stabilisent l'articulation. Tous les os sont recouverts à l'extérieur d'une membrane sensible à la douleur appelée périoste. Le périoste est traversé de vaisseaux sanguins qui nourrissent l'os et de nerfs qui transmettent les douleurs osseuses au cerveau. Dans la cavité centrale (cylindrique) des os longs, on trouve la moelle osseuse où sont fabriquées les cellules sanguines.

Les articulations sont mises en mouvement par les muscles auxquels elles sont reliées par des tendons. Quand les muscles se contractent, ils tirent sur les os et initient le mouvement. Les muscles squelettiques sont formés de centaines de milliers de fibres musculaires composées de myofibrilles striées capables de se contracter. Rassemblées en groupes et entourées d'une enveloppe musculaire, ces structures forment le muscle.

Les muscles peuvent se contracter ou se relâcher mais ils ne peuvent pas se mettre en extension : il faut pour chaque mouvement un antagoniste permettant les mouvements en sens inverse, c'est notamment le cas des muscles extenseurs et fléchisseurs. Les muscles squelettiques sont activés par les impulsions nerveuses du cerveau et soumis à la volonté de l'homme - ceci contrairement à la musculature lisse de l'intestin commandée par le système nerveux végétatif et donc hors du contrôle de la volonté.

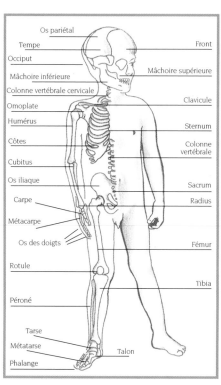

Os pariétal
Tempe
Front
Occiput
Mâchoire inférieure
Mâchoire supérieure
Colonne vertébrale cervicale
Omoplate
Clavicule
Humérus
Sternum
Côtes
Colonne vertébrale
Cubitus
Os iliaque
Sacrum
Carpe
Radius
Métacarpe
Os des doigts
Fémur
Rotule
Tibia
Péroné
Tarse
Métatarse
Talon
Phalange

Os, muscles et articulations
Arthrite rhumatoïde

L'arthrite rhumatoïde ou polyarthrite chronique juvénile n'a rien à voir avec le rhumatisme articulaire aigu (page 154). Il s'agit d'une arthrite chronique qui part de la synoviale et touche principalement les articulations du genou, des doigts et des pieds. La prédisposition à cette maladie est héréditaire. L'arthrite rhumatoïde aiguë commence dès la plus petite enfance et touche surtout les filles. Les articulations sont gonflées, douloureuses et chaudes. Une des particularités de cette maladie est la douleur et la raideur matinales au niveau d'une ou de plusieurs articulations. L'enfant "épargne" les articulations touchées et, de ce fait, ses muscles s'atrophient. La chronicité de l'infection entraîne alors, avec le temps, une déformation et une raideur de l'articulation. La cause de l'arthrite rhumatoïde est encore inconnue mais on suppose qu'il s'agit d'une maladie du système immunitaire dans laquelle l'organisme fabrique des anticorps contre ses propres tissus articulaires.

SYMPTÔMES TYPIQUES
- **Articulation gonflée et chaude**
- **Douleurs**
- **Raideur matinale**

Faut-il consulter ?
Tout enfant souffrant d'arthrite chronique (plus de trois mois) a besoin d'un traitement médical au long cours.

Que fera le médecin ?
Il n'existe pas encore de traitement spécifique pour cette maladie. Pour éviter les raideurs articulaires, le médecin prescrira des exercices de gymnastique, de la kinésithérapie, de la physiothérapie, des médicaments anti-inflammatoires ainsi que des attelles orthopédiques spéciales que l'enfant portera la nuit. La cortisone ne sera prescrite que dans les situations extrêmement graves ou rebelles.

Ce que vous pouvez faire
- Veillez à ce que votre enfant ne dorme pas dans une pièce froide et humide : une chaleur sèche au contraire soulagera ses douleurs. Tenez également compte de la maladie de votre enfant dans vos projets de vacances.
- Veillez à l'habiller avec des vêtements chauds et amples qui laissent passer l'air. Les matières synthétiques qui sont plus froides et font transpirer aggravent la maladie.
- Faites faire régulièrement à votre enfant les exercices de gymnastique qu'on lui a appris.

Maladie de Scheuermann

La maladie de Scheuermann, ou cyphose des adolescents, touche particulièrement les garçons : leur dos est très voûté et ils souffrent souvent de dorsalgies. La cause : certaines parties des vertèbres qui s'aplatissent finissent par rendre ces dernières cunéiformes. Dans les cas peu graves, la kinésithérapie et le sport peuvent aider en renforçant la musculature. Si la maladie s'aggrave, le port d'un corset peut s'avérer indispensable. La maladie de Scheuermann disparaît le plus souvent spontanément en fin de la croissance.

Le squelette d'un enfant présente de nombreuses irrégularités. Les mauvaises postures qui ne se sont pas fixées ne requièrent aucun traitement car elles disparaissent spontanément avec la croissance ou elles s'améliorent par des exercices de gymnastique. Un exemple : en cas de malformation du pied, marcher pieds nus vaut mieux que de coincer le pied dans des chaussures orthopédiques.

A l'inverse, les mauvaises postures installées et fixées doivent être traitées médicalement. Les traitements requis sont souvent longs (plusieurs années) et nécessitent, par exemple, le port de semelles ou de talonnettes orthopédiques, une kinésithérapie ou même parfois des interventions chirurgicales. Certaines déformations non traitées provoquent une sollicitation excessive entraînant un phénomène d'usure précoce surtout au niveau des articulations et des ligaments de contention du squelette avec, comme complication fâcheuse, l'arthrose.

Déformation de la colonne vertébrale

En principe, la colonne vertébrale ne s'incurve ni d'un côté ni de l'autre, mais bien d'avant en arrière et forme un S plus ou moins marqué. Chez l'adolescent, en fin de croissance, elle forme même un double S.

S'il y a une courbure latérale, on parle de scoliose. Une incurvation prononcée vers l'avant au niveau du thorax est, quant à elle, appelée cyphose. La lordose enfin se caractérise par une incurvation exagérée vers l'avant de la colonne lombaire. Les situations intermédiaires entre une posture normale (double S) et une mauvaise posture - anomalies et déviations posturales - sont monnaie courante.

Il n'y a pas d'évolution standard de la colonne vertébrale au cours de l'enfance. De la position couchée, où aucune incurvation en S n'est visible chez le nourrisson, au dos plus ou moins voûté observé chez les bébés un peu plus grands et les petits enfants, on arrive finalement à la position verticale. En position debout, on rencontre chez le petit enfant toute la gamme des positions : droite, incurvée, de travers.

Seul le médecin peut juger si la posture de votre enfant correspond à la norme ou si sa colonne est réellement déviée. Il prescrira soit de la gymnastique ou, dans les cas les plus graves de lésions des os, un traitement orthopédique chirurgical.

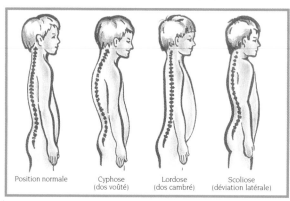

| Position normale | Cyphose (dos voûté) | Lordose (dos cambré) | Scoliose (déviation latérale) |

Déformations du pied

On distingue le pied bot varus, le pied bot valgus, le pied talus, le pied plat, le pied creux et le pied bot varus équin. Toutes ces déformations sont dues à une mauvaise position ou une malposition de certains os ou de certains os les uns par rapport aux autres. Ils peuvent avoir grandi, être mal formés ou mal placés parce que les muscles sont trop tendus. Une traction insuffisante ou exagérée peut engendrer des déformations permanentes. Ces déformations tendino-osseuses peuvent également être causées par des maladies des nerfs qui commandent les muscles.

A gauche, jambes arquées normales chez un enfant de deux ans ; à droite, genoux en X chez un enfant de quatre ans.

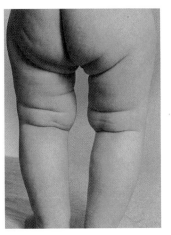

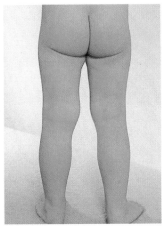

Genoux en X et jambes en O

Du fait de leur position dans l'utérus, les nourrissons naissent les jambes arquées. A partir de deux ans, lorsqu'ils apprennent à marcher, les enfants sains ont les genoux en X. Ils se redressent progressivement pour, en principe, être droits à l'âge de 12 ans. Les jambes arquées pathologiques sont observées dans le rachitisme (déficit en vitamine D, page 125). Les genoux cagneux pathologiques suggèrent par contre des troubles musculaires. En cas d'incertitude, demandez conseil à votre médecin.

Ce que vous pouvez faire

• Veillez à ce que votre enfant ait suffisamment de temps et d'espace pour bouger s'il aime ça.
• Veillez à ce qu'il ne soit pas trop gros car les kilos superflus surchargent le squelette.
• Si votre enfant doit faire des exercices, veillez à ce qu'il les fasse régulièrement.

Faut-il consulter ?

Si vous pensez que votre enfant souffre de déformations du squelette, emmenez-le chez le médecin. Il est le seul à pouvoir distinguer les différents troubles des os, muscles ou nerfs et décider si un traitement s'avère ou non nécessaire.

Que fera le médecin ?

• Si les déformations sont minimes, le médecin vérifiera régulièrement si la situation revient spontanément à la normale.
• En cas de mauvaise posture, il

suffit souvent de prescrire quelques exercices appropriés, à faire à l'école, à la piscine, au cours de gymnastique.
• Les mauvaises postures acquises (mais non fixées) exigent une kinésithérapie intensive (physiothérapie).
• Les déformations squelettiques fixées ne peuvent pas être normalisées par la pratique de la kinésithérapie, elles doivent faire l'objet d'un traitement orthopédique : des semelles, un corset, voire une opération.

Os, muscles et articulations
Douleurs de croissance

En grandissant, les enfants ont souvent mal aux membres. Ces douleurs peuvent être sourdes ou vives et siéger au niveau du tibia ou du péroné. Elles peuvent être intenses au point que l'enfant pleure au moment d'aller dormir ou se réveille en pleurant la nuit. Le plus souvent, il ne pourra pas indiquer l'endroit exact où il a mal. Ces douleurs disparaissent spontanément avec le temps mais peuvent récidiver. Elles ne sont pas accompagnées de fièvre.

La cause de ces douleurs n'est pas encore élucidée mais on suppose qu'elles proviennent du périoste, des zones cartilagineuses de croissance, des muscles et des tendons. Une chose, par contre, est sûre, c'est qu'elles sont liées à la croissance. Les enfants vifs, agités ou nerveux en souffrent plus facilement.

SYMPTÔMES TYPIQUES
- **Douleurs surtout au niveau du péroné et du tibia**
- **Douleurs surtout le soir et la nuit**

Ce que vous pouvez faire
- Massez les jambes douloureuses de l'enfant par des mouvements doux de bas en haut, éventuellement avec de l'alcool aromatique.
- Les enveloppements froids avec de l'eau et du jus de citron favorisent la circulation et soulagent la douleur.
- En homéopathie : pour les douleurs nocturnes, Mercurius solubilis D6 (1 comprimé le soir). Pour les douleurs musculaires, Cuprum metallicum D6 et Arsenicum album D6 (1 comprimé par jour avant le coucher).

Faut-il consulter ?
- Si votre enfant souffre de douleurs aux os que vous ne pouvez expliquer et qui durent plus de sept jours sans amélioration, appelez le médecin.
- En cas de douleurs dans les membres associées à de la fièvre : emmenez directement l'enfant chez le médecin qui exclura une ostéomyélite.

Que fera le médecin ?
- Il examinera votre enfant afin d'exclure d'autres causes pouvant expliquer la douleur, par exemple un épanchement de synovie, une déchirure ligamenteuse ou un rhumatisme.
- Les douleurs liées à la croissance ne sont pas dangereuses. Aucun traitement particulier n'est nécessaire.

Les douleurs de croissance répondent très bien aux massages.

Os, muscles et articulations
Ostéomyélite

L'ostéomyélite est une inflammation de la moelle osseuse par infection bactérienne. Le microbe - le plus souvent un staphylocoque - a souvent pénétré dans l'organisme au cours d'une maladie précédente, par exemple une angine ou une infection cutanée. Il est ensuite passé dans la circulation (bactériémie), qui, à son tour, l'a amené dans l'os où il provoque une infection purulente de la moelle osseuse. Dans 50% des cas, l'origine infectieuse ne peut cependant pas être établie.

L'enfant a toujours de la fièvre mais présente rarement d'autres symptômes. Quand les os longs du bras ou de la jambe sont infectés, le membre atteint est parfois gonflé, rouge et chaud. L'enfant se plaint de douleurs et refuse de bouger.

Complications
L'ostéomyélite peut devenir chronique et se caractériser par des récidives s'échelonnant parfois sur plusieurs années.

Faut-il consulter ?
Emmenez l'enfant le plus rapidement possible chez le médecin. Il est le seul à pouvoir diagnostiquer cette maladie et instaurer le traitement approprié.

Que fera le médecin ?
• Pour identifier le microbe responsable, le médecin fera une prise de sang (hémoculture). Si son diagnostic est confirmé, il mettra l'enfant sous antibiotique pendant plusieurs mois.
• Les os touchés doivent être radiographiés et il faut également faire une scintigraphie osseuse pour localiser le nombre et la taille des foyers infectieux.
• Le cas échéant, le médecin immobilisera les membres atteints en plaçant une attelle ou un plâtre.

Ce que vous pouvez faire
• Veillez à ce que votre enfant prenne régulièrement les antibiotiques prescrits - ils sont sa seule chance de guérison.
• Si le médecin a interdit certaines activités sportives, respectez ces interdictions.
• Même en cas d'angine, d'otite, de sinusite ou d'infection cutanée, veillez à ce que votre enfant prenne régulièrement et pendant la durée recommandée les antibiotiques prescrits par le médecin. Vous éviterez ainsi que les bactéries ne s'infiltrent dans la circulation sanguine et ne provoquent une ostéomyélite.

133

Os, muscles et articulations
Pronation douloureuse

Il est fréquent qu'en jouant avec des adultes, les enfants de un à quatre ans soient victimes d'une luxation de la tête radiale. Par exemple, un enfant, qui est tenu par un adulte, fait des acrobaties et, au moment où il menace de tomber, l'adulte essaie de le rattraper en tirant son bras vers le haut : ce mouvement brusque fait sortir le radius de la cavité de l'articulation du coude qui exerce alors une pression sur le nerf radial ; le bras est comme paralysé : l'enfant laisse son bras ballant, la paume de la main tournée vers l'intérieur et ne peut plus le soulever ni le porter à la bouche sans aide ; toute tentative de mouvement est également douloureuse.

SYMPTÔMES TYPIQUES
- **Paralysie soudaine du bras**
- **Le bras reste ballant**
- **Douleurs à la moindre tentative de mouvement**

Faut-il consulter ?
N'essayez surtout pas de remettre l'articulation en place vous-même et emmenez immédiatement l'enfant chez le médecin.

Que fera le médecin ?
- Par quelques manipulations, il remettra l'articulation en place. Cette remise en place sera d'autant plus facile que le laps de temps écoulé entre " l'incident " et sa manœuvre sera court. Ensuite, l'enfant pourra à nouveau bouger le bras.
- En cas de récidive itérative, il arrive que le tendon de soutien de l'articulation soit distendu au point de devenir lâche et de nécessiter une intervention chirurgicale.

Ce que vous pouvez faire
- Ne tirez jamais votre enfant vers le haut en le tenant par les poignets.
- Quand vous jouez, ne le tenez pas seulement par les mains, mais aussi par les épaules.
- Quand votre enfant joue à la plaine de jeux, veillez à ce qu'il se tienne à deux mains pour grimper, pour éviter, s'il glisse, de ne pouvoir se rattraper qu'à une main et risquer de se luxer le coude.

Os, muscles et articulations
Rhume de la hanche

SYMPTÔMES TYPIQUES
- **Douleurs de la hanche ou du genou**
- **L'enfant évite de mettre son poids sur la jambe malade**
- **Boiterie**

Le rhume de la hanche est provoqué par des virus et se définit comme une inflammation douloureuse du liquide synovial, avec épanchement et augmentation de l'espace interarticulaire. Le rhume de hanche est fréquent après une pharyngite virale, surtout chez les petits enfants.

Avec ou sans rhume préalable, l'enfant se plaint subitement, le plus souvent le matin quand il se lève, de douleurs vives au niveau d'une hanche ou de l'articulation du genou. Il ne peut plus se lever, ne peut marcher normalement ou boite. Ces symptômes sont rarement accompagnés de fièvre.

Ostéochondrite de la hanche

Dans l'ostéochondrite de la hanche, le tissu osseux de la tête fémorale se détruit pour une raison encore mal connue. L'enfant boite et se plaint de douleurs dans la région du genou. Cette maladie touche surtout les enfants de 5 à 7 ans. Plus l'enfant est jeune et plus la maladie est diagnostiquée tôt, meilleures sont ses chances de guérison. C'est pourquoi, si votre enfant boite plus d'une semaine et se plaint de douleurs au genou, emmenez-le chez le médecin. La hanche concernée sera déchargée par le port d'une attelle (pendant quelques mois) ou opérée. La tête du fémur reste souvent déformée, entraînant un phénomène d'usure précoce (arthrose).

Faut-il consulter ?

Le rhume de hanche est toujours grave et nécessite un diagnostic immédiat.

Que fera le médecin ?

- Il examinera votre enfant : il fera une échographie et, éventuellement, des radiographies afin d'exclure d'autres maladies telles que le rhumatisme, une fracture, une ostéomyélite bactérienne ou une ostéochondrite déformante juvénile de la hanche. Une analyse de sang le mettra sur la piste soit d'une maladie rhumatismale soit d'une affection bactérienne.
- Il prescrira peut-être à votre enfant une pommade anti-inflammatoire, par exemple, à base de diclofénac.

Ce que vous pouvez faire

- Le rhume de hanche d'origine virale nécessite la décharge totale de l'articulation, c'est-à-dire l'interdiction de prendre appui pendant un certain temps ; aucun autre traitement spécifique n'existe.
- La chaleur sèche (écharpe de laine, oreiller électrique, bouillotte), les enveloppements chauds ou/et les pommades anti-inflammatoires et la teinture d'arnica accélèrent parfois la guérison.
- En homéopathie : 5 granules d'Aconitum D30 trois fois par jour pendant la phase aiguë ; en cas d'aggravation de la boiterie, Belladonna D30 et contre la douleur, Chamomilla D30. En cas d'épanchement de synovie, donnez 5 granules d'Apis mellifica D30 trois fois par jour.

Cerveau et système nerveux

Le système nerveux se divise en trois parties :
• le système nerveux central, qui se compose du cerveau et de la moelle épinière
• le système nerveux périphérique, qui se compose des nerfs sensitifs qui transmettent les stimuli au système nerveux central et des nerfs moteurs, qui acheminent les commandes vers les muscles qui exécutent les mouvements
• le système nerveux végétatif, qui assure le fonctionnement automatique de nos organes internes

Le système nerveux perçoit et traite les signaux sensoriels (audition, vision, toucher, goût, odorat), il transporte les influx nerveux et commande les processus organiques. Il gouverne nos relations avec notre environnement et est aussi le siège de notre activité mentale.

Le cerveau siège dans la boîte crânienne et se compose principalement du cortex constitué de circonvolutions, de substance grise (corps des cellules nerveuses) et de substance blanche (fibres nerveuses). Il se divise en différentes parties : les deux hémisphères, le tronc cérébral, le cervelet et le bulbe rachidien.

Le cerveau occupe la plus grande partie de la boîte crânienne. Dans la couche externe du cortex, se trouvent les principaux centres de commande et connexions nécessaires à notre activité mentale. Dans les différentes circonvolutions du cortex, on retrouve entre autres le centre de la vision, le centre du langage, ainsi que le centre de l'audition, de l'odorat et de l'écriture. Le tronc cérébral et le bulbe rachidien abritent les centres de commande de la respiration, de la fonction cardiaque, de la circulation et du métabolisme. Le cervelet a, quant à lui, pour mission de coordonner les différents mouvements du corps.

La moelle épinière abritée à l'intérieur de la colonne vertébrale constitue, avec ses voies et ses cellules nerveuses, le lien entre le système nerveux central, le système nerveux végétatif, périphérique et les centres de commande. C'est aussi par là que se connectent les voies nerveuses afférentes et efférentes.

Le cerveau est entouré de trois feuillets, les méninges (dure-mère, arachnoïde, pie-mère). Entre la dure-mère et la pie-mère se trouve un espace arachnoïdien rempli de liquide céphalo-rachidien qui protège le cerveau contre les chocs extérieurs.

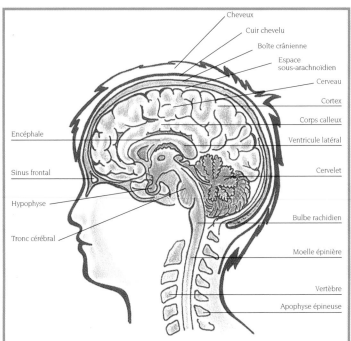

Cheveux
Cuir chevelu
Boîte crânienne
Espace sous-arachnoïdien
Cerveau
Cortex
Corps calleux
Ventricule latéral
Cervelet
Bulbe rachidien
Moelle épinière
Vertèbre
Apophyse épineuse
Encéphale
Sinus frontal
Hypophyse
Tronc cérébral

Bégaiement

Quand un enfant apprend à parler, il est tout à fait normal qu'il bégaie de temps en temps - l'enfant pense plus vite que les mots ne lui viennent à la bouche. Il s'agit d'une phase tout à fait normale dans l'acquisition du langage; elle intervient vers trois ans et dure environ six mois. Les parents ne doivent pas y prêter attention car les remarques incessantes du genre "Parle donc convenablement !" peuvent provoquer un blocage psychologique de l'enfant qui en bégaiera de plus belle.

Si un enfant de 4 ans bégaie vraiment - c'est-à-dire qu'il répète certaines syllabes ou certains mots de manière spasmodique, c'est qu'il souffre probablement d'un trouble au niveau de la transmission des impulsions dans le cerveau. Ce trouble est soit héréditaire, soit d'origine psychologique et lié à des situations conflictuelles.

Faut-il consulter ?

Il est recommandé d'aller chez le médecin pour que celui-ci puisse déterminer si les troubles sont d'origine organique ou psychologique. Avant la prescription d'un traitement logopédique, le médecin fera passer un test auditif à votre enfant car une mauvaise audition peut en effet freiner l'acquisition de la parole et du langage.

Que fera le médecin ?

• En cas de véritable bégaiement, le médecin prescrira un traitement de logopédie.
• Une thérapie comportementale ou une psychothérapie sera également mise en route pour supprimer les angoisses de l'enfant face au langage. Guérir un bégaiement est toujours difficile et demande beaucoup de temps.

Ce que vous pouvez faire

• Mieux vaut faire semblant de rien.
• Si un traitement de ce type est prescrit, suivez les conseils du logopède.
• Soyez patient et montrez à votre enfant que vous l'acceptez pleinement malgré son bégaiement.

Convulsions

Quatre pour cent environ des enfants font des convulsions au moins une fois avant l'âge de cinq ans. Le plus souvent, il s'agit d'un épisode unique et peu d'enfants font des convulsions à chaque maladie fébrile. Les convulsions apparaissent au début de la maladie lors de poussées fébriles : l'enfant perd subitement conscience, son corps devient tout mou ou, au contraire, tout raide et ses muscles peuvent être agités de secousses brusques; les yeux se révulsent, la salive coule de sa bouche ; après 60 secondes environ, les convulsions s'arrêtent et l'enfant sombre dans un profond sommeil réparateur.

Ces convulsions sont une réaction du cerveau immature de l'enfant au changement soudain de température que représente la montée rapide de la fièvre. La prédisposition aux convulsions est familiale.

SYMPTÔMES TYPIQUES
- **Infection préalable**
- **Montée rapide de la fièvre**
- **Perte de conscience soudaine**
- **Raideur ou baisse du tonus**
- **Spasmes musculaires**
- **Coulée de salive**
- **Sommeil réparateur**

Faut-il consulter ?
Informez en tout cas le médecin de toute crise de convulsions. Si les convulsions durent plus de 60 secondes, appelez immédiatement le médecin ou l'ambulance ! Le cas échéant, commencez la respiration artificielle (page 235).

Que fera le médecin ?
- Le médecin arrêtera les convulsions avec des médicaments.
- Après les premières convulsions, il examinera l'enfant et exclura toute cause grave, notamment la méningite.
- Il prescrira un médicament anticonvulsif (diazépam) que vous pourrez utiliser sous forme d'injection intrarectale en cas de crise aiguë.
- Si votre enfant a tendance à faire des convulsions, il vous prescrira des comprimés de diazépam, ou d'un autre médicament à visée identique, que vous devrez lui donner chaque fois qu'il fera de la fièvre et aussi longtemps que celle-ci persistera.

Ce que vous pouvez faire
- Premiers secours dans les convulsions : gardez votre calme. Couchez l'enfant en position latérale de sécurité (premiers secours, page 234) et glissez-lui prudemment un mouchoir tordu entre les dents pour qu'il ne se morde pas la langue. Desserrez ses vêtements, surtout au niveau du cou. Ne tenez pas l'enfant trop fermement.
- Si l'enfant a tendance à faire des convulsions, contrôlez sa température lors de chaque rhume et, en cas de montée de fièvre, prenez les mesures destinées à la faire baisser (page 200), par exemple en lui mettant des suppositoires antipyrétiques.
- Si la température monte au-dessus de 38,2° C, donnez-lui les comprimés de diazépam deux fois par jour, prescrits par le médecin, aussi longtemps que la fièvre persiste.
- L'injection intrarectale de diazépam à utiliser en cas d'urgence doit être conservée de préférence au frigo.

Cerveau et système nerveux
Dysfonctionnement cérébral mineur

On entend par dysfonctionnement cérébral minime des déficits partiels et modérés qui touchent certaines fonctions sous contrôle cérébral, comme la motricité, la motricité fine, le langage ou l'intelligence. Ces troubles sont soit héréditaires, soit consécutifs à des anomalies cérébrales dues à des lésions, des hémorragies ou des cicatrices survenues chez l'enfant pendant la phase de développement du cerveau. Un enfant séquestré, qui ne peut pas faire ses propres expériences ou n'est pas suffisamment stimulé à l'apprentissage des fonctions cérébrales correspondant à son âge peut présenter des déficits de développement. Dix pour cent environ des enfants souffrent de dysfonctionnement cérébral minime et cette affection est quatre fois plus fréquente chez les garçons que chez les filles. Souvent, les problèmes ne sont constatés qu'à partir de la scolarisation quand on remarque que l'enfant n'arrive pas à suivre.

Dysfonctionnement cérébral mineur ou
Minimal Brain Damage

Les domaines les plus fréquemment touchés sont la perception, le langage et l'attention :
• Lecture : l'enfant ne sait pas prononcer le mot qu'il voit.
• Ecriture : l'enfant ne sait pas écrire le mot qu'il entend.
• Calcul : il ne sait pas ordonner les nombres et les groupes de nombres, ni les additionner, les soustraire ou les diviser.
• Troubles de visualisation spatiale : il ne sait pas redessiner des figures, des lettres ou des chiffres qu'on lui présente.
• Troubles de l'attention : il ne sait pas reproduire les histoires ou les séries de chiffres dans un ordre préétabli imposé.
• Troubles de la phonation : dysphonie, dyslalie, difficultés d'élocution. Il ne sait pas, par exemple, former certaines liaisons.
• Grammaire : il ne sait pas associer les mots de manière à construire une phrase normale.

Ces enfants sont généralement intelligents, voire d'une intelligence supérieure à la moyenne.

Lorsqu'on commence tôt et que l'enfant n'a pas souffert psychologiquement de ses "difficultés", ces troubles peuvent être corrigés par des programmes éducatifs appropriés.

Les comportements anormaux tels que le fait de sucer son pouce, de se masturber ou d'avoir des tics ne font pas partie de cette catégorie de problèmes et ne sont plus traités aujourd'hui.

Troubles du langage

Le dysgrammatisme est fréquent et touche 7% des enfants en période préscolaire et jusqu'à 3% des garçons en première année primaire. Les filles sont deux fois moins touchées que les garçons.

Pour peu que les troubles auditifs et les déficiences intellectuelles aient été exclus, les troubles d'élocution peuvent se corriger par la logopédie. Les troubles de la parole sont à distinguer des troubles d'élocution (comme le bégaiement) ; ils sont plus difficiles à prendre en charge que les simples confusions syllabiques ou grammaticales.

L'épilepsie se caractérise par une désorganisation des cellules nerveuses qui envoient subitement des décharges électriques répétitives vers les muscles qui y réagissent par des mouvements saccadés involontaires et spasmodiques (convulsions). On ne peut pas encore expliquer pourquoi les cellules nerveuses se mettent soudainement à envoyer en même temps ces signaux malencontreux. Quand les crises se répètent, on parle de petit mal, de grand mal ou d'épilepsie (= haut mal). Si les crises surviennent dans le cadre d'une maladie aiguë, il s'agit de ce que l'on appelle un accès épileptique. C'est notamment le cas des convulsions fébriles (page 138).

Selon la durée des crises, on fait une distinction entre le petit mal - qui ne dure que quelques secondes et passe même souvent inaperçu - et le grand mal dans lequel l'enfant pousse un cri rauque, se fige et tombe en perdant connaissance, ses yeux sont révulsés et il devient tout bleu. Après 15 secondes environ, il est agité par des secousses musculaires spasmodiques. Souvent, il perd des urines et a de l'écume en bouche. Pendant la crise, l'enfant peut se blesser (par exemple se mordre la langue).

La crise dure environ une minute. L'enfant plonge ensuite dans un profond sommeil dit réparateur. Chez certains enfants, les crises de grand mal sont précédées d'une aura, par exemple, ou d'un changement d'humeur.

Ce que vous pouvez faire

• En cas de crise, il faut, avant tout, empêcher l'enfant de se blesser : allongez-le sur le côté et protégez-le des objets avec lesquels il pourrait se blesser. Placez-lui entre les dents un mouchoir que vous tordrez, pour éviter qu'il ne se morde la lèvre et la langue.
• En cas de crise, donnez-lui le diazépam prescrit par le médecin.
• Pour éviter les nouvelles crises, veillez à ce que votre enfant prenne régulièrement les antiépileptiques prescrits par le médecin.

Complications

Dans la crise de grand mal, le cerveau n'est plus suffisamment oxygéné et les cellules cérébrales risquent donc d'être détruites. Si les crises ne sont pas traitées, elles laissent des séquelles au fil des ans et l'enfant aura, par exemple, de plus en plus de mal à se concentrer ou à se calmer.

Faut-il consulter ?

Dès la première crise d'épilepsie, appelez le médecin.

Que fera le médecin ?

• Le médecin fera passer à votre enfant des tests neurologiques et vérifiera, par le biais d'un électroencéphalogramme (EEG) si sa fonction cérébrale est atteinte.
• Si votre enfant souffre d'épilepsie, il devra être suivi régulièrement et, pendant des années, par le médecin.
• Pour éviter les crises, le médecin lui prescrira des antiépileptiques à long terme pour empêcher l'hyperactivité des cellules nerveuses.
• Par des analyses de sang, le médecin contrôlera également l'effet des médicaments prescrits et surveillera l'apparition éventuelle d'effets secondaires.
• En cas de crise aiguë, le médecin pourra prescrira du diazépam en injection intrarectale.

Méningite

Encéphalite

L'encéphalite peut être consécutive à une méningite ou apparaître spontanément. Ses causes sont les mêmes que celles de la méningite ; ses symptômes sont : maux de tête, troubles de la conscience, fièvre élevée et convulsions. Plus tard, peuvent encore s'ajouter des paralysies musculaires. L'encéphalite doit être traitée à l'hôpital.

La méningite fait souvent suite à une infection virale ou bactérienne qui a permis la pénétration du microbe. L'agent infectieux atteint les méninges qui entourent le cerveau, soit par la circulation sanguine, soit directement par proximité quand il s'agit d'infections des voies respiratoires supérieures ou des oreilles. Les bactéries y provoquent une méningite purulente qui doit être traitée par antibiotiques. Les méningites virales sont le plus souvent consécutives aux oreillons, à la rougeole ou à la rubéole.

L'enfant malade est apathique, a mal à la tête, sa température est élevée et il vomit. Tout mouvement lui fait mal. Souvent, il ne peut pas pencher la tête (raideur de la nuque). Si votre enfant couché sur le dos ne peut plus ramener ses genoux vers son menton, il se peut qu'il ait une méningite. Chez les bébés, ce symptôme n'est pas indispensable et il est même rarement présent. Par contre, les bébés sont apathiques, fiévreux, prostrés et peuvent faire des convulsions. Lorsque la fontanelle ne s'est pas encore refermée, elle est bombée.

SYMPTÔMES TYPIQUES

- **Fièvre élevée**
- **Apathie**
- **Maux de tête**
- **Raideur de la nuque**
- **Vomissements**
- **Mouvements douloureux**

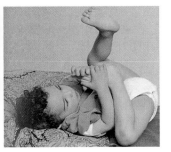

Pour vérifier si votre enfant a une méningite, voyez s'il peut ramener les genoux vers le menton.

Complications

Lorsqu'une méningite purulente n'est pas traitée rapidement, elle peut avoir comme séquelles de graves handicaps mentaux, des paralysies ou de l'épilepsie.

La méningite virale guérit le plus souvent sans séquelle.

Faut-il consulter ?

Si vous avez la moindre suspicion de méningite, emmenez immédiatement l'enfant chez le médecin.

Ce que vous pouvez faire

- Si votre enfant doit être hospitalisé, restez si possible près de lui. Participez activement aux soins. Montrez à votre enfant que vous avez toute confiance dans le personnel médical, cela l'aidera.

Que fera le médecin ?

S'il s'agit d'une méningite, le médecin hospitalisera l'enfant. Une ponction lombaire y sera pratiquée pour vérifier si l'infection est due à des bactéries ou à des virus. En cas d'infection bactérienne, l'enfant devra rester à l'hôpital au moins deux semaines et y sera traité avec des antibiotiques.

Dans les cas de méningite virale, il n'existe pas de traitement spécifique. Le médecin prescrira à votre enfant des antalgiques et des antipyrétiques pour soulager ses symptômes. Si la méningite est due au virus de l'herpès, le médecin prescrira peut-être du Zovirax.

Cerveau et système nerveux
Migraine

La migraine est définie comme un mal de tête violent survenant par crises et probablement due à des troubles circulatoires ou à une inflammation dans le territoire vasculaire cérébral. La prédisposition à la migraine est héréditaire. Les enfants qui souffrent de migraines sont en général des enfants particulièrement doués, ambitieux, qui aiment se surpasser mais instables sur le plan psychologique et fortement influençables par le jugement que porte sur eux leur entourage.

Même les nourrissons et les petits enfants peuvent avoir des maux de tête migraineux de courte durée. Chez les enfants scolarisés, les crises de migraine durent le plus souvent de quelques minutes à plusieurs heures. Les enfants souffrent alors de manière typique d'un mal de tête térébrant ou pulsatile d'un côté de la tête, aux tempes et au front, accompagné de nausées et de vomissements. Parfois apparaissent également des troubles de la vision (scotomes) ou une insensibilité dans le champ des nerfs crâniens qui peut durer plusieurs heures.

SYMPTÔMES TYPIQUES
- **Mal de tête intense, le plus souvent d'un seul côté**
- **Nausées**
- **Vomissements**
- **Troubles de la vision**
- **Insensibilité (moitié du visage ou même du corps)**

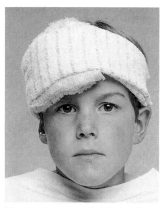

Une compresse froide sur la partie de la tête touchée peut soulager les douleurs

Faut-il consulter ?
Si les maux de tête durent plus de deux à trois heures et que l'enfant ne répond à aucune des mesures habituelles, prenez contact avec votre médecin.

Que fera le médecin ?
- Il prescrira à votre enfant des médicaments à base d'ergot de seigle susceptibles de soulager ses crises de migraines. Si votre enfant souffre de migraines fréquentes, il lui prescrira sans doute un traitement médicamenteux à long terme.
- L'acupuncture donne parfois des résultats étonnants chez les enfants migraineux (page 211).

Ce que vous pouvez faire
- Installez votre enfant dans une pièce calme et sombre.
- Des compresses du côté atteint permettent de soulager les douleurs.
- L'homéopathie propose de nombreux remèdes contre la migraine. Contre la douleur dans la région des yeux : Sanguinaria D4 ou Spigelia D4, 1 comprimé toutes les deux heures jusqu'à amélioration. Contre les douleurs à l'arrière de la tête : Gelsemium D4 ou Cimicifuga D4, 1 comprimé toutes les deux heures. Il est toutefois recommandé de demander conseil à un pédiatre homéopathe.

Cerveau et système nerveux
Tumeur cérébrale

Les tumeurs cérébrales peuvent être malignes ou bénignes. Chez les enfants, les tumeurs malignes représentent le deuxième cancer. Mais les tumeurs bénignes sont aussi très dangereuses car elles compriment le tissu cérébral, mou par essence. Quand le cerveau est comprimé dans la boîte crânienne, il n'a pas d'échappatoire et est donc condamné à mourir par compression.

Les premiers signes d'une tumeur cérébrale sont les maux de tête nocturnes et les nausées matinales avec vomissements à jeun. L'intensité de ces symptômes augmente progressivement. Au fur et à mesure que la tumeur progresse, on note également des troubles de la vision, des convulsions ou de l'épilepsie ainsi qu'un changement dans le comportement, et enfin des maux de tête la journée et des troubles pouvant aller jusqu'à la perte de conscience.

SYMPTÔMES TYPIQUES
- **Maux de tête**
- **Vomissements à jeun**
- **Troubles de la vision**
- **Changement de comportement**

Faut-il consulter ?
Si votre enfant souffre d'un des symptômes cités ci-dessus, consultez immédiatement le médecin.

Que fera le médecin ?
Le diagnostic de la tumeur cérébrale est fait à l'hôpital et repose sur toute une série d'examens : échographie, fond d'œil, radiographie, CT-Scan et résonance magnétique nucléaire ou scintigraphie qui permettent de voir s'il s'agit d'une tumeur, et le cas échéant de la localiser et d'en déterminer la taille. Selon les résultats de ces examens, le médecin décidera si la tumeur doit être enlevée chirurgicalement ou si des rayons ou une chimiothérapie s'avèrent préférables.

Ce que vous pouvez faire
- Prenez au sérieux les maux de tête de votre enfant surtout s'il vomit à jeun ou se plaint de troubles de la vision.
- Assistez aux examens médicaux et restez auprès de votre enfant pendant son séjour à l'hôpital.

143

Allergie

Tout corps étranger qui approche l'organisme est testé par son système immunitaire et, le cas échéant, contrecarré par des anticorps spéciaux. Lorsque l'ennemi a été éconduit avec succès, son identité est stockée et tout nouveau contact avec la substance nocive provoque immédiatement une réaction du système immunitaire : les cellules immunitaires se mobilisent pour détruire l'attaquant. L'organisme est immunisé.

Dans les maladies allergiques, ce système de défense, pourtant parfait, montre des failles : le contact répété avec certains allergènes provoque une réaction exagérée de l'organisme qui se traduit par différents symptômes.

Zones de contact avec le monde extérieur

Ces symptômes touchent les zones de contact les plus fréquentes avec le monde extérieur : les voies respiratoires, la peau et le tube digestif. Les pneumallergènes (ou allergènes inhalés) tels que les pollens ou les poussières de maison entrent dans l'organisme par les voies respiratoires et provoquent donc, le plus souvent, des réactions allergiques dans la sphère de la gorge, du nez et des yeux. Les allergènes de contact tels que les métaux ou les produits cosmétiques, pour leur part, provoquent bien évidemment le plus souvent des réactions cutanées. Les allergènes alimentaires ou encore les insecticides entrent dans la circulation sanguine ou le tractus gastro-intestinal et provoquent des troubles gastro-intestinaux ou encore une réaction généralisée.

Indépendamment des allergènes concernés, il existe plusieurs types de réactions :

• Dans la réaction de type I aussi appelée allergie immédiate, les symptômes apparaissent dès le contact avec la substance allergénique.

• Dans la réaction de type II, il s'écoule entre l'exposition à la substance allergénique et la réaction environ 4 à 8 heures mais les symptômes persistent plus longtemps.

• Dans la réaction de type IV, ou allergie retardée, 48 à 72 heures peuvent s'écouler avant que l'organisme ne réagisse, ce qui rend particulièrement difficile l'identification de l'allergène en cause.

En matière de traitement antiallergique, la règle fondamentale est l'éviction, dans la mesure du possible, de toutes les substances allergisantes. Lorsque cette éviction est impossible, le médecin peut proposer une désensibilisation. Ce traitement ne donne pas des résultats chez tous mais tente d'augmenter la tolérance aux substances allergisantes.

Certains médicaments soulagent sans guérir. Il en va ainsi du cromoglycate (Lomudal) ou des antihistaminiques dans les allergies au pol-

Allergie

len. Et il en va de même pour la cortisone dans les problèmes de peau graves ou l'œdème.

Allergies alimentaires

En principe, n'importe quel aliment peut déclencher une allergie. Certains sont toutefois plus allergéniques que d'autres et, parmi ceux-ci, les produits laitiers, les noix, le poisson, les crustacés, les champignons et le chocolat, ainsi que certains fruits et légumes, les conservateurs et les colorants alimentaires.

Les principaux allergènes sont :
- **les déjections d'acariens**
- **les pollens**
- **les aliments**
- **les champignons**
- **les squames, plumes et poils d'animaux**
- **les pneumallergènes tels que la fumée de cigarette, les gaz d'échappement**
- **les produits chimiques**

Les allergies alimentaires provoquent des réactions cutanées mais peuvent aussi atteindre les muqueuses des voies respiratoires et digestives (rhinite allergique ou toux, œdème des lèvres et de la muqueuse buccale). Les allergènes peuvent également provoquer des douleurs abdominales, des ballonnements, des coliques ou des diarrhées. Les allergies peuvent aussi être associées aux symptômes les plus divers. Elles peuvent par exemple n'apparaître que plusieurs heures, voire plusieurs jours, après l'exposition et, étant donné que notre alimentation est une véritable caverne d'Ali Baba d'allergènes potentiels, il peut parfois se révéler très difficile de trouver l'allergène responsable. La meilleure protection contre les allergies pendant la première année de la vie de bébé, c'est l'allaitement. Chez les nourrissons à risque, qui ne peuvent pas être allaités, on utilise des laits hypo-allergéniques.

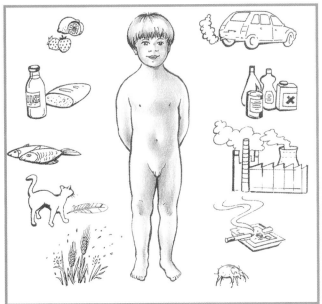

Chez les enfants à risque, il convient d'établir un programme alimentaire particulièrement réfléchi et d'attendre au moins trois jours avant d'introduire un nouvel aliment. Un enfant peut bien sûr tout à coup réagir à un aliment qu'il tolérait pourtant bien jusque-là. Vous devez donc toujours savoir ce que votre enfant a mangé au cours des trois derniers jours. Gardez à l'esprit, en cas d'allergie aux protéines du lait, que de nombreuses sortes de saucisses ou variétés de pâtes contiennent du lait. L'allergie au lait de vache disparaît toujours quasi complètement lorsque l'enfant suit un régime sans lait pendant 6 à 18 mois.

Allergie
Allergie médicamenteuse

L'être humain peut développer une allergie à pratiquement n'importe quel médicament. Le plus souvent, l'allergie médicamenteuse se traduit par une éruption cutanée, de la fièvre, de la diarrhée ou encore les trois symptômes en même temps. La seule issue est alors de supprimer le médicament allergénique le plus rapidement possible.

Le plus souvent, l'intolérance médicamenteuse se traduit par un érythème (exanthème médicamenteux) qui peut ressembler à l'éruption de la rubéole ou à celle de la rougeole. De petites pustules blanches à tête rouge sont parfois aussi observées.

Les médicaments qui déclenchent le plus souvent des réactions allergiques sont : les antalgiques, les antibiotiques (p. ex. la pénicilline), les hormones thyroïdiennes et, plus rarement, les immunoglobulines.

SYMPTÔMES TYPIQUES
- **Eruption cutanée**
- **Diarrhée**
- **Vomissements**
- **Gonflement des muqueuses buccale, pharyngée et oculaire**
- **Fièvre**

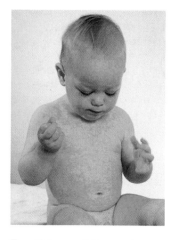

Exanthème médicamenteux : éruption cutanée provoquée par une allergie à un médicament

Faut-il consulter ?
Si vous suspectez une allergie médicamenteuse, emmenez l'enfant chez le médecin.

Ce que vous pouvez faire
- Notez le nom de la substance médicamenteuse qui n'est pas tolérée.
- Veillez à ce que votre enfant ne la prenne plus.
- La réaction pourrait être beaucoup plus violente après une seconde prise.
- Si l'éruption chatouille, des enveloppements froids peuvent aider ainsi que des pommades ou des gouttes buvables que vous trouverez en pharmacie.

Que fera le médecin ?
- Il arrêtera immédiatement le traitement qui provoque l'allergie et remplacera le médicament incriminé par un autre ayant le même effet.
- Le cas échéant, il prescrira des médicaments pour enrayer plus rapidement la réaction allergique.

Allergie
Asthme bronchique

L'asthme est la maladie infantile chronique la plus fréquente. Il survient toujours par crises. Parfois, les crises sont exclusivement dues à des réactions allergiques mais, dans la plupart des cas, ce sont d'autres facteurs qui les déclenchent, notamment la fumée de cigarette, la poussière, les infections ou les états d'âme de l'enfant. Les symptômes asthmatiques n'apparaissent souvent qu'après ou pendant un effort physique.

La muqueuse bronchique des enfants asthmatiques réagit à certains stimuli par une hyperactivité, elle s'œdématise et produit du mucus en excès. Simultanément, la musculature des bronches se resserre, ce qui rétrécit le calibre des voies respiratoires. Donc, même si l'air entre dans les poumons, l'enfant a des problèmes pour l'évacuer. Cette difficulté d'expiration se traduit par un sifflement facilement reconnaissable. L'enfant se redresse pour faciliter sa respiration, est à court d'haleine et devient bleu. Il a l'impression d'étouffer, ce qui le fait paniquer et aggrave encore sa détresse respiratoire. Il est dès lors important de briser ce cercle vicieux : il faut lui donner des médicaments qui agissent rapidement sur les spasmes des muscles bronchiques et décongestionnent la muqueuse. Si la détresse respiratoire persiste, le cerveau peut manquer d'oxygène.

SYMPTÔMES TYPIQUES
- **Détresse respiratoire aiguë avec cyanose due au manque d'oxygène**
- **Sensation d'étouffement**
- **Respiration difficile et sifflante**

Faut-il consulter ?
Si votre enfant fait une crise d'asthme pour la première fois, appelez immédiatement votre médecin ou le médecin de garde.

Que fera le médecin ?
- Le médecin traitera une crise d'asthme aiguë chez l'enfant avec un spasmolytique.
- Plus tard, il essaiera d'identifier l'allergène responsable en procédant à des tests allergiques.
- Votre enfant recevra également un traitement à long terme avec, par exemple, du cromoglycate pour éviter les nouvelles crises.

- Il donnera aussi un médicament à prendre en cas de crise (bêtamimétique et corticoïde à inhaler).
- Le débitmètre de pointe permet de mesurer le débit expiratoire de pointe qui détermine à quel moment l'enfant doit prendre une dose du médicament prescrit. Pour cela, le médecin fixe des valeurs seuils de référence. Si votre enfant a plus de cinq ans, il pourra utiliser son débitmètre de pointe seul et ainsi apprendre à reconnaître quand il doit prendre son médicament pour éviter la crise.

Allergie
Asthme bronchique

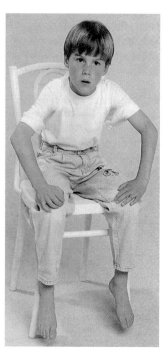

Cette position aide votre enfant à mieux respirer pendant une crise d'asthme.

Ce que vous pouvez faire

• Très important en cas de crise : gardez votre calme et essayez de calmer votre enfant - plus l'enfant est angoissé, plus sa détresse respiratoire empire.

• Donnez à votre enfant les médicaments prescrits par le médecin. Si la crise ne cède pas, appelez immédiatement le médecin ou, le cas échéant, le médecin de garde. Votre enfant devra éventuellement être hospitalisé.

• En cas de crise aiguë, ouvrez la fenêtre pour laisser entrer l'air frais - sauf au début de l'été si votre enfant est allergique aux pollens !

• L'expiration difficile fait perdre à votre enfant beaucoup de liquide. Donnez-lui beaucoup à boire, de préférence un liquide tiède et par petites quantités.

• Traquez les allergènes : veillez à ce que votre enfant soit le moins possible en contact avec la fumée de cigarette, les animaux domestiques, les plantes allergisantes ou les aliments auxquels il est allergique.

• Des recherches récentes ont démontré qu'une douche froide ou un bain froid d'une minute chaque jour permettait de diminuer considérablement la fréquence des crises d'asthme.

• Les cures sont recommandées aux enfants asthmatiques pour apprendre à mieux gérer leur maladie et à faire des exercices respiratoires qui facilitent l'expiration. Le contact avec d'autres enfants asthmatiques et les conseils thérapeutiques donnés lors de ces cures permettent aussi de diminuer leurs angoisses. A partir de dix ans, les enfants peuvent aussi faire de l'autosuggestion.

• Pour le reste, considérez votre enfant comme un enfant tout à fait normal : avec l'accord du médecin, permettez-lui de reprendre les activités telles que le sport, la natation, les sorties en discothèque, le camping, etc.

• La grande règle face aux enfants asthmatiques, c'est d'éviter les allergènes. Choisissez donc vos vacances et éventuellement l'orientation professionnelle de votre enfant en tenant compte de son asthme. Certains métiers (par exemple celui de boulanger) sont en effet liés à des risques élevés d'allergie et ne sont pas recommandés.

Allergie
Eczéma atopique

Les allergènes les plus fréquemment incriminés dans l'eczéma atopique sont les poussières de maison (déjections d'acariens), les poils et les squames des animaux, les pollens et les aliments. A ces premiers facteurs, s'ajoutent des facteurs individuels - problèmes psychologiques, stress, facteurs environnementaux, fumée de cigarette, gaz d'échappement - qui influencent l'évolution de la maladie.

SYMPTÔMES TYPIQUES
• **Croûtes de lait et éruption prurigineuse et suintante, surtout sur les joues, derrière les oreilles et sur les sourcils**
• **Chez l'enfant plus grand : éruptions prurigineuses, squameuses et sèches, surtout dans les plis des grandes articulations**

L'eczéma atopique est aussi appelé eczéma endogène et, chez le nourrisson, eczéma du nourrisson, croûtes de lait ou encore dermatite séborrhéique du nourrisson. Dans cette maladie - à caractère héréditaire - la peau réagit par hypersensibilité à certains allergènes.

Chez le nourrisson, l'eczéma atopique apparaît généralement entre 3 et 6 mois. L'éruption rouge, suintante et croûteuse, siège surtout sur les joues, le front, derrière les oreilles et sur le cou et démange très fort. En se grattant, l'enfant peut provoquer une surinfection.

Chez les enfants plus grands, l'eczéma s'observe plutôt dans la région des grandes articulations : coudes, genoux, poignets et chevilles. Le cou est souvent touché également. Chez ces enfants, l'éruption cutanée est plutôt sèche et squameuse et, souvent, balafrée par des lésions de grattage. La saison froide est généralement synonyme d'une aggravation de l'eczéma atopique car les vêtements - surtout en laine ou en matières synthétiques - frottent sur la peau et augmentent ainsi les démangeaisons.

Les poussées d'eczéma atopique peuvent persister pendant des années. Entre les poussées, la peau est particulièrement pâle et sèche. Avec l'âge, les poussées sont moins importantes et, en général, l'eczéma atopique disparaît complètement avant la trentaine.

L'eczéma atopique est une maladie à caractère héréditaire difficile à soigner et dont les causes sont encore méconnues. De nombreux facteurs peuvent être à l'origine des poussées d'eczéma, qui répondent souvent bien au traitement mais récidivent quasi toujours. Face à cette maladie, la règle est donc de ne pas croire aux produits miracles qui promettent la guérison et reviennent finalement très cher pour rien.

Faut-il consulter ?

Si vous pensez que votre enfant souffre d'eczéma atopique, consultez le médecin. Ne vous lancez pas dans un traitement sans avoir préalablement demandé l'avis de votre pédiatre ou de votre médecin généraliste.

Que fera le médecin ?

• Face à l'eczéma atopique, on ne dispose d'aucun programme thérapeutique universel. Il faudra donc, en collaboration avec le médecin, déterminer le traitement qui convient le mieux à votre enfant et qui devra être adapté au fil des ans.
• Le médecin vous recommandera d'éliminer au maximum les sources d'allergènes dans l'entourage de votre enfant et vous prescrira des soins dermatologiques (page 151).
• Au moment des poussées aiguës d'eczéma, il se peut qu'il prescrive une crème à la

cortisone, que vous devrez appliquer sur les lésions.

• En homéopathie, le traitement est un traitement de fond qui doit être élaboré individuellement par un spécialiste.

• Les cures à la mer ou à la montagne et les traitements hospitaliers peuvent donner de bons résultats lors des poussées eczémateuses. Demandez conseil à votre médecin.

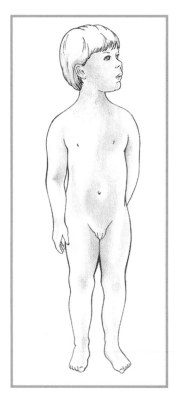

Les zones dessinées en rouge indiquent les sièges préférentiels de l'eczéma atopique.

Ce que vous pouvez faire

• Dans le traitement de l'eczéma atopique, le grand principe, c'est d'éviter les allergènes !

• Veillez donc à créer autour de votre enfant un environnement le plus pauvre possible en allergènes : pour son bien-être, renoncez aux animaux domestiques, aux plantes à fleurs, à fumer ou aux brûle-parfums dans la maison. Ne lui achetez que des peluches en matières synthétiques, que vous laverez une fois par mois en machine. Les peluches sont aussi interdites de séjour dans le lit.

• Pas de matelas de crin mais plutôt des matelas en matières synthétiques. Pas d'édredon en plumes ; et toujours recouvrir les couvertures en laine d'un drap.

• Les ramasse-poussières - notamment les rayonnages, les doubles rideaux, les étagères à peluches et les tapis - sont à proscrire. Remplacez-les par des armoires fermées, des tentures simples, que vous laverez tous les mois et des revêtements lisses que vous nettoierez à l'eau au moins trois fois par semaine.

• Achetez un aspirateur muni d'un filtre antiacariens.

• Evitez tout contact direct avec les poils d'animaux et les plumes d'oiseaux (édredon !) et tous leurs produits dérivés, notamment la laine de mouton, les poils de chameau ou le crin.

• N'habillez pas votre enfant de vêtements en laine ou en matières synthétiques si celles-ci sont directement en contact avec la peau. Pour son linge de corps, préférez le coton blanc et prenez de préférence la taille supérieure à la sienne. Veillez surtout à ce que votre enfant ne soit pas habillé trop chaudement et à ce que ses vêtements soient suffisamment amples. Renoncez également aux adoucissants pour la lessive.

• Règle de base du traitement de l'eczéma atopique : si possible pas de cortisone, qui ne sera instaurée que lors de poussées aiguës et sur avis médical.

• En cas d'éruption suintante, un bain au son de blé

Eczéma atopique

Les tests dermatologiques desti- nés à identifier les substances qui déclenchent l'eczéma atopique, par exemple dans l'alimentation, ne sont pas fiables. La seule solu- tion, c'est d'éviter les aliments que vous soupçonnez être res- ponsables de l'aggravation des problèmes de peau de votre enfant. Il n'existe pas de régime anti-eczéma. Vous pouvez bien sûr éviter les aliments couramment associés aux problèmes d'eczéma : le lait, les œufs, les agrumes, le chocolat et la farine de froment. En règle générale : plus un aliment est cuit, moins il est allergisant. Mieux vaut donc renoncer aux crudités.

Chez les petits enfants, l'eczéma siège le plus souvent sur le visage.

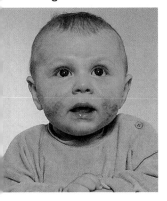

(page 196) peut aider. Appliquez ensuite sur les lésions une fine couche de pommade au goudron que vous achèterez en pharmacie ou dans un magasin de produits diététiques. N'utilisez pas de pommades grasses qui peuvent aggraver l'éruption.

• Dans l'eczéma sec : remplacez le bain par une douche; autori- sez à votre enfant un seul bain, de courte durée, par semaine (température de l'eau 35° C) auquel vous ajouterez de l'huile de bain achetée en pharmacie ou un peu d'huile d'olive. Ne lui donnez que des savons acides. Terminez par un passage sous la douche froide.

• En cas de fortes démangeai- sons, donnez-lui un bain à l'huile à 37° C deux fois par semaine. Faites-lui prendre son bain pendant 5 minutes, avec son pyjama, puis enveloppez-le avec son pyjama mouillé dans une grande serviette et mettez- le ainsi au lit pendant 20 minutes. Ceci ramollira la peau et ouvrira les pores. Ensuite, appliquez une pommade prépa- rée en pharmacie : 5% de buféxamac, crème grasse ad 100,0 grammes. En cas de

démangeaisons extrêmes, demandez au pharmacien d'y ajouter encore de l'urée à 2 à 3 pour cent.

• Vous pouvez aussi essayer de soulager les démangeaisons en appliquant des compresses humides et froides. Veillez à ce que votre enfant ait toujours les ongles courts et propres pour éviter la surinfection en cas de grattage.

• L'huile d'onagre prise sous la forme d'une gélule par jour peut aider certains enfants.

• Pour espacer au maximum les poussées, vous pouvez protéger la peau de votre enfant du des- sèchement en utilisant ce que l'on appelle une crème base ou une pommade grasse base non parfumée que vous trouverez en pharmacie.

• Essayez d'éviter tout ce qui rend votre enfant nerveux car le stress favorise l'apparition des poussées d'eczéma atopique : donc, pas de week-end exténuant, trop de télévision, de walkman, de game-boy qui peuvent le stresser. Les sépara- tions et les conflits (par exemple divorce des parents) peuvent aussi déclencher une poussée.

Allergie
Rhinite allergique, rhume des foins

La rhinite allergique est une rhinite qui se caractérise par un écoulement nasal clair, des démangeaisons, des brûlures et des crises d'éternuements, et qui sévit toute l'année. Elle est souvent accompagnée d'une conjonctivite larmoyante allergique. Avec le temps, la rhinite endommage la muqueuse nasale, les cornets s'épaississent et la respiration nasale devient difficile. Les rhinites allergiques sont déclenchées par des pneumallergènes : acariens, poussières de maison, fumée de cigarette, squames ou poils d'animaux ou spores présents dans la maison. Les enfants et les adultes de tout âge peuvent souffrir de rhinite allergique.

Si la rhinite allergique survient à un moment précis de l'année, on parle de rhume des foins (pollinose). Comme son nom l'indique, ce rhume est déclenché par les pollens : les yeux, le nez et la gorge sont le siège des symptômes allergiques. Le rhume des foins commence le plus souvent à l'école maternelle. Ce n'est souvent que plus tard et progressivement qu'il tombe sur les bronches et tourne à l'asthme bronchique allergique (page 147).

Pollens le plus souvent responsables du rhume des foins

Février :	aulne
Mars :	noisetier
Avril :	bouleau
Mai à juillet :	graminées
Août :	plantain et armoise

SYMPTÔMES TYPIQUES
- **Ecoulement nasal clair**
- **Crises d'éternuements**
- **Démangeaisons et picotement dans le nez et la gorge**
- **Larmoiement**

Dans l'allergie aux pollens, veillez à ce que l'enfant joue le moins possible à proximité de l'herbe et surtout pas dans les prairies en fleurs

Allergie
Rhinite allergique, rhume des foins

Faut-il consulter ?

Demandez conseil à votre médecin si votre enfant présente une rhinite qui dure depuis trois semaines sans amélioration ou si la rhinite revient chaque printemps ou été sans que vous constatiez d'autres symptômes de rhume.

Que fera le médecin ?

• Le médecin prescrira à votre enfant des antihistaminiques à inhaler qui réduiront les réactions allergiques, ou du cromoglycate, qui protégera les muqueuses contre une hypersensibilité.
• Si votre enfant souffre du rhume des foins, le médecin lui prescrira du cromoglycate pendant toute la saison des pollens.
• Le médecin essaiera également de dépister la substance responsable en faisant procéder à des tests cutanés ou des analyses de sang.
• Si l'enfant réagit à certaines substances, le médecin pourra proposer une désensibilisation, dont les résultats sont toutefois encore très aléatoires. Dans l'allergie aux pollens, la désensibilisation ne peut avoir lieu qu'en automne et en hiver. Elle consiste à injecter des quantités infimes de l'allergène pour essayer de rendre l'organisme tolérant à la substance.

Ce que vous pouvez faire

• Si vous savez à quoi votre enfant est allergique, essayez d'éviter l'allergène incriminé.
• Dans l'allergie aux pollens : ne laissez pas vos enfants jouer dans les prairies en fleurs et surtout pas à proximité d'un gazon fraîchement tondu.
Si vous avez un jardin, tondez la pelouse toutes les semaines pour éviter que l'herbe ne fleurisse.
• Comme les pollens se déplacent surtout la nuit, vous pouvez essayer de protéger votre enfant en suspendant des serviettes humides devant la fenêtre de sa chambre.
• Si votre enfant ne va pas encore à l'école, partez en vacances en dehors de la saison des pollens. Choisissez plutôt des destinations telles que les îles, la mer du Nord ou la montagne au-dessus de 1 500 mètres d'altitude.

Allergie
Rhumatisme articulaire

Le rhumatisme articulaire, qui survient après une infection à streptocoques, est devenu très rare. Son mécanisme est le suivant : le système immunitaire fabrique, contre les streptocoques, des anticorps qui provoquent malencontreusement l'inflammation du tissu conjonctif des articulations, du myocarde (muscle du cœur) et du cerveau. Le rhumatisme articulaire est considéré comme une réaction antigène-anticorps inflammatoire de type allergique.

Deux à trois semaines après l'infection streptococcique, qui peut même passer inaperçue, l'enfant présente soudain une fièvre élevée, des maux de tête et des maux de ventre et se sent abattu. Les grandes articulations des bras et des jambes sont gonflées, chaudes, rouges et douloureuses. Chez certains enfants, on note une éruption cutanée serpigineuse en forme de guirlande. Chez plus de trois quarts des enfants atteints de rhumatisme articulaire, le muscle cardiaque est également touché et il y a donc risque d'insuffisance cardiaque.

SYMPTÔMES TYPIQUES
- **Fièvre élevée**
- **Maux de tête**
- **Douleurs abdominales**
- **Abattement**
- **Articulations gonflées, rouges et douloureuses**

Ce que vous pouvez faire
- Veillez à ce que votre enfant respecte l'alitement et prenne les médicaments prescrits.
- Vous ne pouvez malheureusement rien faire de plus que de lui témoigner votre tendresse et votre affection qui l'aideront à traverser cette période pénible.
- Veillez à ce que toute infection à streptocoques soit traitée avec des antibiotiques !

Complications
Dans de rares cas, l'infection gagne le cerveau (danse de Saint-Guy). Les symptômes sont alors des secousses involontaires des muscles. Les enfants ne savent plus écrire ni utiliser leurs couverts pour manger.

Faut-il consulter ?
A la moindre suspicion de rhumatisme articulaire, l'enfant doit immédiatement être vu par un médecin ! Plus le traitement est instauré rapidement, plus les chances de guérison sont élevées.

Que fera le médecin ?
- Le médecin prescrira de la pénicilline à dose élevée pendant 6 à 8 semaines. En cas d'allergie à la pénicilline, il choisira un autre antibiotique.
- Si le cœur est touché, il prescrira également de la cortisone pendant 4 à 6 semaines pour enrayer l'infection.
- Il prescrira également un alitement strict pendant 6 à 8 semaines et, de préférence, à l'hôpital.
- Pour éviter la récidive, l'enfant devra ensuite être traité, une fois par mois, pendant 5 ans, avec de la pénicilline retard et, en cas de maladie cardiaque, jusqu'à l'âge de 20 ans. Sans ce traitement, il y a risque d'insuffisance cardiaque et surtout de maladie valvulaire pouvant mener à la mort.

Allergie
Urticaire

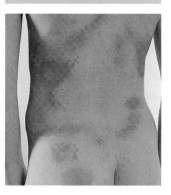

Dans l'urticaire, l'éruption se présente sous la forme de grandes plaques bien délimitées ressemblant à une carte géographique.

L'urticaire est un érythème prurigineux allergique qui peut ressembler à l'éruption cutanée observée dans la rougeole. Les plaques peuvent être circulaires ou ressembler à une carte géographique et aller de la taille d'une pièce de monnaie à celle d'un poing. Ces éruptions peuvent migrer, c'est-à-dire apparaître à un endroit du corps pour disparaître quelques minutes après et réapparaître à un autre endroit. L'urticaire peut également persister plusieurs jours et son intensité est variable. Elle peut en outre être accompagnée de fièvre, de maux de tête et de nausées.

Dans l'œdème de Quincke (œdème aigu angioneurotique), l'urticaire se propage aux tissus sous-cutanés, surtout au niveau des yeux et des lèvres qui peuvent présenter un gonflement important et déformer le visage. L'atteinte des muqueuses autour de la langue et des voies respiratoires peut provoquer une détresse respiratoire (parfois mortelle !). Le plus souvent, l'urticaire est causée par des aliments, des piqûres d'insecte ou des médicaments - pourtant bien tolérés précédemment. Chez les enfants, les vers intestinaux peuvent également provoquer de l'urticaire.

Faut-il consulter ?

Emmenez l'enfant chez le médecin pour avoir confirmation du diagnostic. En cas d'œdème des voies respiratoires : appelez d'urgence le médecin ou emmenez l'enfant à l'hôpital !

Que fera le médecin ?

- Pour soulager les démangeaisons, le médecin prescrira peut-être à votre enfant un antihistaminique.
- Des médicaments à base de cortisone peuvent s'avérer nécessaires pour lutter contre l'œdème des voies respiratoires et la détresse respiratoire.

Ce que vous pouvez faire

- Essayez de détecter les substances allergisantes qui déclenchent les problèmes. Lorsque vous les aurez identifiées, le mot d'ordre sera leur éviction, comme dans toutes les allergies.
- Les compresses froides, trempées dans du vinaigre ou de l'eau citronnée, calment les démangeaisons.

- Pour faire baisser la fièvre, il suffit souvent d'appliquer des compresses froides ou de faire un enveloppement froid des mollets. Si la température dépasse 39,5° C, mettez un suppositoire antipyrétique.
- En homéopathie : contre les démangeaisons : Magnesium carbonicum D6 et Arsenicum album D6, 1 comprimé toutes les deux heures.

- Les réactions urticariennes locales peuvent être dues à des plantes (orties) ou des animaux (méduses, chenilles, insectes). En règle générale, les compresses froides et les gels contre les insectes apportent un soulagement. Si votre enfant réagit exceptionnellement fort - c'est-à-dire s'il a de la fièvre et s'il présente un œdème important - emmenez-le chez le médecin.

Maladies infantiles et autres maladies infectieuses

La rougeole, les oreillons, la varicelle et la scarlatine font partie des maladies infantiles "classiques". Quelques-unes de ces infections, qui sont dues à des virus ou des bactéries, apparaissent par vagues et sont tellement contagieuses qu'elles se transmettent à quasiment tous les enfants non vaccinés et même aux adultes qui ne les ont pas faites quand ils étaient enfants. Le contact avec les microbes induit la formation d'anticorps qui immuniseront ensuite l'enfant soit à vie, soit pendant un certain temps. Avant qu'on ne dispose des vaccins et des antibiotiques, de nombreux enfants mouraient de ces maladies ou en gardaient des séquelles. Une scarlatine non traitée pouvait, par exemple, entraîner une myocardite et une néphrite chronique, une hypertension ou une insuffisance cardiaque. La poliomyélite laisse des séquelles paralytiques.

Malgré le succès des campagnes de vaccination, on note une réticence de plus en plus marquée face aux vaccins. Les parents ont de plus en plus tendance à faire confiance aux défenses naturelles de leurs enfants et les adeptes de la médecine naturelle pensent que les maladies infantiles favorisent le processus de maturation psychologique.

Durée de contagiosité

Maladie	Incubation	Période de contamination	Immunité
Coqueluche	7-21 jours	Depuis l'apparition de la toux jusqu'à environ 5 semaines; 14 jours à partir du début du traitement antibiotique	10-20 ans
Diphtérie	2-6 jours	Depuis le déclenchement de la maladie ; aussi longtemps que l'agent pathogène reste présent	Très brève
Erythème infectieux	7-18 jours	On suppose un jour avant le début de l'éruption cutanée jusqu'à un jour après sa disparition	A vie
Oreillons	14-24 jours	Six jours avant le début du gonflement des ganglions, jusqu'à 14 jours après	A vie
Poliomyélite	7-28 jours	Depuis le déclenchement de la maladie et aussi longtemps que les virus restent dans les sécrétions	A vie
Roséole infantile	7-17 jours	Trois jours avant la fièvre jusqu'au début de l'éruption cutanée	A vie
Rougeole	9-12 jours	Trois jours avant le début de l'éruption cutanée jusqu'à sa disparition	A vie
Rubéole	14-21 jours	Sept jours avant le début de l'éruption cutanée jusqu'à 10 jours après	A vie
Scarlatine	2-4 jours	Depuis les premiers symptômes jusqu'à 48 heures après le début du traitement de 10 jours à la pénicilline	Inconnue
Varicelle	14-21 jours	Deux jours avant l'apparition des premières vésicules jusqu'à 7 jours après, lorsque les vésicules se sont desséchées	Inconnue, On suppose plusieurs dizaines d'années

Maladies infantiles et autres maladies infectieuses

Je ne partage pas cet avis et je vous déconseille de renoncer aux vaccins et antibiotiques car cette attitude peut se révéler très dommageable pour l'enfant.

De nombreuses maladies infantiles commencent par des symptômes atypiques, par exemple un rhume banal. Dès ce stade, ou même avant que l'enfant ne présente les premiers symptômes, il peut déjà être contagieux.

Plusieurs maladies infantiles classiques ont un point commun : elles provoquent une éruption cutanée. Il n'est pas toujours facile, dès lors, de faire la distinction entre une roséole et une rougeole et il vaut donc mieux laisser le diagnostic au médecin. Dans les infections virales, même la médecine moderne est impuissante mais votre enfant peut être protégé contre certaines maladies par la vaccination (page 220). Dans les maladies bactériennes, les antibiotiques permettent de tuer les microbes; ils doivent cependant être pris pendant toute la durée prescrite car souvent les symptômes disparaissent longtemps avant que la maladie ne soit en fait guérie.

Dans les pages qui suivent, nous allons examiner les maladies infantiles classiques. Les autres maladies infectieuses, virales ou bactériennes, qui touchent les enfants mais peuvent tout autant toucher les adultes, sont reprises à partir de la page 172.

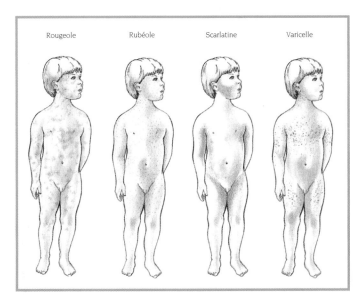

Rougeole Rubéole Scarlatine Varicelle

L'éruption cutanée typique de la rougeole (taches rouges à rouge foncé, qui confluent), la rubéole (de petites taches rouges isolées), la scarlatine (masse de petits points rouges) et la varicelle (taches rouges qui se transforment en vésicules et forment des croûtes).

Maladies infantiles
Coqueluche

La coqueluche (Bordetella pertussis) est une maladie infantile bactérienne pénible qui peut être mortelle pour le nouveau-né et le nourrisson. La coqueluche se transmet par voie directe (toux, éternuements, parole) et se répand le plus souvent sous forme de petites épidémies qui touchent surtout les jardins d'enfants. Les adultes ne sont néanmoins pas épargnés.

Une à trois semaines après la contagion, l'enfant fait un rhume banal, son nez coule et il tousse pendant environ deux semaines.Cette période est celle de la plus forte contagion. Apparaissent ensuite des quintes de toux spasmodiques, plus opiniâtres la nuit. A la fin de la quinte de toux, l'enfant s'arrête de respirer puis reprend sa respiration avec une inspiration bruyante, sifflante, très particulière, connue sous le nom de "chant du coq". Parfois, il devient tout bleu et rejette un crachat blanchâtre (glaires) qui peut parfois donner lieu à des vomissements. Les yeux sont rouges, injectés et larmoyants. Entre les quintes, l'enfant paraît bien.

Les nourrissons n'émettent pas le cri du coq (stridor) mais arrêtent parfois de respirer. C'est pourquoi ils doivent être hospitalisés.

Les quintes de toux durent en moyenne deux à six semaines et s'atténuent lentement. La contagiosité diminue proportionnellement. Après deux autres semaines, la coqueluche disparaît. Les quintes de toux peuvent cependant encore durer plusieurs mois, surtout lorsque l'enfant attrape un rhume ou est très fatigué. Si votre enfant a eu une coqueluche, après 6 mois, il est protégé contre un nouvel épisode jusqu'à environ l'âge de 20 ans.

Les bébés ne sont pas protégés de la coqueluche par les anticorps maternels mais ils peuvent être vaccinés à partir de 3 mois. De nombreux parents ne font pas vacciner leurs enfants parce qu'ils ont peur des complications de la vaccination. Aujourd'hui cette crainte ne se justifie plus et on dispose d'un nouveau vaccin mieux toléré.

SYMPTÔMES TYPIQUES
- **Stade initial d'environ 2 semaines ressemblant à un rhume banal**
- **Fortes quintes de toux avec inspiration bruyante qui apparaissent généralement deux à trois semaines après l'installation de la toux**
- **Quintes de toux exacerbées la nuit**
- **Crachats ou toux émétisante**

Complications

La coqueluche peut dégénérer en pneumonie mais c'est rare.

Chez le nourrisson de moins de 6 mois, la coqueluche fait courir un risque de dommage cérébral dû à l'asphyxie.

Faut-il consulter ?

Pendant sa phase initiale, la coqueluche est difficile à diagnostiquer. Si vous craignez que votre enfant souffre de la coqueluche ou s'il tousse pendant plus d'une semaine sans aucune amélioration, consultez rapidement le médecin.

Maladies infantiles
Coqueluche

Que fera le médecin ?

• Au stade précoce de la maladie, le médecin posera son diagnostic sur la base d'un frottis du nez et de la gorge.

• Un antibiotique (érythromycine) sera instauré très tôt - car les antibiotiques ne peuvent éradiquer les bactéries qu'à ce stade initial - pour tenter de raccourcir la durée de la maladie et surtout réduire le risque de contagion.

• Si les quintes de toux ont déjà commencé, les antibiotiques ne servent plus à rien : ils tuent les bactéries mais pas les toxines responsables de la toux et contre lesquelles il n'existe actuellement aucun traitement.

• Le médecin prescrira des inhalations destinées à réduire la toux, comme celles reprises dans l'encadré ci-dessous. Les antitussifs médicamenteux ont peu d'effet.

• Si un nourrisson a été en contact avec un enfant souffrant de coqueluche, le médecin lui prescrira immédiatement des antibiotiques à titre préventif.

Ce que vous pouvez faire

• Quand la quinte de toux survient, redressez votre enfant et faites-lui pencher la tête légèrement vers l'avant.

• Préparez un seau au cas où il devrait vomir.

• Veillez à ce que votre enfant boive beaucoup. Les quintes de toux sont suivies d'une période de repos dont vous profiterez pour lui donner quelque chose à manger et, s'il s'agit d'un nourrisson, pour l'allaiter.

• Les changements climatiques peuvent aider et sont en tout cas à essayer. Une journée en haute montagne apporte un soulagement dans la moitié des cas. Si vous habitez loin de la haute montagne, vous pouvez tenter la visite d'une cave de fermentation d'une brasserie.

• En homéopathie : Curpum metallicum D6, 5 granules trois fois par jour.

• Si votre enfant n'est pas traité par antibiotiques, tenez-le à l'écart des enfants non immunisés pendant la phase des quintes de toux qui dure de 4 à 6 semaines.

• Ne remettez pas votre enfant à la crèche ou à l'école aussi longtemps que le médecin ne l'y autorise pas.

Maladies infantiles
Diphtérie

La diphtérie est une maladie infectieuse, bactérienne et très contagieuse dont la contamination se fait surtout par voie directe et plus précisément par les sécrétions du nez et de la gorge disséminées par le petit malade. Depuis quelques années, on note une recrudescence des cas de diphtérie - le plus souvent dans des zones confinées.

Après une période d'incubation de 2 à 6 jours, apparaît, sur les amygdales et dans la région du larynx, un épais dépôt gris (fausse membrane) qui donne une mauvaise haleine et rend la déglutition difficile. L'enfant fait facilement une fièvre élevée. Le rétrécissement des voies respiratoires provoque également une détresse respiratoire et un croup véritable caractérisé par une toux aboyante (contrairement au pseudo-croup qu'on observe dans les infections virales ou les troubles mécaniques dans la région du larynx, page 66). Cette maladie ne laisse qu'une brève immunité, c'est-à-dire qu'elle ne protège pas l'enfant d'une nouvelle contagion.

SYMPTÔMES TYPIQUES
- **Fièvre légère**
- **Mauvaise haleine**
- **Dépôts purulents gris sur les amygdales et dans la région du pharynx**
- **Difficultés de déglutition**
- **Toux**
- **Détresse respiratoire**

Complications
Les bactéries diphtériques produisent des toxines qui peuvent entraîner une myocardite ou la paralysie des nerfs crâniens.

Faut-il consulter ?
A la moindre suspicion de diphtérie, consultez le médecin. Consultez-le aussi à la moindre infection purulente de la gorge, pour ne prendre aucun risque.

Que fera le médecin ?
Le médecin posera son diagnostic sur la base d'un frottis de gorge et, en cas de confirmation de diphtérie, fera hospitaliser l'enfant - dans 20% des cas, la diphtérie est encore mortelle. Son traitement est basé sur les immunoglobulines et les antibiotiques.

Ce que vous pouvez faire
- La seule protection sûre contre la diphtérie est la vaccination qui doit faire l'objet d'un rappel tous les 10 ans. Elle est habituellement combinée à la vaccination antitétanique.

Maladies infantiles
Erythème infectieux ou 5e maladie

L'érythème infectieux est une maladie contagieuse que l'on rencontre surtout chez les enfants scolarisés et qui est due à un parvovirus. Sa durée d'incubation est de 7 à 18 jours mais l'érythème infectieux est sans doute contagieux quelques jours avant l'apparition de l'éruption, et jusqu'à son déclin.

Il se traduit par l'apparition soudaine d'une éruption sur les joues et sur les ailes du nez, qui a souvent la forme d'un papillon et démange. En 4 à 6 jours, l'éruption s'étend au tronc et aux faces d'extension des bras et des jambes. En même temps, elle prend la forme d'une guirlande. Une particularité de cette maladie réside dans le fait que l'éruption va et vient. La plupart des enfants n'ont pas de fièvre. L'érythème infectieux disparaît en 10 à 12 jours et laisse derrière lui une immunité à vie.

SYMPTÔMES TYPIQUES
- **Eruption rouge en forme de papillon sur le nez et les joues, qui s'étend souvent et démange**
- **L'éruption se transforme en guirlande et s'étend aux faces d'extension des membres**
- **L'éruption va et vient**

L'éruption typique qui apparaît sur le visage et surtout sur les bras se reconnaît facilement

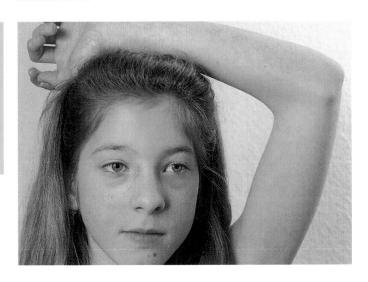

Faut-il consulter ?
Etant donné que l'érythème infectieux peut entraîner une anémie grave du fœtus chez la femme enceinte, le diagnostic doit être confirmé par le médecin.

Que fera le médecin ?
Le médecin vérifiera qu'il s'agit effectivement d'un érythème infectieux. Aucun autre traitement n'est nécessaire et il n'existe pas, pour l'instant, de vaccin contre cette maladie.

Oreillons

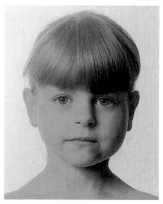

Gonflement typique des joues dans les oreillons.

Les oreillons sont une infection virale hautement contagieuse qui se transmet par contact direct (toux, éternuements, parole). Les premiers symptômes apparaissent 14 à 24 jours après le contact infectant. Cette infection est cependant contagieuse une semaine avant l'apparition de la maladie et jusqu'à 14 jours après son début. Elle touche le plus généralement les enfants de plus de 2 ans.

Les oreillons commencent par un gonflement unilatéral et très douloureux des glandes salivaires situées derrière l'angle du maxillaire. La joue de l'enfant gonfle et la mastication, la déglutition et tous les mouvements de la tête lui font mal. Après quelques jours, la glande salivaire du côté opposé gonfle elle aussi. Une fièvre légère à élevée peut être observée. Chez environ 20% des enfants, les autres glandes salivaires et digestives sont également touchées - surtout le pancréas, ce qui peut provoquer d'importantes douleurs abdominales. Les testicules et les méninges peuvent également être touchés. La seule protection efficace contre les oreillons est la vaccination. Si votre enfant a eu les oreillons, il est immunisé à vie.

SYMPTÔMES TYPIQUES

- **Gonflement douloureux des glandes salivaires**
- **Douleurs à la mastication et au moindre mouvement de la tête**
- **Fièvre**
- **Douleurs abdominales**
- **Chez les garçons, douleurs au niveau des testicules, chez filles, dans le bas-ventre**

Complications

Environ 10% des enfants qui font les oreillons font également une méningite aseptique qui se traduit par des maux de tête et une raideur de la nuque. Chez les enfants plus âgés, de 6 à 15 ans, les glandes génitales peuvent également être atteintes : si cette infection se produit après la puberté chez les garçons, non contente d'être très douloureuse, elle peut mener à la stérilité.

Chez les filles de cet âge, elle peut provoquer une ovarite. Dans quelques cas rares, les oreillons peuvent aussi entraîner la surdité.

Faut-il consulter ?

Il vaut mieux en effet consulter le médecin afin que celui-ci puisse déterminer s'il s'agit des oreillons ou d'une autre sialite (inflammation des glandes salivaires).

Que fera le médecin ?

- Il n'existe pas de traitement spécifique des oreillons mais les symptômes peuvent être soulagés. Contre la douleur, le médecin peut prescrire, par exemple, des suppositoires antalgiques.
- Etant donné les complications possibles au niveau du cerveau et des glandes génitales, le médecin prescrira l'alitement.

Ce que vous pouvez faire

- Appliquez des compresses sur la partie du visage touchée. Voyez si votre enfant préfère une compresse chaude ou froide.
- Donnez à votre enfant une alimentation liquide ou des panades, qu'il pourra éventuellement prendre à la paille.
- Pour épargner le pancréas, limitez les graisses et donnez à votre enfant, par exemple une tisane avec un peu de sucre, un bouillon dégraissé ou du jus de fruits.
- Pour faire baisser la fièvre, faites un enveloppement des mollets (page 200) ou mettez-lui un suppositoire antipyrétique.

Maladies infantiles
Poliomyélite

La poliomyélite est une maladie grave du fait des infirmités qu'elle entraîne et la vaccination est obligatoire dans de nombreux pays. Lorsqu'elle est correctement appliquée (3 injections dans la première année de vie, suivies d'un rappel l'année suivante, puis d'un rappel tous les cinq ans), elle protège efficacement contre cette maladie. L'éradication de la poliomyélite est un des objectifs de l'Organisation Mondiale de la Santé pour les prochaines années.

Le virus de la poliomyélite est éliminé dans les selles et se contracte par l'absorption d'eau ou d'aliments infectés par les selles d'un malade. Les baignades en été dans les eaux chaudes et stagnantes sont particulièrement dangereuses. Après un maximum d'une à quatre semaines après la contamination, le virus, qui s'est propagé dans le tube digestif, passe dans la circulation sanguine et s'installe dans la moelle épinière et le tronc cérébral où il détruit les cellules nerveuses. Il provoque ainsi des paralysies musculaires.

Dans 90% des cas, l'infection par le virus ne cause aucun problème et passe même inaperçue. La première infection par l'un des 3 virus connus offre, en outre, une immunité à vie.

Environ 10 personnes infectées sur 100 sont malades. Le premier stade de l'infection ressemble à une grippe et est accompagné d'une fièvre légère, de toux, d'un écoulement nasal et de myalgies qui durent deux à trois jours. Après un stade sans douleur et sans fièvre de un à trois jours, la fièvre reprend, des maux de tête intenses apparaissent et une hyperesthésie au toucher s'installe. Après environ deux jours, certains muscles ou groupes musculaires de l'enfant se paralysent. Certaines paralysies régressent en deux à trois jours, tandis que d'autres subsistent, c'est-à-dire que les muscles restent inertes et s'atrophient progressivement.

SYMPTÔMES TYPIQUES
Cette maladie évolue en quatre stades :
- symptômes grippaux
- intervalle libre sans fièvre
- réapparition de la fièvre, maux de tête, hypersensibilité au toucher
- paralysies musculaires d'installation soudaine

Ce que vous pouvez faire
- La seule protection contre la poliomyélite est la vaccination, qui doit faire l'objet d'un rappel tous les 10 ans.
- Il est préférable de revacciner enfants et adultes en prévision d'un voyage dans un pays où les conditions d'hygiène ne sont pas optimales.

Faut-il consulter ?
Si votre enfant a de la fièvre, qu'il se plaint de douleurs musculaires et qu'il ne peut plus bouger certains membres, consultez le médecin d'urgence.

Que fera le médecin ?
- En cas de suspicion de poliomyélite, le médecin hospitalisera l'enfant en raison du risque de contagion.
- On ne dispose pas, à l'heure actuelle, de traitement spécifique de la poliomyélite. A l'hôpital, votre enfant sera surveillé et, en cas de paralysie respiratoire, il sera mis sous respirateur artificiel - dans certains cas rarissimes, pour le restant de ses jours.

Roséole infantile

La roséole infantile, ou 6ᵉ maladie ou encore exanthème subit, est une infection virale très courante et très contagieuse mais inoffensive, qui apparaît le plus souvent avant 6 mois ou dans la petite enfance (6 mois à 3 ans). Elle est due à un virus herpétique. Après contact avec le virus, les premiers signes de la maladie n'apparaissent qu'après 7 à 17 jours.

L'exanthème subit commence par une fièvre très élevée de 39 à 40° C qui, paradoxalement, gêne peu l'enfant. Après 3 à 4 jours, la fièvre disparaît en quelques heures. Apparaît ensuite une éruption cutanée sous forme de petites taches roses distinctes, qui ressemble à la rougeole ou à la rubéole et qui couvre l'ensemble du corps pour disparaître après deux jours environ. Quand l'éruption cutanée apparaît, la maladie n'est plus contagieuse.

Si votre enfant a eu un exanthème subit, il est immunisé à vie.

SYMPTÔMES TYPIQUES
• Fièvre élevée soudaine, sans symptôme douloureux
• Disparition de la fièvre après 3 jours environ
• Petites taches rouges disséminées sur l'ensemble du corps

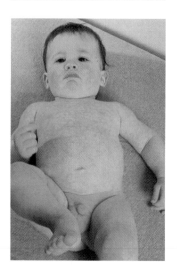

L'éruption cutanée apparaît après que la fièvre a baissé.

Complications
Les complications sont rares mais il peut éventuellement y avoir des convulsions fébriles.

Faut-il consulter ?
La roséole infantile est inoffensive mais se confond facilement avec la scarlatine et la rougeole. Il vaut donc mieux faire diagnostiquer la maladie par le médecin.

Que fera le médecin ?
Il examinera l'enfant et procédera à un diagnostic différentiel avec la rougeole et la scarlatine et vous expliquera ensuite comment lutter contre les symptômes - aucun traitement particulier n'existe contre cette maladie virale.

Ce que vous pouvez faire
• Les premiers jours pendant lesquels la fièvre est élevée, gardez votre enfant à l'intérieur jusqu'à l'apparition de l'éruption cutanée typique de la maladie facilement reconnaissable.
• Etant donné que votre enfant ne se sentira pas vraiment malade, inutile de lui imposer le lit.
• Essayez de faire baisser sa fièvre avec des enveloppements des mollets (page 200). Les suppositoires antipyrétiques sont rarement nécessaires, sauf en cas de prédisposition de l'enfant à faire des convulsions fébriles.
• Veillez à ce que votre enfant boive car sa température élevée lui fait perdre beaucoup d'eau et, partant, beaucoup de sels minéraux.

Maladies infantiles
Rougeole

La rougeole est une maladie virale très contagieuse, répandue dans le monde entier et certes pas inoffensive. Plus de 90% des enfants non vaccinés font la rougeole mais celle-ci peut également toucher les adultes.

La rougeole s'attrape par contact direct avec les personnes infectées ; la période d'incubation de la maladie est de 10 à 12 jours.

Pendant deux à trois jours, une fièvre élevée (39° C), la toux, l'écoulement nasal, la conjonctivite (l'enfant supporte mal la lumière) et la raucité de la voie peuvent faire croire à un rhume. Ensuite, la fièvre baisse légèrement et on voit apparaître à l'intérieur de la bouche des petits points blancs (appelés taches de Köplick). Au troisième ou quatrième jour, la fièvre remonte et l'éruption cutanée rouge clair (attention : au début, les symptômes de la rougeole sont similaires à ceux de la roséole infantile, page 164) derrière les oreilles et sur le visage s'étend à l'ensemble du corps, passe à une couleur plus intense et conflue pour former des taches plus grandes. Après trois à quatre jours, l'éruption et la fièvre disparaissent et l'enfant n'est plus contagieux. La rougeole procure une immunité à vie.

SYMPTÔMES TYPIQUES
- **Fièvre**
- **Ecoulement nasal, toux, mal de gorge**
- **Yeux rouges et sensibles à la lumière**
- **Petites taches blanches sur les muqueuses buccales**
- **Eruption cutanée, d'abord au niveau de la tête, ensuite sur l'ensemble du corps**

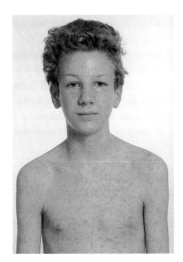

Eruption typique de la rougeole. Les yeux sont légèrement gonflés en raison de la conjonctivite associée à la rougeole.

Complications

Chez la moitié des rougeoleux, les épisodes de fièvre élevée sont liés à des modifications de l'électroencéphalogramme (EEG) qui persistent chez 4 à 6% des enfants après la maladie. Ces changements s'expliquent par l'encéphalite provoquée par la rougeole qui, dans certaines conditions, peut laisser des séquelles au niveau de l'apprentissage ou de la concentration.

Dans de rares cas, la rougeole est liée à des complications du type pneumonie ou otite moyenne.

Maladies infantiles
Rougeole

Faut-il consulter ?
• En raison des complications possibles, il faut toujours emmener l'enfant chez le médecin.
• Consultez celui-ci dès que votre enfant se plaint d'otalgie ou présente des signes de pneumonie (toux sèche, essoufflement) ou d'encéphalite (mal de tête, raideur de la nuque, abattement).

Que fera le médecin ?
• Lorsque le médecin aura constaté que la rougeole se complique, il prescrira probablement un antibiotique.
• Le médecin prescrira également l'alitement et l'interdiction de regarder la télévision.
• Si votre enfant tousse beaucoup, il pourra lui prescrire un antitussif à base de plantes, homéopathique ou classique, en inhalation.

Ce que vous pouvez faire
• Puisque les yeux de votre enfant sont rouges et sensibles à la lumière, atténuez la lumière dans la pièce où il se trouve.
• Essayez de faire baisser sa fièvre avec des enveloppements froids des mollets (page 200).
• Pour soulager l'écoulement nasal et la toux, maintenez la température de la pièce assez basse et humidifiez l'air (page 19). Contre la toux, vous pouvez donner à votre enfant une tisane antitussive (page 204).
• Les premiers jours, l'enfant doit rester au lit. Veillez à ce que tous les petits ou grands visiteurs aient déjà eu la rougeole ou soient vaccinés (l'immunité contre la rougeole est établie par une simple prise de sang).
• Donnez à votre enfant suffisamment à boire. S'il manque d'appétit, du sucre de raisin dissous dans une tisane peut lui apporter des calories.
• La meilleure protection contre la rougeole est la vaccination. A partir de 15 mois, faites vacciner votre enfant contre la rougeole et n'oubliez pas le rappel vers 6 à 7 ans.
• Si votre enfant n'a pas été vacciné contre la rougeole et entre en contact avec la maladie, vous pouvez encore le protéger en le faisant vacciner dans les deux jours qui suivent le contact.

Maladies infantiles
Rubéole

Chez les enfants, la rubéole est inoffensive ; elle est due au virus de la rubéole et se transmet par voie de contamination directe (toux, éternuements, parole). Son incubation est de 14 à 21 jours mais elle peut être contagieuse à partir du 7e jour qui suit la contamination.

La rubéole commence par des symptômes transitoires qui ressemblent à un rhume (courbatures, malaises). Ensuite apparaissent de petites macules roses qui fusionnent à mesure que l'éruption s'étend et qui siègent au début derrière les oreilles, pour s'étendre ensuite au visage, au cou, au tronc, aux bras et aux jambes. Les taches disparaissent dans ce même ordre après 10 jours environ. Certains enfants ont un peu de fièvre. Une des caractéristiques de la rubéole est un gonflement douloureux des ganglions lymphatiques de la région occipitale qui forment une sorte de chapelet. Le risque de contagion persiste jusqu'à 10 jours après le début de l'éruption.

La rubéole est très dangereuse pour les femmes enceintes : ce virus peut en effet provoquer des malformations graves du fœtus.

SYMPTÔMES TYPIQUES
- **Stade préalable ressemblant à un rhume**
- **Taches roses qui débutent derrière les oreilles et s'étendent ensuite à l'ensemble du corps**
- **Ganglions lymphatiques gonflés et douloureux dans la nuque**
- **Eventuellement légère fièvre**

Faut-il consulter ?
Le médecin doit être consulté pour confirmer le diagnostic.

Que fera le médecin ?
Il n'existe pas de traitement spécifique de la rubéole. Le médecin vous conseillera de tenir votre enfant à l'écart des femmes enceintes.

Ce que vous pouvez faire
- Votre enfant ne doit pas rester à la maison mais il vaut mieux éviter les contacts avec les femmes enceintes. Ne l'emmenez donc pas faire les courses avec vous !
- Ses petits amis qui ont déjà eu la rubéole peuvent venir jouer avec lui.
- La meilleure protection contre la rubéole est la vaccination, qui se fait à partir de 15 mois. Un rappel est prévu vers 10-12 ans.

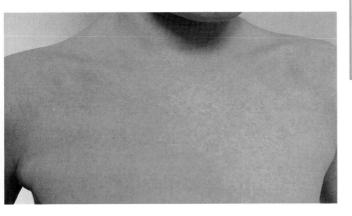

Eruption typique de la rubéole

Maladies infantiles
Scarlatine

La scarlatine est une des maladies infantiles contagieuses les plus fréquentes et est due aux mêmes streptocoques que ceux qui provoquent les angines pultacées. Les adultes aussi peuvent l'attraper. La scarlatine se transmet par contact direct (toux, éternuements, parole) ou indirect (objets infectés). On peut également être porteur sain de son microbe.

Après une période d'incubation de 2 à 4 jours environ, l'enfant fait soudainement de la fièvre (38,5 à 39° C) et a très mal à la gorge. La luette et les amygdales prennent une couleur rouge vif, la langue est chargée et blanchâtre. Après deux à quatre jours, la langue se décharge et prend une couleur rose framboise. Au 2e ou 3e jour qui suit l'apparition de la fièvre apparaît également l'éruption typique de la scarlatine, qui se traduit par un ensemble de petits points rouges légèrement surélevés ressemblant à du velours. A partir de la région de l'aine et des aisselles, l'éruption peut s'étendre à l'ensemble du corps et n'épargner que la zone autour de la bouche. Cette éruption est parfois prurigineuse mais elle peut parfaitement être absente. Une à trois semaines après le début de la maladie, la peau pèle au niveau de la paume des mains et de la voûte plantaire.

Si l'enfant a été traité très rapidement à la pénicilline, il peut refaire plusieurs fois la scarlatine, parce que l'instauration rapide du traitement ne lui a pas laissé le temps de fabriquer suffisamment d'anticorps pour se protéger contre une rechute.

SYMPTÔMES TYPIQUES

- Environ 39° C de fièvre
- Mal de gorge, inflammation de la gorge
- D'abord une langue chargée et ensuite framboisée
- Eruption "veloutée" qui s'étend de la région de l'aine et des aisselles au corps entier, à l'exception de la zone autour de la bouche

Complications

En l'absence d'antibiothérapie ou si celle-ci n'était pas suffisante, on peut observer, chez l'enfant, trois à quatre semaines plus tard une série de complications aux conséquences parfois mortelles : inflammation du myocarde (page 100), insuffisance cardiaque et circulatoire, infection rénale (page 105) avec risque d'insuffisance rénale ou de problèmes articulaires (rhumatisme articulaire aigu, page 154), qui provoquent des douleurs et des raideurs.

Faut-il consulter ?

En cas de suspicion de scarlatine, consultez toujours le médecin.

Que fera le médecin ?

- Le médecin prescrira à l'enfant de fortes doses de pénicilline. Si l'enfant est allergique à la pénicilline, il choisira un autre antibiotique.
- Le médecin peut également prescrire un antipyrétique en complément.

Maladies infantiles
Scarlatine

Ce que vous pouvez faire

• Veillez à ce que votre enfant prenne ses antibiotiques exactement comme l'a prescrit le médecin, et qu'il poursuive son traitement, même s'il se sent un peu mieux.

• Après un à deux jours de pénicilline, l'enfant n'est déjà plus contagieux mais il n'est pas guéri pour autant. Gardez-le au moins une semaine à la maison. L'alitement n'est cependant pas nécessaire.

• Essayez de faire baisser la fièvre avec un enveloppement froid des mollets (page 200) ou donnez à votre enfant les antipyrétiques prescrits par le médecin.

• Si votre enfant a des difficultés de déglutition, renoncez, les premiers jours, à lui donner une alimentation solide. Donnez-lui plutôt des boissons froides ou chaudes, légèrement sucrées, ou du bouillon.

• Si votre enfant fait, à court terme, une récidive, il est peut-être porteur sain de la bactérie. Il faut alors prévenir toutes les personnes qui ont été en contact avec lui pour qu'elles fassent un frottis de gorge. Si le frottis révèle la présence de streptocoques, le médecin prescrira un traitement de 5 jours à la pénicilline.

Eruption de la scarlatine : la zone autour de la bouche est épargnée. Sur le corps, les zones les plus touchées sont la région de l'aine et des aisselles.

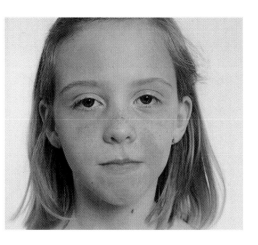

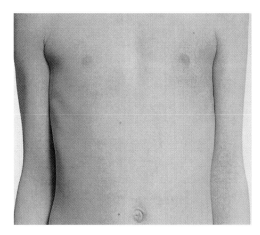

Maladies infantiles
Varicelle

La varicelle sévit dans le monde entier et est une maladie virale hautement contagieuse, qui touche enfants et adultes. Etant donné que son virus se transmet par contact direct (toux, éternuements, parole) mais aussi par l'air, "avec le vent", le risque de contagion existe à partir de 2 jours avant l'apparition des premiers symptômes et persiste jusqu'à 7 jours après le début de l'éruption typique. Sa durée d'incubation va de 12 à 21 jours.

La varicelle à son stade initial : apparition de taches et de pustules ouvertes, mais pas encore de croûtes.

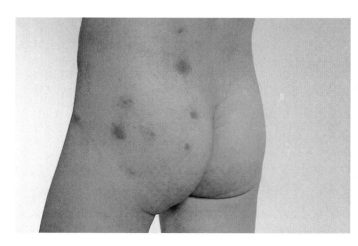

L'éruption typique de la varicelle commence par l'apparition de taches qui se transforment en vésicules et sont accompagnées de fortes démangeaisons. L'éruption s'étend à l'ensemble de la peau et des muqueuses - donc aussi dans la bouche, le vagin et sur le cuir chevelu. Les vésicules suintantes éclatent par vagues et forment des croûtes. Ces cycles durent 1 à 2 semaines, de sorte que les trois stades - taches, vésicules, croûtes - se côtoient. Certains enfants peuvent avoir jusqu'à 40° C de fièvre, tandis que d'autres n'en ont pas.

En cas de grattage, la varicelle laisse des cicatrices. Les vésicules peuvent alors être infectées par voie indirecte, par les salissures qui se trouvent sous les ongles et suppurer.

La maladie laisse une immunité de plusieurs années. Quand cette protection diminue, elle peut mener à une infection secondaire, le zona (page 179) qui se caractérise par une éruption localisée dans la zone d'innervation d'une racine nerveuse (dermatome).

Maladies infantiles
Varicelle

Complications

Pour un enfant en bon état de santé général, la varicelle est inoffensive. Elle n'est dangereuse que si une femme enceinte a été contaminée peu avant la naissance du bébé.

Chez les enfants immunodéprimés - par exemple en raison d'une leucémie, d'un déficit immunitaire congénital ou de la prise de médicaments qui font baisser les défenses immunitaires - la varicelle peut être grave. Ces enfants à risque peuvent recevoir des injections d'immuno-globulines qui empêchent l'apparition de la maladie ou en atténuent le développement. Pour ces cas graves, il existe également une vaccination efficace.

Faut-il consulter ?

Faites toujours confirmer le diagnostic par le médecin. Si les vésicules s'infectent ou suppurent, contactez immédiatement le médecin.

Que fera le médecin ?

- Si les démangeaisons sont fortes, le médecin prescrira peut-être à votre enfant un antihistaminique.
- Si les vésicules se sont infectées, il lui prescrira un antibiotique.

Ce que vous pouvez faire

- Pour adoucir les démangeaisons, vous pouvez tamponner les vésicules avec, par exemple, une lotion alba. Le talc mentholé (que l'on trouve en pharmacie) peut également soulager.
- Lavez votre enfant à l'eau froide et renoncez aux bains chauds qui augmentent les démangeaisons.
- Faites baisser la fièvre avec des suppositoires antipyrétiques plutôt qu'avec les enveloppements des mollets car la chaleur humide de l'enveloppement peut favoriser l'apparition des vésicules.
- S'il s'agit d'un bébé, changez-le plus souvent - car il faut éviter de le laisser dans une couche mouillée.
- Coupez les ongles de votre enfant très courts et veillez à leur propreté. S'il s'agit d'un nourrisson, enfilez-lui des chaussettes sur les mains ; si c'est un enfant plus grand, essayez de lui faire entendre raison.
- Les petites filles peuvent avoir des vésicules au niveau du vagin, qui brûlent au moment de la miction. Pour soulager ces douleurs, vous pouvez leur donner un bain de siège auquel vous aurez ajouté de la camomille (page 195).

Autres maladies infectieuses
Borréliose

Le microbe de la borréliose (maladie de Lyme) est la bactérie "borrelia" qui se transmet par les tiques. En Amérique du Nord et en Europe, il s'agit de la maladie la plus couramment transmise par les tiques.

Les borrelia vivent dans le sang des animaux de forêt, surtout les souris. Les tiques se contaminent lorsqu'elles mordent ces souris. Ensuite, quand elles mordent l'homme, les borrelia passent de la salive de la tique dans le sang de l'homme. Il faut toutefois pour cela que la tique soit restée au moins 48 heures sur l'homme.

La borréliose se déroule en trois phases :

1. Dans les 7 jours à 6 semaines qui suivent la morsure de la tique apparaît, autour de l'endroit de la morsure, un érythème circiné et migrant, de plus en plus grand, qui va et vient. Aux endroits touchés, la peau est plus chaude que normalement. Cette phase est souvent liée à des symptômes de type grippal (fièvre, douleurs articulaires). Non traité, l'érythème et les symptômes disparaissent en deux à trois semaines. Jusqu'à trois mois plus tard, la deuxième phase de la maladie commence mais la première phase peut aussi durer plusieurs mois.

2. Dix à vingt pour cent des cas non traités pendant la première phase souffrent de troubles de la concentration, de l'attention et de l'humeur, voire de paralysies des nerfs faciaux ou même d'une encéphalite. Dix pour cent des enfants touchés souffrent, trois à six semaines après la morsure de la tique, de troubles du rythme cardiaque, accompagnés de douleurs articulaires.

3. Dans la moitié des cas non traités, la deuxième phase de la maladie provoque - des mois voire des années après la morsure - des problèmes de rhumatisme des grandes articulations. Les troubles nerveux s'accentuent. Il y a alors inflammation chronique des orteils et des doigts.

SYMPTÔMES TYPIQUES

- **Erythème circiné autour de la morsure de la tique**
- **Symptômes grippaux**
- **Douleurs articulaires**
- **Troubles psychologiques**
- **Troubles du rythme cardiaque**

Ce que vous pouvez faire

- La meilleure protection est la prévention contre les morsures de tiques (page 123). Si vous trouvez néanmoins une tique, faites-la enlever dans les 24 heures qui suivent.

Faut-il consulter ?

La borréliose nécessite toujours un traitement médical. Elle présente de nombreux symptômes similaires à ceux du rhumatisme et du dysfonctionnement cérébral minime. Le diagnostic différentiel est donc important.

Que fera le médecin ?

Le médecin identifiera la maladie par la présence d'anticorps dans le sang. Si votre enfant est malade et que les symptômes sont encore là (ce qui peut durer jusqu'à 10 ans), les antibiotiques (pénicilline ou ampicilline) constitueront le traitement de premier choix, aussi bien chez les petits enfants que chez les enfants scolarisés. Chez les enfants plus grands, le médecin prescrira peut-être de la tétracycline. Les résultats obtenus chez les enfants de moins de 8 ans sont excellents. De plus, les troubles nerveux portent moins à conséquence chez les enfants que chez les adultes.

172

Autres maladies infectieuses
Encéphalite russe verno-estivale

La méningite russe verno-estivale est due à des virus transmis par les tiques. Ces virus vivent chez de nombreux rongeurs et oiseaux qui ne sont pas pour autant malades.

Contrairement aux borrelia qui ne pénètrent dans l'organisme de l'homme que lentement, les virus de l'encéphalite russe verno-estivale se transmettent assez rapidement. Cette maladie ne menace toutefois que dans certaines régions endémiques, situées en dessous de 1 000 mètres d'altitude. Dans ces régions, 1 % seulement environ des tiques sont porteuses du virus, c'est-à-dire que cette maladie ne survient que pour une morsure de tique sur 1 000 à 10 000.

L'encéphalite russe verno-estivale ne survient qu'au printemps et en été. Cette maladie se déroule en deux phases : la première phase, de 2 semaines, qui suit souvent une morsure de tique passée inaperçue, se caractérise par des symptômes de type grippal : abattement, fièvre, courbatures, maux de tête, perte d'appétit et douleurs abdominales. Elle peut éventuellement être accompagnée de toux et d'écoulement nasal. Ces symptômes persistent jusqu'à une semaine.

Après une période asymptomatique, qui peut durer jusqu'à 3 semaines, 5 à 20% des malades entament la 2e phase. Chez les autres, la maladie s'arrête là. Ceux qui entrent dans la 2e phase souffrent alors d'une méningite accompagnée de maux de tête, de raideur de la nuque, d'une température supérieure à 40° C, de vomissements, de photophobie et de paralysie des bras, des jambes et de la région scapulaire.

Faut-il consulter ?
Si vous craignez que votre enfant ne souffre d'une encéphalite russe verno-estivale, consultez le médecin.

Que fera le médecin ?
- Le médecin identifiera les virus responsables de cette maladie par le biais d'une analyse de sang.
- Il n'existe pas de traitement spécifique de cette maladie. Un alitement strict (d'au moins 10 jours) et de la kinésithérapie en cas de symptômes paralytiques améliorent les chances de guérison.

Ce que vous pouvez faire
- Protéger votre enfant des morsures de tiques (page 123) est le meilleur moyen d'éviter ces maladies.
- Si vous devez séjourner longtemps dans des régions à risque, un vaccin existe (page 221).

173

Autres maladies infectieuses
Grippe

La grippe (Influenza) est une maladie virale, fébrile, hautement contagieuse, qui se transmet par voie directe (toux, éternuements, parole).
Les épidémies de grippe sont particulièrement fréquentes en hiver. Les
symptômes typiques de la grippe apparaissent après 3 à 7 jours après
la contamination : fièvre élevée, toux, maux de tête, douleurs générali-
sées dans les membres et douleurs abdominales. Après 3 jours, la
fièvre disparaît. Si une 2e poussée de fièvre survient, c'est qu'il y a eu
surinfection bactérienne, par exemple une otite moyenne, une
bronchite ou une pneumonie.

Quand la grippe est passée, le corps est immunisé pour plusieurs
mois, voire plusieurs années.

SYMPTÔMES TYPIQUES
- **Fièvre élevée**
- **Toux**
- **Maux de tête**
- **Douleurs dans les
  membres**
- **Douleurs abdominales**

Faut-il consulter ?
• Si l'enfant a plus de 39° C de
fièvre ou s'il fait une 2e poussée
de fièvre, emmenez-le chez le
médecin.

Que fera le médecin ?
• Il n'existe pas de traitement
spécifique de la grippe. Le médecin prescrira à votre enfant l'alitement et, éventuellement, des
suppositoires antipyrétiques.
• En cas d'infection secondaire
bactérienne, le médecin lui prescrira des antibiotiques.

Ce que vous pouvez faire
• Veillez à ce que votre enfant
garde le lit.
• Faites baisser sa température
en lui faisant des
enveloppements des mollets
(page 200) ou en lui mettant
des suppositoires
antipyrétiques.
• Ne le couvrez pas trop.
• Donnez-lui beaucoup à boire,
de préférence du thé noir ou
une tisane à la camomille, avec
un peu de jus d'orange et une
pincée de sel.

• Lavez-le deux à trois fois par
jour avec de l'eau à 18° C.
• Prévention : quand règnent
les épidémies de grippe, évitez
les grands rassemblements,
notamment le cinéma, les
théâtres de marionnettes, les
fêtes sportives et autres mani-
festations publiques.
• La vaccination contre la
grippe n'est recommandée que
chez les enfants souffrant d'une
malformation cardiaque congénitale, d'asthme ou de mucoviscidose.

Autres maladies infectieuses
Hépatite

L'hépatite contagieuse est une infection virale du foie, provoquée, chez les enfants, le plus souvent par le virus de l'hépatite A. Ce virus se propage par les selles du malade, les aliments contaminés ou insuffisamment cuits et les boissons - même l'eau potable. Les situations qui comptent le plus de risques sont donc les voyages dans les pays en voie de développement et dans les régions méridionales où les conditions d'hygiène sont défaillantes.

La maladie provoquée par le virus de l'hépatite B touche rarement les enfants et ne se transmet que par contact direct avec les liquides corporels et le sang infecté - par exemple, dans les relations sexuelles ou si la mère a contracté une hépatite B pendant la grossesse. Il existe un vaccin pour protéger l'enfant contre cette hépatite et il est fortement recommandé si un membre de la famille est porteur de la maladie.

Les enfants qui ont une hépatite présentent les mêmes symptômes que ceux de la grippe. Ils sont abattus, épuisés et peuvent avoir de la fièvre. Dans plus de 80% des cas, le médecin constatera une hypertrophie du foie. La peau et la sclérotique ne deviennent jaunes que chez la moitié des enfants malades environ.

SYMPTÔMES TYPIQUES
- **Symptômes de la grippe**
- **Abattement, fatigue**
- **Douleurs abdominales**
- **Coloration jaune de la peau et du blanc de l'œil**

Ce que vous pouvez faire

- Si vous soignez votre enfant à la maison, mettez-lui, après chaque repas, une compresse chaude et humide sur le ventre (page 198).
- Respectez le régime prescrit par le médecin.
- Donnez à votre enfant une tisane à la camomille et veillez à ce qu'il en boive beaucoup.
- Instaurez une hygiène irréprochable aussi longtemps que l'enfant est malade : désinfectez les toilettes après usage, lavez séparément sa vaisselle, réservez-lui une serviette et un gant de toilette.
- Après chaque contact avec l'enfant malade, désinfectez-vous les mains.

- En homéopathie : vous pouvez donner en plus du Carduus marianus D4, 5 granules trois fois par jour, et Phosphorus D12, un comprimé deux fois par jour pendant deux semaines.
- A titre préventif : en voyage dans des pays aux conditions d'hygiène douteuses, respectez les règles suivantes : ne buvez ou ne mangez que des choses cuites, rôties, pelées ou cuites à l'étouffée. Si vous n'êtes pas sûr, faites-vous vacciner contre l'hépatite A ou - si vous n'avez plus le temps - faites-vous faire une injection de gamma-globulines.
- Un vaccin existe contre l'hépatite A et B (page 221).

Complications

Dans de rares cas, l'hépatite induit des épisodes inflammatoires chroniques qui peuvent mener à une cirrhose du foie.

Faut-il consulter ?

Si vous suspectez une hépatite chez votre enfant, appelez immédiatement le médecin.

Que fera le médecin ?

- Il n'existe pas de traitement spécifique, ni contre l'hépatite A, ni contre l'hépatite B. Le médecin prescrira à votre enfant l'alitement - de préférence à l'hôpital - et un régime adapté.
- Il lui expliquera également les mesures d'hygiène à respecter pendant sa maladie.

Mononucléose infectieuse

La mononucléose infectieuse, appelée, dans le langage populaire, la maladie des premiers baisers, est une maladie virale transmise par contamination directe (salive, toux, éternuements, parole) surtout de bouche-à-bouche. Elle touche principalement les enfants des écoles gardiennes et en début de scolarité mais peut également toucher les adultes.

La mononucléose infectieuse commence de manière aspécifique par une fatigue, un sentiment de malaise et, éventuellement, de la fièvre. Cet état peut durer plusieurs semaines. Finalement, les ganglions lymphatiques gonflent et on observe une hypertrophie de la rate. Les ganglions lymphatiques situés en dessous de la mâchoire peuvent atteindre la taille d'un œuf de poule et être douloureux à la pression, même légère. Deux tiers des malades ont également un dépôt jaune sur les amygdales. Les symptômes ressemblent à ceux d'une angine purulente, de la scarlatine ou des oreillons. Après régression des symptômes, il faut parfois des semaines, voire des mois, avant que l'enfant se sente tout à fait bien. Il n'existe pas de vaccin contre la mononucléose infectieuse. Cette maladie laisse une immunité à vie.

SYMPTÔMES TYPIQUES
- **Sensation de malaise et fatigue, parfois pendant plusieurs semaines**
- **Ganglions gonflés, surtout au niveau du cou**
- **Hypertrophie de la rate qui est palpable**
- **Dépôt jaunâtre sur les amygdales**
- **Eventuellement fièvre**

Dans la mononucléose infectieuse, les ganglions lymphatiques du cou sont, en général, enflés et bien visibles.

Faut-il consulter ?
Si vous sentez un gonflement au niveau des ganglions dans le cou de votre enfant, demandez conseil au médecin. Le diagnostic ne peut être confirmé que par l'identification de la présence du virus dans le sang.

Que fera le médecin ?
- Le médecin confirmera le diagnostic en se basant sur les résultats d'une analyse sanguine.
- Il n'existe pas de traitement spécifique de la mononucléose infectieuse. Si elle se complique de surinfection bactérienne, le médecin prescrira des antibiotiques - mais toutefois pas d'ampicilline étant donné que votre enfant pourrait y faire une allergie due à la maladie virale.
- La mononucléose ayant une durée très variable, c'est le méde-cin qui vous dira quand l'enfant peut retourner à l'école.

Complications
Dans certains cas rares, la mononucléose infectieuse peut dégénérer en une surinfection bactérienne à streptocoques, pouvant provoquer, notamment, une myocardite.

Ce que vous pouvez faire
- Laissez votre enfant au lit, s'il en a envie.
- Faites baisser sa température avec des enveloppements des mollets (page 200) ou des suppositoires antipyrétiques.
- Tenez son cou au chaud avec une écharpe.
- Donnez-lui des aliments faciles à digérer et beaucoup à boire.

Syndrome pied-main-bouche

Le syndrome pied-main-bouche est une infection virale, diagnostiquée pour la première fois chez les enfants en 1966. Elle survient par épidémie, en début d'automne, et principalement chez les enfants de moins de 10 ans. Ce virus se transmet par voie indirecte (vêtements, literie, fèces, urine, etc. infectés) et sa durée d'incubation est de 4 à 8 jours.

Des vésicules bien délimitées, qui ne démangent pas, allant jusqu'à 5 mm de diamètre, de couleur jaune blanchâtre, avec, en leur centre, un cratère rouge, se forment à l'intérieur de la bouche, sur le pourtour des lèvres ainsi que sur les mains et les pieds. Lorsque la bouche est fortement touchée, l'enfant a des difficultés à avaler. Ce syndrome s'accompagne d'une fièvre modérée. Après 8 à 16 jours, les vésicules disparaissent et la maladie est terminée. On ne connaît pas encore son pouvoir immunisant.

SYMPTÔMES TYPIQUES

- **Vésicules jaune blanchâtre, dans la bouche, sur les lèvres ainsi que sur la paume des mains et sur la voûte plantaire.**

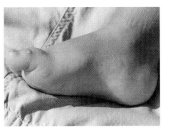

**Le syndrome pied-main-bouche.
Les vésicules peuvent s'étendre jusqu'aux orteils.**

Faut-il consulter ?

Oui, pour confirmer le diagnostic et exclure celui de la varicelle ou de la stomatite aphteuse.

Que fera le médecin ?

- Comme dans la majorité des maladies virales, il n'existe pas de traitement spécifique.
- Si votre enfant ne veut plus boire parce qu'il a des difficultés à avaler, le médecin préviendra peut-être éventuellement sa déshydratation en le mettant sous perfusion.
- Le médecin interdira la crèche et l'école à l'enfant pour éviter qu'il ne contamine les autres.

Ce que vous pouvez faire

- Donnez-lui une tisane chaude à boire à la cuillère.
- Faites-lui rincer la bouche avec de la tisane à la camomille ou à la sauge diluée.
- Les gels à base d'huile de rose, qu'on trouve en pharmacie, appliqués plusieurs fois par jour, peuvent aider.
- Evitez les mets épicés ou acides.

Autres maladies infectieuses
Syndrome de Kawasaki

Le syndrome de Kawasaki est une maladie infantile aiguë, rare et particulièrement fébrile, découverte pour la première fois en 1970 par le médecin japonais Kawasaki. Depuis peu, on sait que cette maladie est provoquée par un virus et qu'elle touche principalement les enfants de moins de 5 ans. Le syndrome de Kawasaki se caractérise par une fièvre élevée, qui persiste plus d'une semaine, accompagnée d'une éruption cutanée rouge, variable sur le corps, située surtout au niveau du cou, de la plante des pieds et de la paume des mains. On note également une forte rougeur des lèvres et de la langue ainsi qu'une conjonctivite. Souvent, les ganglions lymphatiques du cou sont également gonflés. La fièvre ne répond à aucun traitement - même pas aux antibiotiques. Le syndrome de Kawasaki peut provoquer des troubles cardiaques.

SYMPTÔMES TYPIQUES
- **Fièvre élevée, rebelle au traitement et persistant plus d'une semaine**
- **Eruption cutanée rouge au niveau du cou, de la paume des mains et de la plante des pieds**
- **Lèvres et langue très rouges**
- **Conjonctivite**

Faut-il consulter ?
Si un enfant a une fièvre élevée qui persiste plus de trois jours, demandez toujours conseil à votre médecin.

Que fera le médecin ?
Le médecin qui identifie un syndrome de Kawasaki enverra l'enfant à l'hôpital, en raison des complications cardiaques qui peuvent en résulter. Le traitement consiste en des doses élevées d'immunoglobulines et d'acide acétylsalicylique.

Ce que vous pouvez faire
- Après la sortie de l'hôpital, faites contrôler l'état du cœur de votre enfant régulièrement pendant plusieurs années.
- Si le cœur est atteint, votre enfant ne pourra reprendre le sport qu'après avis favorable du médecin.

Autres maladies infectieuses
Zona

Le zona (Herpes zoster) est transmis par le même virus que celui de la varicelle (page 170). Le zona survient toujours après une varicelle, soit parce que celle-ci n'a pas suffisamment immunisé l'enfant, soit parce que le laps de temps écoulé depuis sa varicelle a diminué l'efficacité de l'immunisation. Les enfants souffrent donc rarement d'un zona et le plus souvent pas avant l'âge de 10 ans. Etant donné que la voie de contamination est la même, les adultes qui souffrent d'un zona peuvent contaminer des enfants et leur donner une varicelle et inversement.

Le zona touche un ou plusieurs dermatomes et est souvent limité à un seul côté. Cette maladie se caractérise par l'apparition, sur le parcours du nerf touché, de vésicules suintantes, fortement prurigineuses, en bouquet, qui forment, après une semaine environ, des croûtes qui tombent. Après la chute des croûtes, une douleur intense subsiste souvent dans la région du nerf touché (névralgies) parfois pendant plusieurs mois. Le zona est contagieux dans les deux jours précédant l'apparition de l'éruption cutanée, jusqu'à la chute des croûtes. Il peut être accompagné de fièvre.

Complications
Dans de rares cas, l'Herpes zoster touche la branche oculaire du nerf trijumeau (zona ophtalmique), une maladie dangereuse et extrêmement douloureuse.

Faut-il consulter ?
Le zona doit faire l'objet d'un traitement médical.

Que fera le médecin ?
- Le médecin prescrira à votre enfant des médicaments destinés à inhiber la prolifération du virus dans l'organisme (zovirax, qui doit être instauré le plus tôt possible et à dose élevée).
- Contre les douleurs, il vous prescrira peut-être des antalgiques ou des pommades.

Ce que vous pouvez faire
- Tout comme dans la varicelle, traitez les vésicules avec des liquides ou de la poudre rafraîchissante qui calme les démangeaisons.
- En homéopathie : contre les douleurs : au début de la maladie, Mezereum D4, un comprimé trois fois par jour pendant deux à quatre semaines. Quand les croûtes sont apparues : en plus : Acidum nitricum D4, un comprimé trois fois par jour. Contre les démangeaisons, vous pouvez également ajouter Rhus toxicodendron D30, un comprimé trois fois par jour.

Troubles psychologiques

Le développement physique de l'enfant se produit par poussées, soit en hauteur, soit en largeur ; son développement psychique, lui aussi, comporte différentes phases. Chaque nouvelle phase de développement bouleverse le psychisme de l'enfant qui, pour s'adapter à sa nouvelle situation, a besoin que ses parents se montrent particulièrement compréhensifs, attentionnés et rassurants.

Les troubles psychologiques observés chez l'enfant sont une réponse à un surmenage ou à des situations conflictuelles que son psychisme n'est pas encore capable d'intégrer et de gérer. Souvent, ce n'est pas son psychisme qui est entièrement perturbé, mais seulement certains de ses comportements qui ne correspondent plus à la norme fixée par la société. Lorsque les changements comportementaux ne peuvent pas être rattachés à une crise, les causes de ce "cri de l'âme" ne peuvent souvent être identifiées que par un psychothérapeute.

Certains enfants réagissent aux conflits familiaux ou scolaires par des symptômes physiques (ce que l'on appelle les maladies psychosomatiques). La plupart du temps, ces conflits s'expriment sous la forme de maux de ventre ou de maux de tête dont les enfants souffrent souvent dès le lever. Ces douleurs peuvent être intenses au point d'inciter les parents inquiets à consulter. Lorsque le médecin ne découvre aucune cause organique, il essaiera de voir s'il existe des conflits et, le cas échéant, de les résoudre avec les parents. Dans les cas graves, le médecin peut envoyer l'enfant chez un psychologue.

Agressivité

Le deuxième stade du développement commence vers deux ans et correspond à la phase du "non". A cet âge, l'enfant découvre qu'il peut se démarquer des autres et s'opposer à eux. Il doit se positionner dans cette capacité de dire non et affirmer sa personnalité dans le cadre de sa vie sociale. Les enfants ont besoin de règles à suivre qui leur fournissent un cadre permettant le bon déroulement de leur vie. Mais si leurs parents n'ont eux-mêmes pas de règles et ne leur montrent pas le bon exemple, il n'est pas étonnant que certains enfants ne sachent pas où ils en sont. Les enfants doivent s'habituer à l'idée qu'on ne peut pas se plier à leur moindre caprice et qu'il faut chercher, ensemble, la voie du compromis.

Les enfants dont les parents n'ont pas mis de règles en place sont souvent peu sûrs d'eux et réagissent de manière violente dès qu'ils n'obtiennent pas ce qu'ils veulent. Ce comportement conflictuel peut s'installer dès la petite enfance et se traduire, par exemple, par une véritable guerre à chaque repas. Plus tard, ces enfants agressifs bousculent ou frappent leurs camarades de jeux au jardin d'enfants et à

Bébés hurleurs

Certains bébés piquent tous les soirs ou toutes les nuits une véritable crise de hurlements (voir coliques du nourrisson, page 42) - face à laquelle leurs parents sont censés réagir dans le calme et la compréhension. Il est bien sûr tout à fait compréhensible que des parents réveillés toutes les nuits perdent parfois ce calme. Il ne faut néanmoins jamais oublier que ces pleurs sont le seul moyen dont dispose le nourrisson pour exprimer ses problèmes/douleurs/angoisses.

Troubles psychologiques

l'école. On peut observer une véritable escalade de leur violence (morsures).

La télévision - sans contrôle parental - favorise les comportements agressifs. L'enfant ne comprend souvent pas les nombreuses scènes de violence et d'agression qu'il y découvre et finit par penser qu'il s'agit d'un comportement tout à fait normal qu'il se met alors à imiter.

La seule manière d'aider les enfants agressifs est de leur imposer, avec tendresse et amour, des règles qui doivent être respectées des deux côtés.

Enurésie

On parle d'énurésie quand un enfant de plus de 4 ans mouille régulièrement, c'est-à-dire plus de deux fois par semaine, ses vêtements ou son lit. Si l'énurésie survient après une période d'un an ou plus pendant laquelle l'enfant était propre de jour comme de nuit, on parle d'énurésie secondaire. Dans ce cas, les causes sont certainement d'ordre psychologique, par exemple l'arrivée d'un petit frère ou d'une petite sœur ou des parents qui divorcent. Il arrive que l'énurésie secondaire passe très vite mais elle peut aussi s'installer et entraîner des problèmes psychologiques graves. Dans la majorité des cas, l'énurésie disparaît à la puberté.

Si l'enfant n'était pas encore propre, la cause de son énurésie peut être liée à une maturation insuffisante des nerfs qui commandent la vidange de la vessie ou encore à une faiblesse du sphincter vésical. L'énurésie est fréquente dans l'infection des voies urinaires (page 103), le diabète sucré (page 126) ou chez les handicapés mentaux.

Si votre enfant a plus de quatre ans et qu'il mouille encore régulièrement sa culotte ou fait pipi au lit, emmenez-le chez le médecin. Celui-ci exclura avant tout les causes organiques et vous conseillera sur la manière d'aborder le problème. Il enverra, éventuellement, votre enfant chez un psychothérapeute. Les programmes de conditionnement de la vessie n'ont de sens qu'à partir de 5 ans et doivent être précédés d'un diagnostic psychologique.

Encoprésie

L'encoprésie est l'émission incontrôlée de selles pendant la journée chez un enfant qui sait déjà aller aux toilettes. Environ 2% des enfants de 8 ans en souffrent et ce problème se rencontre plus fréquemment chez les garçons que chez les filles. Lorsqu'il n'y a pas de constipation chronique (page 89), dans laquelle des selles liquides passent à côté d'une masse fécale dure au niveau de l'intestin, l'encoprésie est généralement consécutive à des situations conflictuelles au niveau familial ou scolaire.

Troubles psychologiques

Si un enfant de 4 ans, déjà propre, continue à préférer porter une couche que d'aller aux toilettes, mieux vaut le laisser faire.

Si votre enfant fait encore dans sa culotte, bien qu'il aille régulièrement aux toilettes, consultez le médecin. Celui-ci exclura d'abord la constipation chronique et, ensuite, essaiera de voir si les problèmes de l'enfant s'expliquent par des difficultés psychologiques et, en cas de doute, l'enverra chez le psychothérapeute.

Troubles de l'alimentation

On entend par troubles de l'alimentation des troubles du comportement alimentaire dus à des situations psychologiques conflictuelles. Les troubles de l'alimentation apparaissent le plus souvent à la puberté et sont dix fois plus fréquents chez les jeunes filles que chez les jeunes garçons. Chez les adolescentes, ils sont le plus souvent liés à un refus inconscient de devenir adultes et d'assumer leur rôle de femmes. On constate aussi que les enfants issus de familles où la réussite compte plus que tout souffrent souvent de troubles de l'alimentation.

Dans l'anorexie mentale, l'adolescente (98% des anorexiques sont des filles) refuse de manger et perd du poids. Une caractéristique de cette maladie est que l'anorexique accorde à l'alimentation la plus grande attention : elle calcule exactement les calories et l'apport en graisses de chaque aliment et a besoin de toute une journée pour manger une pomme ou un biscuit. L'anorexique pratique souvent le sport à l'extrême. Elle refuse en général de reconnaître qu'elle est malade et a une image faussée d'elle-même. Dans les cas très graves, elle se laisse parfois mourir de faim.

Les boulimiques, par contre, se gavent de quantités énormes d'aliments et ensuite se font vomir. Elles abusent souvent aussi des laxatifs, uniquement pour ne pas grossir. Toutes les pensées sont concentrées sur la nourriture - comme dans l'anorexie. Etant donné qu'elles conservent généralement leur poids, elles n'ont pas l'air malade et pourtant elles reconnaissent leur maladie et souffrent d'un sentiment de honte prononcé qu'elles essaient de refouler par un nouvel épisode de boulimie.

La boulimie, tout comme l'anorexie, doit être considérée et traitée comme un trouble psychiatrique et toute la famille doit être impliquée dans la psychothérapie. Chez les anorexiques, l'hospitalisation à relativement long terme s'avère souvent indispensable et certaines adolescentes doivent être mises sous alimentation artificielle. La guérison à long terme des anorexiques est très aléatoire.

Troubles psychologiques

Syndrome d'hyperactivité

On parle du syndrome d'hyperactivité ou hyperkinétisme quand on retrouve, chez un enfant, trois conditions caractéristiques : concentration impossible, pas d'activité continuée, c'est-à-dire que l'enfant passe d'une activité à l'autre, quitte l'une pour reprendre l'autre, etc. et un mouvement perpétuel (il a la bougeotte). Dans un groupe d'enfants du même âge, les hyperactifs font souvent office de clowns de service ou se font remarquer par leur comportement agressif. Les enfants hyperactifs ne sont pas capables de s'engager dans des relations durables et sont souvent rejetés par leur environnement, ce qui les marginalise encore davantage. Ils vivent sans cesse sur le fil de la corde, ont besoin d'une stimulation extrême pour tenir le coup et peuvent se mettre eux-mêmes ou mettre les autres dans des situations dangereuses.

Les causes de ce trouble du comportement, que l'on n'a pas encore étudié de manière approfondie et qui touche plus les garçons que les filles, résident probablement dans un dysfonctionnement cérébral minime (page 139). D'autres causes, notamment les allergies alimentaires ou encore un défaut d'inhibition des neurones excitateurs, sont également évoquées.

Si vous craignez que votre enfant souffre d'un syndrome d'hyperactivité, faites-le examiner par un médecin expérimenté ou un centre spécialisé. Seul un spécialiste peut poser ce diagnostic avec certitude. Les familles qui ont un enfant hyperactif ont souvent besoin d'une aide psychothérapeutique et de conseils à long terme. Si les enfants et les parents sont pris en charge de manière conséquente tant sur le plan pédagogique que psychologique, le problème peut disparaître. Certains enfants évoluent d'ailleurs spontanément vers la guérison.

Les traitements médicamenteux ne font pas disparaître ces troubles du comportement mais les améliorent parfois sensiblement. Ils sont donc donnés à titre complémentaire dans une psychothérapie.

Troubles du sommeil

Normalement, les enfants dorment bien. Souvent les parents ont une idée fausse des besoins en sommeil de l'enfant.

• Pendant les 6 premiers mois de sa vie, le bébé peut ne pas dormir plus de quatre à six heures consécutives. Entre 6 mois et 1 an, il dort deux à trois heures la journée et en principe pas plus de huit heures la nuit.

• Les petits enfants de moins de 4 ans ne passent généralement pas la nuit entière et s'éveillent en moyenne deux fois par nuit. Ils continuent

Troubles psychologiques

encore souvent à faire des siestes la journée, pendant lesquelles ils peuvent dormir ou non.

• A partir de 6 à 7 ans, les enfants passent en général leurs nuits. La fatigue scolaire augmente en effet souvent leur besoin de sommeil.

Le temps que dort un enfant dépend de ses besoins individuels qui peuvent varier de 8 à 14 heures par jour.

Si les enfants se réveillent la nuit, le plus souvent les causes ne seront pas physiques. Des histoires trop effrayantes avant d'aller dormir, une journée trop chargée en bouleversements affectifs, des couvertures trop chaudes ou une température trop élevée dans la chambre peuvent perturber leur sommeil.

Quand un enfant ne veut pas dormir, c'est peut-être parce qu'il se sent abandonné. Les rituels et, notamment, un petit quart d'heure de câlins avant d'aller dormir peuvent aider.

Chez les nourrissons, les troubles du sommeil sont pratiquement toujours "faits maison". Un bébé a besoin, la première année de sa vie, de journées calmes. Si sa journée est trop agitée, il y réagira, lui aussi, par une agitation, des cris et des troubles du sommeil. Un bébé peut être surmené par un long trajet en voiture, une fête familiale, un voyage à l'étranger ou le jeu. La crèche que l'enfant fréquente régulièrement ne pose par contre aucun problème.

Quand un enfant commence à ramper et à découvrir le monde qui l'entoure, il vit chaque jour des aventures nouvelles, inconnues jusqu'alors et passionnantes, qui lui laissent des impressions qu'il traitera la nuit dans ses rêves. Voilà pourquoi, à cet âge, il peut s'éveiller plus souvent la nuit et sembler effrayé.

Créer un climat favorable au sommeil

• La chambre doit être bien aérée et pas trop chaude (14 à 15° C). Laissez de préférence la fenêtre ouverte. Renoncez aux bouillottes,

184

Troubles psychologiques

édredons en plumes, peaux de mouton et vêtements trop chauds ou trop nombreux. Quand bébé a chaud, il transpire, ce qui lui donne soif, l'éveille et le fait pleurer.
• La journée, laissez le plus souvent possible un nourrisson dormir à l'air frais, il n'en dormira que mieux la nuit.
• Les enfants plus grands qui ont des problèmes de sommeil dormiront mieux si on les laisse jouer dehors la journée, surtout en plein hiver.
• Pas de jeux énervants, de télévision ou d'histoire effrayante juste avant d'aller dormir.
• Le soir, renoncez aux repas lourds qui surchargent la digestion.
• Si votre enfant souffre de troubles de l'endormissement ou du sommeil, vous pouvez lui donner un "thé spécial" avant le coucher (page 205).

Toxicomanie

La toxicomanie est la dépendance physique ou psychique aux hallucinogènes (marijuana, héroïne, cocaïne), aux médicaments, aux substances à priser mais aussi aux drogues acceptées par la société, telles que l'alcool et la cigarette. Les toxicomanes ont besoin de leur drogue de plus en plus souvent et en quantités de plus en plus importantes. Quand ils sont en manque, ils présentent des symptômes de sevrage.

Au cours des trente dernières années, l'abus de drogues dures a pris des proportions de plus en plus importantes tant au niveau individuel que social. De la consommation à la dépendance, le toxicomane est pris dans un tourbillon duquel il ne peut généralement pas se sortir seul. On estime aujourd'hui que l'âge moyen de la première expérience de la drogue se situe vers 12 ans. Selon certaines estimations, 20% des jeunes prennent de la drogue une fois dans leur vie.

Des changements de comportement chez votre enfant, des performances scolaires en baisse, un cercle d'amis qui évolue sans cesse, tous ces signes doivent vous faire penser qu'il est peut-être dépendant.

Les signes d'alarme de la toxicomanie sont des états d'angoisse, de dépression et de confusion, une pupille contractée indépendamment de la lumière ambiante, des crises convulsives alors que l'enfant n'a jamais été épileptique.

La toxicomanie doit être traitée par un médecin ; elle exige, le plus souvent, un séjour en milieu hospitalier et la participation à un programme de sevrage qui comprend une prise en charge psychologique et sociale spécialisée.

Maladies graves

Certains enfants souffrent de maladies congénitales ou acquises graves qui ont un impact permanent sur leur vie et donc sur celle de leur famille. Souvent, le prix à payer pour assurer à l'enfant une existence plus ou moins acceptable est celui de traitements longs, douloureux et lourds, parfois ponctués par la perte de tout espoir de garder l'enfant en vie.

Les enfants qui souffrent de maladies graves exigent de leurs parents, outre l'attention et l'amour, beaucoup de temps et d'énergie. Le fait de savoir que leur enfant est malade ou handicapé pour longtemps constitue une véritable scission entre l'avant et l'après et plonge la majorité des parents dans des crises existentielles profondes. Le premier choc du diagnostic surmonté, les parents ont besoin d'explications claires sur les possibilités de traitement, le pronostic de la maladie, la manière de vivre la maladie le mieux possible au quotidien.

Nous allons passer en revue, brièvement, les grandes maladies graves en reprenant leur principal traitement.

Autisme

Le terme d'autisme désigne un trouble profond de la personnalité dans lequel, pour des raisons non encore élucidées, l'enfant est incapable de communiquer avec autrui et se replie entièrement sur lui-même. Le bébé peut présenter ses premiers problèmes relationnels en refusant, par exemple tout contact physique, en cherchant à éviter d'être pris dans les bras, ou en ne riant jamais. Les enfants autistes plus âgés qui ne parlent pas semblent ne pas entendre. Ils souffrent d'une angoisse extrême à tout changement de leur environnement. Ils développent des rituels comportementaux contraignants, refusent tout contact avec autrui, se frappent volontairement et ont souvent un comportement ostensiblement agressif. Dans le traitement de l'autisme, on essaie, par petites étapes, d'apprendre aux enfants à parler et à communiquer. Ces efforts ne donnent de résultats que chez environ la moitié d'entre eux. Les autres ont besoin, toute leur vie, d'un accompagnement psychologique et sont incapables de vivre seuls.

Cœliakie ou maladie cœliaque

La cœliakie est une intolérance congénitale au gluten, une protéine que l'on retrouve dans le blé, le seigle et l'orge. La paroi de l'intestin grêle s'abîme, empêchant l'assimilation suffisante des aliments. Il en résulte des symptômes de carence. Les premiers symptômes apparaissent quelques mois après que le nourrisson a commencé à recevoir des céréales : l'enfant devient particulièrement irritable et évite les contacts. Il manque aussi d'appétit. Un autre symptôme est une diarrhée nauséabonde de selles grasses et huileuses. Au fil du temps, les

Maladies graves

muscles des membres s'atrophient et l'abdomen est de plus en plus distendu et gonflé.

Le diagnostic est confirmé par une analyse de sang et une biopsie de l'intestin. Des enfants qui souffrent de cœliakie peuvent se développer parfaitement et être en bonne santé à condition de suivre un régime sans gluten. Tout écart de régime induit rapidement une diarrhée et une rechute de la maladie, si des mesures adéquates ne sont pas entreprises immédiatement.

Leucémie

La leucémie est le cancer du sang le plus fréquent chez les enfants. Ils souffrent toujours de sa forme aiguë dans laquelle, pour des raisons non encore élucidées jusqu'à présent, la moelle osseuse produit un grand nombre de globules blancs anormaux, au détriment des globules blancs sains, des globules rouges et des plaquettes. Les enfants leucémiques sont pâles, fatigués, manquent d'appétit, ont souvent mal au ventre et se plaignent de douleurs dans les os et les articulations, d'ecchymoses non expliquées et de saignements fréquents du nez.

Le diagnostic est posé sur la base d'une ponction médullaire. Ces dernières années, l'éventail de l'arsenal thérapeutique s'est beaucoup étendu et le pronostic de la leucémie est relativement bon. Dans 70% des cas, le traitement permet la guérison complète. Les leucémiques doivent être traités dans des hôpitaux pour enfants et par des pédiatres disposant de connaissances spéciales en oncologie. Ce traitement est toujours long, tant pour les enfants que pour les parents. Le traitement a pour objectif la destruction des cellules leucémiques par l'instauration d'une chimiothérapie, d'une greffe de moelle osseuse, de l'administration de cortisone et de rayons. Quand toutes ces mesures arrivent à bout de la leucémie, des examens sanguins réguliers de contrôle sont nécessaires pour dépister le plus précocement possible toute rechute.

Maladie de Crohn

La maladie de Crohn est une inflammation chronique des muqueuses de l'intestin, qui progresse par poussées et dont on ne connaît pas encore avec certitude la cause. Il faut souvent des mois, voire des années, avant qu'elle ne soit identifiée, parce que ses symptômes sont très atypiques. Les enfants qui en sont atteints manquent d'appétit, ne grandissent pas et grossissent peu. Ils ont souvent des douleurs abdominales récidivantes et des diarrhées aqueuses dans lesquelles on peut parfois observer la présence de mucus ou de sang. Pour confirmer le diagnostic, le médecin fera une coloscopie avec biopsies dont l'examen microscopique lui permettra de poser son diagnostic avec certitude.

Maladies graves

Les enfants qui souffrent de la maladie de Crohn doivent être traités par un médecin spécialisé. Ils ont besoin d'un traitement médicamenteux au moins jusqu'à l'âge adulte.

Maladie de Hodgkin

La maladie de Hodgkin (lymphogranulomatose maligne) est un cancer des ganglions lymphatiques. Elle commence souvent de manière insidieuse : des adénopathies à différents endroits du corps. Le plus souvent, la lymphogranulomatose n'est identifiée que quand elle atteint les ganglions inguinaux et que ceux-ci deviennent visibles. Les enfants perdent du poids, transpirent beaucoup la nuit et peuvent avoir des poussées de fièvre inexplicables.

A la moindre suspicion de lymphogranulomatose maligne, le chirurgien pédiatrique prélèvera un ganglion pour une analyse au microscope qui permettra la pose du diagnostic. Grâce à un diagnostic précoce et une chimiothérapie et une radiothérapie ciblées, jusqu'à 90% des enfants malades retrouvent la voie de la guérison. Comme dans la leucémie, ces enfants doivent être traités par des pédiatres spécialisés (hématologues).

Mort subite du nourrisson (MSN)

En France, 1,5% des nourrissons décèdent soudainement au berceau. Leurs parents les retrouvent morts alors que, peu de temps avant, ils semblaient en pleine santé et bien éveillés. La cause de la mort subite du nourrisson est encore inconnue. L'expérience a toutefois démontré que les mesures préventives suivantes pouvaient en réduire le risque :
• Allaiter bébé aussi longtemps que possible la première année.
• Ne laisser fumer personne dans l'environnement immédiat de l'enfant.
• Ne pas habiller bébé trop chaudement et proscrire du lit toute bouillotte ou peau de mouton. Pour dormir, n'habiller l'enfant que d'une petite chemise en coton et de sa couche. Ne pas placer le lit de bébé près d'une source de chaleur ni le laisser en plein soleil.
• La position dans laquelle est couché le bébé et son rôle éventuel dans la mort subite du nourrisson ont récemment fait l'objet de vives discussions. La position recommandée à l'heure actuelle est sur le côté, surtout pas sur le ventre. Mais plus important encore que la position : ni oreiller, ni gros édredon, ni peau de mouton, et un matelas dur.
• Eviter le stress et notamment les longs trajets en voiture, les environnements étrangers et bruyants, les fêtes - un bébé y réagit toujours par une agitation accrue qui a également un effet sur son sommeil.

Maladies graves

Mucoviscidose

La mucoviscidose est une maladie héréditaire qui se caractérise par un dysfonctionnement des glandes qui produisent le mucus. Cette affection atteint le pancréas, les glandes muqueuses de la trachée et des bronches ; elle entraîne la production d'un mucus épais, visqueux et trop collant qui obstrue les canaux de sortie des glandes.

Cette maladie est le plus souvent découverte chez le nourrisson au moment où on passe du lait maternel au biberon car le pancréas ne produit pas certaines enzymes nécessaires à la digestion, ce qui provoque des diarrhées chroniques avec émission de selles décolorées, graisseuses et souvent fétides. L'enfant montre également un retard de croissance et une prise de poids insuffisante. Le mucus bronchique trop visqueux est la cause des quintes de toux et constitue un milieu favorable à la prolifération bactérienne : ces enfants souffrent de bronchites ou de pneumonies à répétition. Le diagnostic de mucoviscidose est confirmé par un test de sueur, qui révèle un taux de chlore anormalement élevé.

La mucoviscidose est une maladie incurable. La mise en place, à vie, d'un traitement strict permet toutefois d'améliorer l'existence des enfants qui en souffrent et il est également possible de soulager leurs symptômes par une kinésithérapie respiratoire, des mucolytiques médicamenteux, des enzymes pancréatiques ou des antibiotiques en cas d'infection. Dans les meilleurs des cas, les enfants peuvent être traités en ambulatoire dans des centres spécialisés.

SIDA

Comme son nom l'indique, le SIDA (Syndrome d'ImmunoDéficience Acquise) est une faiblesse immunitaire acquise due à une infection par le VIH (Virus de l'Immunodéficience Humaine). Les virus attaquent les cellules sanguines en charge de défendre l'organisme contre les infections.

Ce virus se transmet principalement par les relations sexuelles non protégées ou les transfusions de sang infecté. Depuis la mise en place d'une législation à ce sujet, la voie de transmission sanguine est désormais exclue. Les enfants HIV positifs ont presque tous été infectés par leur mère contaminée pendant la grossesse.

Les symptômes du SIDA : diarrhées massives, fièvre, ganglions gonflés, mycoses apparaissent souvent après une année de latence. Les enfants sont plus particulièrement touchés par des infections répétées des voies respiratoires supérieures et des oreilles. Aujourd'hui le test PCR est cependant capable de détecter la présence de ce virus dans le sang à un stade précoce par l'identification de son ARN viral.

Le SIDA est une maladie mortelle mais les progrès thérapeutiques dans ce domaine sont importants, notamment en chimiothérapie où on dispose aujourd'hui d'inhibiteurs par compétition (analogues nucléosidiques et non nucléosidiques de la reverse transcriptase) ainsi que d'antiprotéases. Le traitement du SIDA comprend aussi la lutte contre les infections opportunistes, entre autres avec des antibiotiques, des antituberculeux, des antiparasitaires, etc. A l'aube de l'an 2000, aucun vaccin, par contre, n'a encore malheureusement pu être développé contre le SIDA.

Syndrome de Reye

Le syndrome de Reye est une maladie extrêmement rare mais très grave, voire mortelle si elle n'est pas diagnostiquée à temps. Le plus souvent, elle survient après une maladie fébrile - surtout la varicelle ou la grippe - pour laquelle l'enfant a reçu de l'acide acétylsalicylique (par exemple de l'Aspirine®) pour faire baisser la fièvre. Pour une raison encore inconnue, la prise de ce médicament déclenche la destruction de cellules du cerveau et du foie. Symptômes : après une maladie fébrile surmontée, l'enfant fait une nouvelle poussée de fièvre et vomit. Comme dans l'encéphalopathie, sa conscience est altérée à cause d'un œdème cérébral.

Si l'on suspecte un syndrome de Reye, l'enfant doit être montré immédiatement à un médecin ou emmené à l'hôpital. Il devra être hospitalisé. Depuis que le paracétamol est préconisé pour faire baisser la fièvre chez les enfants, le syndrome de Reye a pratiquement disparu.

Trisomie 21

La trisomie 21 (maladie de Down ou encore mongolisme) est l'aberration chromosomique la plus courante. Au lieu d'avoir 46 chromosomes, l'enfant trisomique en a 47. Un chromosome surnuméraire s'ajoute en effet à la 21e paire et c'est lui le responsable de cette maladie typique.

La trisomie se reconnaît dès la naissance : la tête est large et aplatie, les yeux sont écartés et obliques, un repli cutané recouvre l'œil et parfois même une partie de l'iris, le visage est arrondi et les pommettes saillantes. Toutes ces particularités donnent à l'enfant un faciès de mongolien. La base du nez est aplatie et élargie, la bouche est le plus souvent ouverte et laisse entrevoir une langue volumineuse. Ces enfants ont également des mains très caractéristiques aux doigts courts et à la paume très large ; l'intérieur de leur main est traversé par un pli palmaire unique. Leur tonus musculaire est faible et leurs articulations sont souvent hyperlaxes. Cinquante pour cent des enfants trisomiques ont une malformation cardiaque. Les trisomiques ont un développement physique et mental plus lent que les enfants normaux et sont plus sujets aux infections. Adultes, ils restent de petite taille et leur espérance de vie est réduite.

Il n'existe pas de traitement médicamenteux. Les enfants trisomiques sont des enfants handicapés souvent très gentils et très attachants. Grâce à des efforts patients, ils peuvent progresser mais ont besoin d'enseignants et d'éducateurs spécialement formés à leur intention. Le mieux, pour ces enfants, est de pouvoir grandir au sein de leur famille et de ne pas devoir être internés. Il faut pour cela pouvoir disposer de bonnes écoles ou de centres d'accueil de jour à proximité dans lesquels ils puissent être stimulés par des exercices de logopédie et de kinésithérapie ou par de l'ergothérapie. Et il faut également qu'ils soient acceptés par les autres. Le stade de développement qu'atteignent les enfants trisomiques est très variable : certains ont besoin toute leur vie d'aide pour les activités quotidiennes telles que manger ou s'habiller, tandis que d'autres peuvent même apprendre à utiliser les transports en commun seuls et arrivent à gagner leur vie en faisant un travail simple.

Tuberculose

La tuberculose est une maladie infectieuse. En France, après une décroissance régulière pendant plusieurs décennies, l'incidence de la tuberculose s'est stabilisée au début des années '90 avant d'amorcer une lente remontée depuis 1991. En 1993, son incidence était de 17,2/100 000. Les voyages de plus en plus fréquents dans certains pays lointains où la tuberculose est encore largement répandue contribuent à l'augmentation du nombre de cas. La tuberculose est due au bacille de Koch. Lors de la primo-infection, elle se transmet à l'enfant par voie aérienne, donc par contamination directe (toux, éternuements, parole) et atteint le plus souvent les poumons. L'association d'une lésion pulmonaire et d'un ganglion lymphatique constitue le complexe primaire. Dans la majorité des cas, le complexe primaire cicatrise et peut se calcifier. La maladie s'arrête alors là et sommeille. Cette tuberculose primaire n'est pas contagieuse et passe souvent inaperçue. Elle n'est souvent découverte que plus tard quand un test tuberculinique se révèle positif. Lorsque c'est le cas, l'enfant doit être radiographié et traité. Le traitement consiste en une chimiothérapie de 3 à 4 mois qui peut être réalisée à domicile. Pendant cette période, des visites de contrôle mensuelles sont indispensables. Chez les nourrissons et les petits enfants, ainsi que chez les enfants immunodéprimés, le bacille de Koch risque d'envahir le circuit sanguin et d'atteindre ainsi d'autres organes (tuberculose miliaire). C'est une maladie grave qui nécessite une hospitalisation. La tuberculose ne devient donc contagieuse qu'en cas de réactivation d'un foyer primaire qui se nécrose, donnant lieu à suppuration.

Médecines douces et remèdes de

Du thé à l'anis au cataplasme aux oignons, la palette des remèdes «maison» qui soulagent les petits bobos de tous les jours est très vaste. Vous trouverez, dans ce chapitre, les recettes de base et leurs applications, qui ne sont pas reprises directement sur la page consacrée aux maladies auxquelles elles se rapportent.

Vous découvrirez également comment faire avaler plus facilement à votre enfant des médicaments amers, comment lui faire un pansement et les grands principes de la médecine naturelle pour les enfants.

grand-mère

Petit guide pratique des remèdes "maison"

L'efficacité des traitements médicamenteux modernes est incontestable : les médicaments traditionnels parviennent à traiter des maladies qui, il y a quelques décennies encore, étaient mortelles ; ils protègent aussi contre certaines complications graves et soulagent de nombreux symptômes.

Mais dans le cas des maladies courantes, bénignes, dont l'enfant souffre régulièrement, les médicaments modernes ne se révèlent pas toujours plus efficaces que les bons vieux remèdes de nos grands-mères. C'est pour cette raison que de plus en plus de médecins renoncent à l'artillerie lourde en matière de médicaments, surtout dans les maladies infantiles virales les plus typiques telles que le rhume. Et en effet, les médicaments traditionnels pour remédier à l'écoulement nasal, au mal de gorge et à la toux ne combattent pas le microbe responsable, ils se contentent de soulager les symptômes désagréables. On ne dispose pas, contre les maladies virales, de beaucoup de médicaments actifs - et les antibiotiques ne sont utiles que lorsqu'il y a des bactéries.

Si des parents décident d'essayer d'abord les bons vieux remèdes d'autrefois, ils doivent savoir que ces méthodes prennent souvent plus de temps que les comprimés ou les gouttes traditionnelles. Par contre, les effets indésirables sont plus rares.

Il convient bien sûr de rester toujours attentif et, au moindre doute, de demander conseil au médecin : si un enveloppement des mollets ne fait pas baisser la fièvre et si le sirop de thym ne soulage pas une toux, d'autres mesures doivent être prises.

Pour guérir, les enfants malades ont besoin de plus d'attention, de tendresse et d'amour de la part de leurs parents.

Attention !

• Les remèdes naturels ne remplacent pas un traitement médical - ils ne peuvent que le renforcer.

• Lorsque les symptômes de l'enfant ne s'améliorent pas, il doit être emmené chez le médecin et, plus l'enfant est jeune, plus il faut agir rapidement.

• Soyez toujours attentif aux doses et à la notice d'utilisation car les remèdes naturels aussi peuvent être dangereux s'ils sont donnés à des doses inappropriées.

• Si votre enfant souffre d'allergies, soyez prudent avec les herbes médicinales car pratiquement toutes les plantes sont allergéniques. Commencez de préférence par de toutes petites quantités pour vous assurer que votre enfant les supporte avant de passer à des quantités plus importantes.

• Vous avez toujours plusieurs choix possibles. Comme les remèdes naturels ont des effets très individuels, si votre enfant ne répond pas à un traitement ou y réagit de manière allergique, vous pouvez essayer les alternatives.

• En cas de doute, demandez toujours conseil à votre médecin.

Petit guide pratique des remèdes "maison"
A grande eau

L'eau froide et l'eau chaude - de la mare au fond du pré à la vapeur d'eau du sauna - aident le système immunitaire à se renforcer et le sang à circuler et favorisent également l'irrigation de la peau. L'eau froide endurcit bien sûr plus que l'eau chaude : quand vous donnez un bain ou une douche à votre enfant, essayez toujours de terminer par un passage sous l'eau froide en veillant à respecter l'ordre suivant : pieds, jambes, hanches, bras, épaules, ventre, thorax et dos. Après la douche froide, frictionnez-le bien avec une serviette éponge.

Dans le cadre du traitement des maladies, l'eau est utilisée sous diverses formes : bains, inhalations, compresses et enveloppements (page 198).

Bain de pieds

Au début d'un rhume, si votre enfant a froid aux pieds ou s'il revient trempé à la maison, le bain de pieds peut se révéler utile. Le bain de pieds réchauffe l'ensemble du corps, favorise la circulation dans les muqueuses du nez et de la gorge et détruit les microbes.

• Préparation : remplissez une bassine d'eau chaude à 35° C (mesurez la température avec le thermomètre). Demandez à l'enfant de mettre ses pieds dans la bassine. Rajoutez progressivement et prudemment de l'eau chaude jusqu'à atteindre une température de 39° C. Après 8 à 12 minutes, trempez-lui les pieds dans une seconde bassine contenant de l'eau froide (18° C). Séchez-lui bien les pieds, faites-lui enfiler des chaussettes chaudes et mettez-le au lit 20 minutes.

Bain de siège

Les bains de siège ont prouvé leur utilité en cas de lésion infectieuse au niveau des fesses ou du prépuce de bébé et aussi dans les infections urinaires. Vous pouvez lui en donner trois fois par jour.

• Préparation : remplissez une baignoire pour bébé, une grande bassine ou la baignoire de la salle de bains avec de l'eau à 37° C jusqu'à ce que bébé ait de l'eau jusqu'aux hanches. Asseyez l'enfant 10 minutes dans le bain ou la bassine mais ne le laissez surtout jamais seul. Rajoutez de l'eau chaude dès que l'eau se refroidit. Vous pouvez également augmenter la température du bain mais, attention, très progressivement, jusqu'à ce que la température de l'eau atteigne 39° C. Après le bain de siège, séchez votre enfant en l'épongeant. Ensuite, alitez-le 30 minutes.

En cas d'éruption suintante : faites une décoction d'écorce de chêne (10 ml pour 1 litre d'eau) ou de camomille (10 ml d'huile de fleurs de camomille ou 30 g de fleurs de camomille séchées pour 1 litre d'eau). La camomille est surtout utile dans les infections du prépuce et des voies urinaires.

Le bain de siège aide à guérir les fesses blessées de bébé. Ne laissez jamais bébé seul pour qu'il ne risque pas de basculer !

195

Recettes pour les problèmes cutanés

• Ecorce de chêne

Mélangez des jeunes feuilles de chêne et de l'écorce verte (récoltées en juin). Faites cuire 100 grammes de ce mélange - ou 100 grammes de mélange de feuilles et d'écorce séchée achetés en pharmacie - dans 1 litre d'eau pendant 1/2 heure. Après avoir filtré la décoction, conservez-la dans un bocal fermé à l'abri de la lumière (quatre semaines maximum). Attention : l'écorce de chêne colore la peau et la baignoire !

• Hamamélis

Faites cuire un mélange de 10 grammes de feuilles séchées et d'écorce d'hamamélis achetées en pharmacie dans 1 litre d'eau pendant 15 minutes. Conservation : même chose que pour l'écorce de chêne.

• Son

Faites cuire 50 grammes de son dans 1 litre d'eau pendant 10 minutes. Ne filtrez pas la décoction. Elle peut être conservée deux à trois semaines dans un endroit frais à l'abri de la lumière.

Bain complet

Dans l'eczéma suintant et l'eczéma atopique, un bain de 5 minutes enrichi de certains éléments conseillés pour les problèmes de peau peut aider l'enfant.

• Préparation : remplissez la baignoire avec de l'eau à 35° C. Ajoutez 10 ml de décoction par 10 litres d'eau. Après le bain, enveloppez votre enfant dans une serviette, séchez-le en l'épongeant et appliquez-lui une fine couche de pommade. Les recettes ci-contre peuvent également servir à la préparation de compresses.

Douche écossaise

La douche écossaise est un moyen efficace et facile d'endurcir le corps et de stimuler la circulation, particulièrement recommandée à ceux qui ont le réveil lent et une hypotension le matin. Le changement rapide du chaud au froid entraîne les capillaires de la peau à réagir à la seconde aux fluctuations de température.

• Marche à suivre : laissez d'abord votre enfant se doucher avec de l'eau à une température à sa convenance, passez ensuite le jet de la douche froide pendant 30 secondes en partant du bas du corps et en remontant progressivement. Répétez l'opération. Chez le petit enfant, utilisez la douche sans pommeau. Commencez par les pieds et terminez par le haut du corps.

Piétinements dans l'eau

Taper des pieds dans l'eau favorise la circulation des pieds. Si votre enfant a tendance à avoir les pieds froids, veillez à ce qu'il coure le plus souvent possible pieds nus à l'intérieur et à ce qu'il porte des chaussons plutôt que des chaussures. Le mouvement favorise la circulation et réchauffe les pieds. Chaud aux pieds, froid à la tête : bonne santé assurée !

• Préparation : remplissez la baignoire avec de l'eau froide (18° C) jusqu'à ce que l'eau arrive à mi-mollets. Pour éviter que votre enfant ne glisse dans la baignoire, mettez dans le fond une serviette éponge ou un tapis en caoutchouc. Demandez à l'enfant de taper des pieds dans l'eau pendant environ 30 secondes en sortant complètement les pieds de l'eau à chaque mouvement. En été, vous pouvez aussi le faire courir le matin dans l'herbe mouillée de rosée.

Inhalation

Grâce à la chaleur qu'elles dégagent, les inhalations améliorent la circulation dans les muqueuses et favorisent les écoulements. Chez les

Recette pour le rinçage de l'œil

• Sérum physiologique à 0,9% ou 1,0% : prenez de l'eau tiède préalablement bouillie (100 ml) et ajoutez-y quelques grains de sel (1 g).

• Euphrasia : faites infuser une cuillère à café rase d'euphrasia séchée dans 100 ml d'eau bouillante et laissez reposer deux minutes. Filtrez et laissez refroidir à température du corps.

• Camomille : faites infuser une cuillère à café de fleurs de camomille séchées dans 100 ml d'eau bouillante, ajoutez 1 gramme de sel et laissez reposer 1 minute. Filtrez et laissez refroidir à température du corps.

Pour l'inhalation, recouvrir la tête et les épaules d'une serviette pour bien canaliser la vapeur.

petits enfants, l'inhalation peut être utilisée pour traiter la toux, les rhumes et les sinusites.

• Préparation : dissolvez 1 cuillère à soupe rase de sel dans 2 litres d'eau bouillante. Versez l'eau chaude dans un bol ou, mieux encore, placez la casserole avec l'eau chaude dans l'évier pour que l'enfant ne risque pas de s'ébouillanter en la faisant tomber.

Asseyez l'enfant de manière à ce qu'il puisse pencher la tête au-dessus du bol sans effort. Couvrez sa tête et ses épaules d'une grande serviette de manière à canaliser la vapeur. La vapeur doit être maintenue la plus chaude possible et l'enfant doit respirer par le nez en tenant les yeux fermés pendant environ 10 minutes. Attention : ne laissez jamais l'enfant seul ! Pour les enfants de moins de 7 ans, mieux vaut mettre l'enfant sur les genoux d'un adulte et que ce dernier mette sa tête sous la serviette aussi. Pour mieux liquéfier les mucosités, on peut ajouter du thym (1 cuillère à soupe pour 2 litres) ou de la camomille (2 cuillères à soupe pour 2 litres ou 4 sachets de tisane pour 2 litres). Attention au risque d'allergie !

Rinçage des yeux

Chez les nourrissons qui ont les yeux collants, les rinçages à la solution saline ont prouvé leur efficacité. Le mélange recommandé (solution à 1%) correspond à la composition des larmes et n'irrite pas l'œil. Contre l'inflammation des yeux, on peut donner de l'euphrasia ou de la camomille qui sont également utilisées dans les infections du bord palpébral ou les orgelets. Attention : la camomille comporte un risque d'allergie !

• Comment faire ? Chez les petits enfants, rincez prudemment l'œil de l'extérieur vers l'intérieur en utilisant un linge en lin ou un gant de toilette imbibé. N'utilisez surtout pas d'ouate ni de coton-tige, qui peluchent et irritent l'œil. Changez aussi de linge à chaque passage. A partir de six ans, vous pouvez utiliser un rince-œil vendu à cet effet en pharmacie.

Les recettes ci-contre peuvent également être utilisées pour des compresses. Le meilleur moyen de faire tenir la compresse est de la mettre sous un cache-œil ou un bandage frontal.

Petit guide pratique des remèdes "maison"
Bien enveloppé
de la tête aux pieds

Pour faire un enveloppement, vous avez besoin de deux serviettes -
une serviette en lin ou en coton pour envelopper et une deuxième serviette ou une écharpe en laine pour recouvrir la première.

Les enveloppements froids permettent d'éliminer la chaleur, par
exemple en cas de fièvre, et de soulager les douleurs, par exemple le
mal de gorge ou les contusions. Les enveloppements doivent être rem-
placés dès qu'ils atteignent la chaleur du corps ou, au plus tard, après
20 minutes. Les enveloppements chauds stimulent la circulation et
soulagent donc les crampes et les douleurs. Sauf instruction contraire,
ils restent ordinairement deux à trois heures.

Les compresses ne sont pas enroulées mais uniquement appliquées
sur l'endroit du corps à soigner et ensuite fixées avec un bandage.

Enveloppement abdominal

Il est utile dans la gastro-entérite, les ballonnements, les coliques, les
vomissements et la diarrhée et peut être appliqué sec ou humide,
chaud ou froid - selon ce que préfère l'enfant.

• Marche à suivre : emballez le ventre de l'enfant comme décrit plus
loin pour le thorax : faites coucher votre enfant sur une grande
serviette-éponge pliée sur la longueur. Placez sur le ventre douloureux
soit une serviette chaude et sèche, soit une serviette chaude et humide
ou encore une serviette froide et mouillée. Les cataplasmes aux
graines de lin ou aux pommes de terre soulagent également les
douleurs abdominales. Recouvrez la compresse ou le cataplasme
d'une seconde serviette et terminez l'enveloppement en ramenant le
reste de la grande serviette-éponge. Pour faire mieux tenir encore l'enveloppement, faites enfiler à votre enfant un training ou le short de
papa. Vous pouvez également appliquer une bouillotte pour renforcer
encore l'effet de l'enveloppement.

Les enveloppements secs peuvent rester en place plusieurs heures et
les enveloppements mouillés de une à deux heures. Les
enveloppements secs peuvent être maintenus chauds avec un oreiller
électrique sur la position 1 (attention au risque de brûlure).

• Cataplasme aux graines de lin
Faites cuire 1 tasse de graines de lin avec 1,5 tasse d'eau. Prenez une
grande casserole parce que les graines de lin gonflent. Répartissez la
bouillie ainsi obtenue au milieu d'un torchon de cuisine sur une
surface grande comme la main et repliez les bords. Placez le tout sur le
ventre de l'enfant et laissez agir pendant deux à trois heures.

• Cataplasme aux pommes de terre
Ecrasez au milieu d'un torchon plié sur sa longueur des pommes de
terre lavées, cuites mais non épluchées. Vérifiez avec la main si la

198

Petit guide pratique des remèdes "maison"
Bien enveloppé
de la tête aux pieds

Recette de l'enveloppement de l'oreille

• Enveloppement à l'alcool : diluez de l'alcool à 70% acheté en pharmacie dans un rapport de 1 :1 avec de l'eau et trempez-y un tissu en lin ou un mouchoir. Appliquez ensuite le linge essoré sur l'oreille et poursuivez comme décrit plus haut.

• Cataplasme aux oignons : coupez un oignon moyen en petits morceaux ou en tranches, enroulez-le dans un linge fin et appliquez-le sur l'oreille. Fixez-le ensuite comme décrit ci-contre.

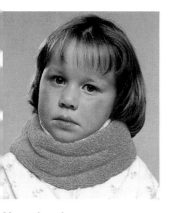

Un vrai soulagement en cas de mal de gorge !

purée n'est pas trop chaude. Appliquez l'ensemble le plus chaud possible sur le ventre et faites l'enveloppement. Ce cataplasme peut agir deux à trois heures.

Enveloppement de l'oreille

Les compresses à l'alcool ou aux oignons ont prouvé leur efficacité en cas d'otalgie aiguë. Les vapeurs d'alcool ou d'éther qui s'en dégagent soulagent en effet les douleurs et favorisent la circulation et donc l'élimination du microbe.

• Marche à suivre : les compresses auriculaires doivent couvrir l'ensemble du lobe de l'oreille. Vous appliquez par-dessus un morceau de film alimentaire que vous ferez tenir avec un peu de crème grasse autour de l'oreille et qui le rendra imperméable à l'air. Fixez ensuite le tout avec un bonnet ou un serre-tête. Laissez agir une à deux heures - si l'enfant s'endort, laissez l'enveloppement jusqu'à ce qu'il se réveille. Les enveloppements de l'oreille peuvent être renouvelés jusqu'à trois fois par jour.

Enveloppement du cou

Vous pouvez faire un enveloppement froid ou chaud dans le cas d'infections ou de problèmes de mucosités au niveau des voies respiratoires supérieures, des oreillons ou du gonflement des ganglions du cou.

Les enveloppements froids stimulent et accélèrent la guérison, mais ne peuvent toutefois pas être utilisés si l'enfant a de la fièvre ou frissonne. Les enveloppements chauds - notamment les cataplasmes chauds aux pommes de terre - stimulent la circulation et donc l'élimination des microbes. Si votre enfant ne supporte pas les cataplasmes aux pommes de terre, une bonne écharpe fera également l'affaire.

• Marche à suivre : pour un enveloppement froid, prenez un torchon de vaisselle ou une serviette en tissu que vous passerez sous l'eau froide (18° C) et que vous essorerez. Pliez-la ensuite à la largeur de la main et entourez-en le cou de l'enfant. Couvrez le tout avec une écharpe en laine ou une serviette en éponge. Laissez agir 15 à 20 minutes.

• Cataplasme au fromage blanc

Prenez un torchon de vaisselle et étendez au milieu de celui-ci 250 grammes de fromage blanc à température ambiante. Repliez les côtés et mettez le torchon autour du cou de l'enfant. Il restera humide plus longtemps que la compresse à l'eau et peut être laissé en place deux à trois heures.

• Cataplasme aux pommes de terre

Ecrasez des pommes de terre lavées, cuites, non épluchées et chaudes

Petit guide pratique des remèdes "maison"
Bien enveloppé
de la tête aux pieds

dans un torchon de vaisselle plié sur sa longueur. Vérifiez avec la main que la purée ne soit pas trop chaude. Appliquez le torchon contenant la purée la plus chaude possible autour du cou de l'enfant et entourez-le d'une écharpe en laine. Laissez agir le cataplasme aux pommes de terre pendant deux à trois heures.

Enveloppement du thorax

Les enveloppements chauds de la poitrine favorisent la circulation en cas de rhume, de toux ou de bronchite. Mieux vaut donc renoncer aux plantes, fleurs et huiles essentielles, dont l'odeur peut gêner l'enfant et qui peuvent avoir un effet allergisant surtout quand les muqueuses sont déjà irritées par le rhume.

• Marche à suivre : repliez une serviette-éponge - chez les grands enfants, une serviette de bain - sur la longueur de façon à obtenir une largeur équivalente à celle du tour de poitrine de votre enfant. Faites coucher l'enfant au milieu de la serviette, les bras levés au-dessus de la tête. Appliquez sur son thorax une des compresses décrites ci-dessus. Superposez à la compresse une autre serviette. Terminez en entourant le tout d'une serviette-éponge et d'un T-shirt ou d'un gilet.

• Enveloppement chaud et sec

Appliquez sur la poitrine de l'enfant une serviette ou, le cas échéant, un torchon ou un linge en molleton réchauffés sur le radiateur ou dans le four (10 minutes à 150° C) et terminez comme décrit ci-dessus. Cet enveloppement peut rester en place toute la nuit.

• Enveloppement chaud humide

Ne réchauffez pas la serviette, couvrez-la d'eau bouillante et essorez-la dans une serviette sèche. Appliquez-la le plus chaude possible sur le thorax de l'enfant (pour éviter toute brûlure, vérifiez sa température en l'appliquant d'abord sur votre main). Laissez agir deux à trois heures.

• Cataplasme au saindoux

Chauffez le saindoux dans une poêle, éventuellement avec un oignon, et étendez la graisse le plus chaude possible avec la main sur le thorax et le dos de l'enfant et frictionnez. Appliquez par-dessus une serviette et terminez comme décrit plus haut. Il est conseillé de laisser agir le cataplasme au saindoux toute la nuit.

Petit conseil : déposez la poêle sur la serviette pendant que vous frictionnez l'enfant pour la maintenir chaude.

Enveloppement des mollets

L'enveloppement froid des mollets fait baisser la fièvre en éliminant la chaleur du corps. Tous les autres remèdes antipyrétiques maison - les bains froids, les enveloppements du corps entier ou même les

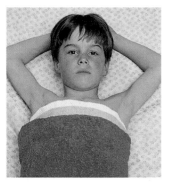

Les enveloppements chauds du thorax sont utiles en cas de refroidissement, de toux et de bronchite. Demandez à votre enfant l'enveloppement qu'il préfère. Les plus efficaces sont ceux au saindoux.

Bien enveloppé
de la tête aux pieds

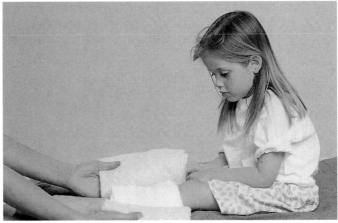

Même si votre enfant ne veut pas d'enveloppement des mollets ou se met à pleurer, soyez ferme : il n'y a que vous qui puissiez l'aider. Les enveloppements des mollets peuvent être réalisés même chez les tout petits bébés. Mieux vaut les recouvrir alors de chaussettes.

ATTENTION !
Avant de procéder à un enveloppement des mollets, vérifiez que les jambes de bébé soient bien chaudes et que l'enfant ne frissonne pas. Si c'est le cas, donnez-lui un suppositoire antipyrétique pour éviter tout risque de collapsus circulatoire et demandez conseil à votre médecin.

lavements intestinaux - sont plus contraignants pour l'enfant que l'enveloppement des mollets et ne sont pas recommandés.

• Marche à suivre : toujours envelopper les deux mollets séparément. Prenez pour chaque jambe une serviette (pour les nourrissons - un mouchoir d'homme ; pour les petits enfants et les enfants scolarisés - un torchon de cuisine) que vous trempez dans une bassine remplie d'eau à température ambiante (18° C) et que vous essorez. Entourez-en le mollet puis enveloppez ce premier linge d'une serviette-éponge sèche sur laquelle vous enfilerez des chaussettes - éventuellement de papa ou de maman. Ces enveloppements permettent à l'enfant de continuer à bouger. Quand l'enfant est alité, enveloppez la totalité de la jambe pour mieux éliminer la chaleur. Protégez la zone des pieds avec un plastique pour maintenir le matelas au sec.

Changez les enveloppements toutes les 10 à 15 minutes pendant deux heures. Si la fièvre n'a pas baissé, recommencez les enveloppements après une pause de deux heures. Si votre enfant s'est endormi avec un enveloppement des mollets, inutile de le réveiller pour le changer.

Petit guide pratique des remèdes "maison"
Les plantes médicinales qui guérissent les bobos

Les tisanes sont plus efficaces fraîchement infusées que réchauffées. Donnez à votre enfant malade deux à trois tasses de tisane par jour. Le goût du breuvage peut être adouci avec un peu de miel.

Les plantes peuvent servir à préparer des tisanes, des infusions destinées au gargarisme et au rinçage de la bouche, à guérir les blessures, être utilisées en inhalations, pour les compresses ou pour le rinçage des yeux, ou encore dans la préparation de remèdes contre le rhume et la toux. Les différentes plantes et leurs utilisations sont reprises sous les mots clés auxquels elles se rapportent.

Vous trouverez en pharmacie ou dans les magasins de diététique des herbes médicinales de première qualité - ne récoltez vous-même ces plantes que si vous êtes expert en la matière ! Mieux vaut les conserver dans des boîtes en fer ou des bocaux en verre teinté pour garder aux plantes leurs vertus médicinales et les protéger de l'humidité et de la lumière.

• Préparation : sauf instructions contraires reprises dans les recettes des différentes tisanes, la recette de base est la suivante :

Versez 250 ml d'eau bouillante sur une cuillère à café de plante médicinale. Laissez infuser 10 à 15 minutes et filtrez.

202

Petit guide pratique des remèdes "maison"
Les plantes médicinales
qui guérissent les bobos

Recette de la tisane fébrifuge

- Fleurs de sureau : faites infuser 2 cuillères à café dans 150 ml pendant 10 minutes.
- Fleurs de tilleul : faites infuser 2 cuillères à café dans 250 ml pendant 10 minutes.
- Ces deux tisanes peuvent être mélangées en proportions égales.
- 1 cuillère à café de jus de citron ou de miel en améliore le goût.

Recette contre l'angine

- Sauge
- Thym
- Camomille

Contre le rhume fébrile et la grippe

Pour lutter contre la fièvre, vous pouvez utiliser des tisanes sudorifiques : la transpiration permet d'éliminer la chaleur corporelle et de faire baisser la fièvre. Donnez à votre enfant 1 à 2 tasses de tisane fébrifuge et veillez à ce qu'il la boive de préférence en 10 minutes.

Passez-lui ensuite une chemise de nuit ou un pyjama en coton et mettez-le au lit avec une couverture de laine.

Après 20 minutes, retirez à l'enfant sa chemise de nuit mouillée de transpiration, séchez-le bien et rapidement, passez-lui une nouvelle chemise de nuit et changez ses draps. Laissez-le encore au moins une heure au lit et faites-lui boire beaucoup pour remplacer le liquide perdu !

Contre le mal de gorge

On dispose d'un grand choix de plantes médicinales efficaces contre l'angine. Ont particulièrement prouvé leur efficacité : la sauge (désinfectante et anti-inflammatoire), le thym (mucolytique et apaisant) et la camomille (anti-inflammatoire et antispasmodique), qui peut être bue en tisane ou gargarisée.

- Préparation : choisissez le type de tisane que préfère votre enfant. Préparez-la à partir de plantes séchées en vous référant à la recette de base (page 202) que vous pourrez adoucir en y ajoutant 1 cuillère à café de miel par 250 ml de liquide. Donnez à l'enfant 1 tasse (100 ml) toutes les heures, éventuellement à la cuillère. Pour les nourrissons : donnez 30 à 50 ml toutes les heures. Les tisanes refroidies et non sucrées peuvent être proposées à l'enfant toutes les heures pour un gargarisme.

Contre le nez qui coule

Un bon vieux remède naturel contre le nez qui coule - même pour le nourrisson - c'est le beurre de marjolaine. Mettez-en une petite boule de la taille d'un bout d'allumette dans chaque narine trois à cinq fois par jour. Attention au risque d'allergie !

- Préparation : faites fondre 100 grammes de beurre au bain-marie et retirez-en la mousse. Ajoutez une poignée de marjolaine fraîche du marché ou du jardin (de préférence juste avant la floraison - fin septembre) et mélangez le tout pendant 30 minutes. Filtrez ensuite le beurre de marjolaine liquide au travers d'un linge fin - par exemple une couche en coton -, ajoutez 5 gouttes d'huile de marjolaine vendue en pharmacie et stockez la préparation dans un bocal qui ferme avec un couvercle à visser. Au frais, ce remède antirhume se conserve environ un an.

203

Petit guide pratique des remèdes "maison"
Les plantes médicinales
qui guérissent les bobos

Pour lutter contre l'écoulement nasal, vous pouvez utiliser également des gouttes maison. Mettez 2 gouttes dans chaque narine toutes les deux heures, à l'aide d'une pipette. Pour les nourrissons, mieux vaut administrer les gouttes nasales juste avant le repas.

• Préparation : faites dissoudre 10 grammes de sucre de raisin (2 cuillères à café bien remplies) dans 50 ml de tisane à la camomille chaude ou 1 gramme de sel de cuisson dans 100 ml d'eau bouillie. Stockez la préparation dans un bocal à couvercle à visser. Les gouttes pour le nez peuvent être conservées une semaine.

Contre la toux

Pour calmer une toux gênante, vous pouvez donner à votre enfant un sirop antitussif maison. Les sirops suivants sont bien acceptés par les enfants :

• Sirop antitussif à la sauge, au thym et aux oignons

Mélangez dans 250 ml d'eau 1 cuillère à café de sauge séchée, 1 cuillère à café de thym, 100 grammes d'oignons hachés et 100 grammes de sucre candi brun et laissez cuire jusqu'à dissolution du sucre. Ajoutez ensuite encore 1 cuillère à café de plantain lancéolé séché qui calme la toux mais donne au sirop un goût plus amer. Filtrez le mélange encore chaud dans un bocal à couvercle à visser d'environ 500 grammes (pot de confiture) et laissez refroidir. Le sirop contre la toux peut être conservé une semaine au frigo.

Posologie pour enfants : jusqu'à trois ans, 1 à 2 cuillères à café par jour. A partir de trois ans, 1 cuillère à soupe trois fois par jour jusqu'à ce que la toux s'améliore. A partir de six ans, 2 cuillères à soupe trois fois par jour.

• Sirop antitussif au radis

Le radis noir est plus riche en principes actifs que le radis blanc. Coupez-le dans sa longueur et dégagez-en légèrement le centre. Placez les deux moitiés dans un bol en porcelaine et recouvrez-les d'un bon 2 centimètres de sucre candi brun. Laissez reposer pendant 12 heures à l'abri de la lumière (couvrir le bol). Ensuite, recueillez le jus et donnez-en 1 cuillère à soupe trois fois par jour (à partir de trois ans). Lorsqu'il n'y a plus de jus, préparez un nouveau radis.

Contre les troubles gastro-intestinaux

On dispose aussi d'herbes médicinales contre les nausées, les vomissements et la diarrhée. Vous pourrez donner à votre enfant celles qu'il préfère ou qui donnent les meilleurs résultats chez lui.

L'encadré ci-contre reprend quelques plantes médicinales connues que vous pouvez préparer, sauf mention contraire, selon la recette de base (page 202).

Donnez à votre enfant la tisane qu'il préfère. Les tisanes amères peuvent être adoucies avec un peu de miel.

204

Petit guide pratique des remèdes "maison"
Les plantes médicinales
qui guérissent les bobos

Il est très important que votre enfant boive beaucoup, pour remplacer les sels minéraux et l'eau qu'il perd en vomissant ou par sa diarrhée. Vous pouvez lui proposer une tisane de réhydratation maison (tisane à l'orange).
- Préparation : mélanger 250 ml de thé noir fortement dilué (laissez infuser 1 sachet de thé pendant 1 minute), 50 ml de jus d'orange frais (le cas échéant du jus en carton), 1 pincée (2 grammes) de sel et 1 cuillère à café de sucre de raisin ainsi qu'une pointe de couteau de levure chimique (bicarbonate de sodium).

En cas de diarrhée et de vomissements, donnez à votre enfant 100 à 150 ml de tisane par kilo de poids par 24 heures. Un enfant qui pèse 10 kilos peut donc en boire 1 à 1,5 litre par jour.

Contre les affections des reins et de la vessie
Dans les maladies rénales, la règle la plus importante, c'est de boire beaucoup pour permettre l'élimination des microbes et rincer les voies urinaires. Ce but peut être atteint avec des tisanes de plantes médicinales qui exercent en plus un effet antiseptique (busserole) ou diurétique (prêle des champs).

Etant donné que ces tisanes contiennent des tanins qui peuvent charger l'estomac, elles sont préparées à froid. Cela permet d'en garder les principes actifs et d'en éviter les effets secondaires ennuyeux.
- Préparation : laissez infuser 1 cuillère à café de feuilles de busserole séchées ou de prêle des champs dans 250 ml d'eau froide pendant 12 heures et filtrez ensuite le mélange. Donnez à l'enfant 2 à 3 tasses de ce liquide légèrement réchauffé. Ces deux tisanes peuvent également être préparées à base de tisane à la camomille froide et leur goût amélioré par l'ajout de 1 cuillère à café de miel.

Contre les troubles du sommeil
La tisane de houblon est efficace contre le sommeil agité, les cauchemars et les terreurs nocturnes.
- Préparation : laissez infuser 2 cuillères à café dans 150 ml d'eau pendant 5 minutes, éventuellement sucrez la tisane avec 1/2 cuillère à café de miel. Donnez à boire chaud juste avant le coucher.

La tisane de rooibos peut aider dans les cas de nervosité et de troubles de l'endormissement ou du sommeil (Rooibos : groseillier à grappes, plante d'Afrique du Sud qui ressemble au genêt).
- Préparation : laissez infuser 1 cuillère à café rase de tisane de rooibos dans 250 ml d'eau, pendant 3 à 5 minutes. Donnez la tisane chaude ou froide une demi-heure avant le coucher ou mélangez-la au biberon du soir.

205

Petit guide pratique des remèdes "maison"
Autres remèdes naturels éprouvés

Rayons infrarouges

Le traitement par la chaleur avec une lampe à infrarouge a depuis longtemps prouvé son efficacité dans le soulagement de la douleur. Il a également une action mucolytique et stimule la circulation. Ces lampes peuvent être achetées dans un magasin de matériel médical ou d'électroménager. Placez votre enfant à 30 ou 50 centimètres de la lampe. En raison du risque de brûlure, ne laissez jamais votre enfant sans surveillance. Le mieux est de lui lire une histoire pendant l'exposition pour lui faire passer le temps.

Pour les douleurs à l'oreille, exposez l'oreille atteinte pendant 5 à 10 minutes trois fois par jour. Pour la sinusite et la bronchite, exposez le visage 10 à 15 minutes trois fois par jour. En cas d'abcès, exposez la zone touchée 5 à 10 minutes trois fois par jour.

Le traitement aux rayons infrarouges comporte des risques de brûlure. Placez-vous donc avec l'enfant à 50 cm environ de la lampe.

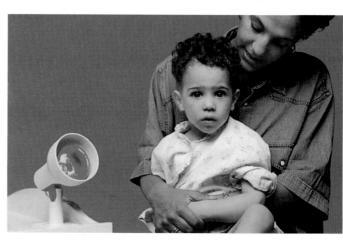

Compresses à l'alcool

Vous pouvez remplacer l'alcool par de la teinture d'arnica. Les pommades à l'arnica ou les pommades vendues en pharmacie et qui contiennent de l'héparine peuvent également soulager.

Les compresses à l'alcool peuvent être utiles dans les entorses, les foulures, les contusions et les compressions. Diluez de l'alcool à 70% (vendu en pharmacie) avec une quantité équivalente d'eau froide. Trempez-y un mouchoir ou un linge en lin que vous appliquerez en compresse sur l'endroit douloureux. Fixez la compresse avec un torchon ou un bandage. Vous pouvez également l'entourer d'un film plastique pour que l'alcool ne s'évapore pas trop vite.

Renouvelez la compresse toutes les demi-heures jusqu'à ce que la douleur diminue.

206

Petit guide pratique des remèdes "maison"
Donner des médicaments

Quand le médecin prescrit un médicament à un enfant, il vous informe précisément de sa posologie et de la durée du traitement. N'hésitez pas à l'interroger sur l'effet des médicaments qu'il a prescrits et leurs effets secondaires éventuels. Respectez scrupuleusement les prescriptions du médecin - même si votre enfant va déjà mieux - car les symptômes disparaissent parfois longtemps avant la guérison.

Si les médicaments sont donnés de manière irrégulière ou à des doses erronées, ils perdent de leur efficacité ou peuvent même devenir nocifs : la maladie risque alors de ne pas bien guérir ou de devenir chronique.

Très important : n'arrêtez jamais les antibiotiques avant d'avoir achevé complètement le traitement et ne modifiez pas de votre propre chef les doses des médicaments - ces doses sont calculées exactement en fonction de la taille et du poids de votre enfant.

Ne vous laissez pas influencer par les protestations violentes de votre enfant et donnez-lui régulièrement ses médicaments, si besoin est avec une main de fer dans un gant de velours. Plus l'enfant est jeune, plus il peut s'avérer difficile de lui donner certains médicaments. Quand un bébé gesticule dans tous les sens et que personne n'est là pour vous aider à le tenir, enveloppez-le dans une couverture. Les enfants plus grands sont à même de comprendre à quoi servent les médicaments et pourquoi il faut les prendre.

Si votre enfant vomit une demi-heure ou plus après avoir pris un médicament, l'essentiel des principes actifs aura été absorbé par son organisme. Mais si l'enfant vomit d'emblée, demandez conseil au médecin qui vous le prescrira peut-être sous une autre forme d'administration.

Chez les nourrissons et les petits enfants, les gouttes et les sirops doivent de préférence être donnés avec une pipette ou une seringue (bien sûr sans aiguille) ou être versés dans la bouche. Pour cela, ne mettez pas bébé sur le dos, tenez-le comme si vous vouliez lui donner à manger. Pour les enfants plus grands, donnez les médicaments liquides à la cuillère, jamais directement du flacon. Pour un dosage précis, utilisez les mesurettes fournies avec les médicaments et donnez le médicament en deux prises pour éviter tout débordement.

Quand votre enfant a avalé son médicament, donnez-lui une cuillère de panade ou de fromage blanc ou encore de sa boisson préférée pour faire passer le goût.

Comment adoucir les médicaments amers

• Demandez au médecin ou au pharmacien si vous pouvez mélanger les médicaments avec des aliments ou des boissons car certains mélanges font perdre aux médicaments leur efficacité.

• Les gouttes et les sirops peuvent être donnés sur un morceau de sucre ou dans une cuillère avec un peu de sucre.

• Ne mélangez pas les médicaments aux boissons car en les diluant, on provoque un dépôt sur le fond du verre, ce qui amène à donner moins que les quantités prescrites.

207

Petit guide pratique des remèdes "maison"
Donner des médicaments / la pharmacie familiale

- Ne mélangez pas le médicament à la nourriture car il peut en gâcher le goût.
- Les comprimés peuvent être écrasés. Les gélules ne doivent pas être ouvertes et les dragées ne doivent pas être divisées car cela pourrait nuire à leur effet et parfois même provoquer des vomissements. Les comprimés écrasés et les dragées complètes peuvent être cachés dans une cuillère de fromage blanc, de compote de pommes, de purée de pommes de terre ou encore de banane écrasée. Cela leur permet de "glisser" plus facilement.

Pharmacie familiale

Vous devez toujours avoir chez vous un minimum de médicaments et de quoi faire un pansement. Le mieux est de conserver le tout hors de portée des enfants dans une armoire qui ferme à clé. La salle de bains et la cuisine ne sont pas de bons endroits car l'humidité nuit aux médicaments.

Contrôlez régulièrement si votre pharmacie familiale est complète et soyez attentif aux dates de péremption des médicaments. Les médicaments périmés peuvent être ramenés à la pharmacie qui se chargera de leur élimination "écologique".

Conservez toujours les médicaments dans leur emballage d'origine avec leur notice et inscrivez-y le nom du médecin prescripteur. Le médecin vous conseillera volontiers sur les médicaments à avoir chez soi pour les cas d'urgence.

ATTENTION !
Conservez toujours les médicaments hors de portée des enfants.

Pharmacie de base
- 2 bandages, deux bandes de gaze de 4, 6 et 8 cm de large
- Sparadrap
- Tenso
- Bande élastique avec agrafes
- 1 paquet de tulle gras
- Echarpe en triangle
- 3 tampons imbibés d'alcool ou lingettes rafraîchissantes
- Des gants à usage unique
- 3 mouchoirs à jeter
- Cache-œil
- Doigtier
- Pincette à écharde
- Paire de ciseaux
- Désinfectant
- Crème protectrice en cas de brûlure
- Thermomètre
- Set pour lavement
- Pipette
- Sirop, comprimés ou suppositoires antipyrétiques
- Sirop antitussif, gouttes nasales, mucolytiques
- Charbon de bois contre la diarrhée
- Diurétique végétal
- Huile de fleur de camomille, extrait de sauge
- Gel contre les piqûres d'insectes et les coups de soleil
- Pommade pour les contusions et les foulures
- Vomitif (sirop d'ipéca) en cas d'intoxication
- Chélateur (en cas d'intoxication)

Bien faire un bandage

Pour tout bandage, l'important est de toujours bien envelopper le centre de la zone concernée. Le bandage ne peut pas être trop serré pour ne pas léser la peau. Vérifiez le bandage après 10 à 15 minutes.

Si le bandage est trop serré, il provoquera un effet de garrot et les extrémités se refroidiront, deviendront pâles ou bleues. Dans ce cas, il faut absolument défaire et refaire le bandage !

Par contre, un bandage trop lâche appliqué sur une plaie peut s'imbiber de sang. Dans ce cas, ne retirez pas le bandage mais superposez-en un autre que vous serrerez plus.

Pour que le bandage ne soit pas trop lâche, commencez par un passage en diagonale.

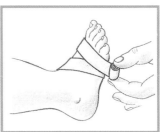

Au tour suivant, passez au milieu de la région à panser.

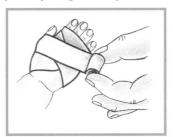

Ensuite, enroulez le bandage en le croisant pour éviter de trop serrer.

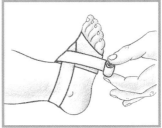

Pour les bandages au pied, n'oubliez pas de faire un passage au-dessus de la cheville.

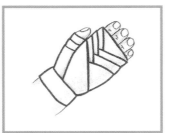

Fixez la fin de la bande avec une épingle de sûreté ou du sparadrap.

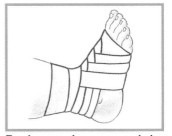

En alternant les passages de la bande sur le cou-de-pied et la cheville, vous aurez un bandage qui tiendra bien.

La médecine douce des petits

De nombreux parents ne sont pas satisfaits de la médecine traditionnelle surtout lorsque leurs enfants souffrent d'allergies, d'infections, de
problèmes psychosomatiques ou de maux de tête. Ils se tournent alors
vers les médecines douces, ou médecines parallèles, qui préconisent
des modalités de soins qui n'ont pas toujours l'aval de la Faculté. Dans
ces médecines douces, on retrouve la naturopathie et la phytothérapie,
les affusions, l'homéopathie et d'autres méthodes "mystiques", dont
l'efficacité est souvent plus que douteuse.

Grâce aux méthodes décrites brièvement ci-après, on a parfois noté
chez les enfants des améliorations surprenantes. En ce qui concerne le
diagnostic, ne confiez votre enfant qu'à un médecin ou un pédiatre
expérimenté qui connaît les limites de la médecine alternative et, le
cas échéant, passera à la médecine traditionnelle s'il n'obtient pas de
résultats.

Homéopathie

L'homéopathie a été inventée par le Dr Samuel Hahnemann et est
basée sur le principe que "les choses qui ont provoqué le mal peuvent
aussi le guérir". Selon cette théorie, les substances qui produisent certains symptômes sur l'homme sont capables, à doses infinitésimales
obtenues par dilution, de guérir ces mêmes maladies étant donné
qu'elles mobilisent les mêmes forces. Cette dilution est exprimée par
un chiffre qui indique l'effet de potentialisation de la substance. Plus il
est élevé, plus la substance a été potentialisée et plus le médicament
sera puissant.

Les homéopathes ne traitent cependant pas uniquement les
symptômes mais l'homme dans son ensemble, y compris sa constitu-
tion et son tempérament. L'art de l'homéopathe expérimenté consiste
donc à choisir le médicament qui convient le mieux à chaque patient
étant donné qu'une même substance a des effets très différents selon
les individus et pourrait même aggraver la maladie chez certains.

Les pédiatres homéopathes obtiennent de bons résultats chez les
enfants souffrant d'infections à répétition - lorsque celles-ci ne sont
pas dues à des bactéries. Les médicaments homéopathiques ont également prouvé leur efficacité dans les maladies de la peau telles que
l'eczéma atopique et les croûtes de lait, la gastro-entérite, les
flatulences, les maux de tête et les douleurs abdominales d'origine
psychologique.

Les infections dangereuses telles que la scarlatine, les cancers, les
troubles hormonaux, notamment l'hypothyroïdie, ou le diabète sucré
ne peuvent pas être traités par homéopathie.

**Granules homéopathiques à
base de lactose. Dans l'automédication, la posologie est généralement de 5 granules trois
fois par jour - cette quantité
correspond à 1 comprimé ou
5 gouttes. Les enfants préfèrent
les substances homéopathiques
sous forme de granules ou de
comprimés car les préparations
liquides contiennent de l'alcool.**

Médecine douce des petits

Acupuncture

L'acupuncture est un art thérapeutique chinois ancestral qui s'est beaucoup développé ces dernières décennies en Europe et qui, s'il est bien utilisé, donne de bons résultats. Les différents points d'acupuncture situés sur l'ensemble du corps sont en relation avec les organes internes et leurs fonctions et sont stimulés par des aiguilles, la pression des doigts (acupression) ou des rayons lasers.

Les traitements d'acupuncture sont surtout efficaces dans les maux de ventre et les migraines chez les enfants. Ils peuvent également donner de bons résultats dans l'insomnie, la sinusite et le rhume des foins. L'acupuncture est utilisée dans certaines cliniques également dans le traitement de la douleur et l'anesthésie pour certaines opérations - et permet alors de diminuer considérablement la quantité d'anesthésique nécessaire.

Anthroposophie

Rudolf Steiner a développé la théorie de l'anthroposophie, une philosophie qui relie l'homme, son corps, son esprit et son âme, à la nature. Dans cette théorie, l'homme partage une racine commune avec les plantes, les minéraux et les animaux et doit, en tant que partie intégrante de la nature, être traité principalement par des médicaments naturels. Ces médicaments préparés par homéopathie sont destinés à renforcer les capacités d'autoguérison et à éviter les maladies.

Parmi les autres piliers de la théorie anthroposophique, on retrouve des règles diététiques biodynamiques et les activités corporelles telles que l'eurythmie curative. Dans ce cadre, les règles sont les mêmes que dans l'homéopathie : les maladies dangereuses doivent être traitées par la médecine traditionnelle.

Fleurs de Bach

La méthode de guérison du docteur anglais Edward Bach repose sur l'état d'esprit du patient : ces remèdes ne traitent pas les symptômes physiques d'une maladie mais bien l'humeur qui est à sa base et que le médecin identifie par le biais d'un entretien et d'observations. Pour rétablir l'équilibre émotionnel, 38 essences de fleurs, que l'on appelle les fleurs de Bach, sont utilisées en fonction de leur influence sur le psychisme.

Les remèdes floraux du Dr Bach ne peuvent pas remplacer un traitement médical nécessaire mais peuvent le compléter. Ils sont parfois d'une certaine utilité chez les enfants difficiles et perturbés s'ils sont accompagnés d'une prise en charge psychologique.

Les remèdes floraux de Bach sont basés sur 38 essences de fleurs

Mieux vaut prévenir...

La meilleure protection contre les maladies, c'est encore la prévention. Cette prévention implique que l'enfant puisse se développer tant psychologiquement que physiquement dans un environnement favorable. Beaucoup d'amour et de tendresse, une alimentation saine, des jeux et l'exercice au grand air contribuent autant à la bonne santé de l'enfant que les visites régulières chez le médecin.

Ne ratez aucune des visites de contrôle ou de vaccination car... mieux vaut prévenir que guérir.

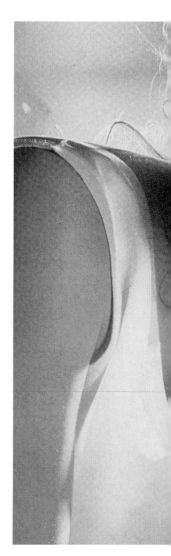

Les enfants ont besoin d'amour

Les enfants, tout comme les adultes, ont des besoins primaires : manger, dormir et vivre dans un environnement propre et chaud. Si le corps de l'enfant a besoin de chaleur, son âme aussi : une tendresse attentive, des caresses, des baisers, la compagnie et la reconnaissance morale par des personnes de confiance donnent à l'enfant ce sentiment capital de confiance dans la vie, c'est-à-dire la certitude d'être accepté dans le monde tant sur le plan physique qu'affectif.

Lorsque les besoins de l'enfant ne sont pas couverts, il ne peut développer sa confiance, ni dans le monde, ni en ceux qui l'entourent. Les déceptions non consolées et les menaces augmentent les angoisses et finissent par faire perdre confiance à l'enfant.

Aménager le monde de l'enfant pour qu'il puisse acquérir cette confiance ne signifie pas pour autant que ses parents doivent exaucer immédiatement ses moindres souhaits. Même un bébé peut attendre un peu sans encourir de traumatisme physique ou affectif. Bien sûr, quand ses souhaits sont systématiquement ignorés ou reportés, il finit par perdre confiance en son environnement.

Pour cette raison, prendre soin d'un enfant et l'éduquer signifie aussi lui apporter une certaine sécurité par le biais d'amour, de confiance et de règles à suivre.

Ce n'est pas gâter un enfant que de lui donner beaucoup d'amour. Au contraire, cela rend la vie de tous, celle de bébé et de ceux qui l'entourent, plus facile :

• Pour se développer sainement, tant sur le plan physique que psychologique, les enfants ont besoin de beaucoup d'amour, d'attention, de la proximité physique de leurs parents et de rituels.

• La sagesse populaire dit que l'on ne peut donner que ce qu'on a reçu.

• Votre enfant ne pourra explorer le monde qui l'entoure et, plus tard, couper le cordon pour prendre son indépendance que s'il sait qu'il peut se fier à votre soutien indéfectible.

• Les relations qui naissent de ce soutien parental facilitent l'éducation et le respect des règles.

• Il arrive que les enfants soient capricieux et énervent leurs parents. Ceux-ci doivent donc de temps en temps faire preuve de fermeté, imposer une discipline et appliquer les grands principes d'éducation pour protéger l'enfant de difficultés ultérieures. Les conflits dans les relations parents-enfants sont inévitables. Les crises sont toutefois plus faciles à gérer quand l'enfant est aimé et accepté et qu'il se sent en sécurité.

Avez-vous déjà pris votre enfant dans les bras aujourd'hui ?

Bébé et le médecin

Le choix du médecin qui suivra votre bébé est important car vous serez appelé, les premières années, à le voir souvent. L'essentiel est qu'une relation basée sur la confiance et le respect mutuels s'établisse dès les premières consultations. Vous travaillez ensemble dans l'intérêt de votre enfant. C'est pourquoi vous devez tout lui dire, même les détails qui vous paraissent anodins, sur la santé et le comportement de votre enfant, répondre précisément à ses questions concernant vos propres maladies, allergies… De son côté, votre médecin doit être à l'écoute. Son rôle est avant tout de vous informer et de vous rassurer. Quoi de plus déroutant que les pleurs d'un bout de chou de trois semaines ? Vous avez le droit de poser des questions et d'hésiter : le médecin est là pour vous conseiller et doit tenir compte de vos réflexions. Une fois votre choix fait, il est préférable de ne pas en changer, sauf difficulté réelle bien entendu, car un médecin traite toujours mieux un enfant qu'il connaît et dont il a suivi l'évolution.

Même si votre bébé est suivi par le médecin de la consultation du Centre de Protection maternelle et infantile, il est important que vous connaissiez un médecin qui puisse vous recevoir lorsque votre bébé est malade. Votre choix peut se baser sur les titres du praticien, sur le bouche à oreille ou sur la qualité du contact humain.

En France, le choix du médecin est libre et peut se porter :
• soit sur un médecin généraliste, qui pourra également être le médecin de toute la famille ;
• soit sur un pédiatre, exerçant à l'hôpital ou en ville.

Même si bébé semble en superforme, ne ratez jamais un examen de surveillance !

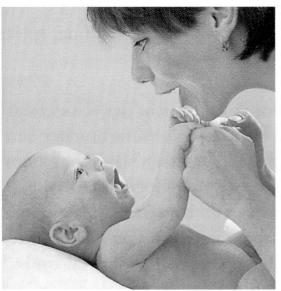

Les critères de choix importants sont, à mon avis,
• que ce médecin n'habite pas trop loin de votre domicile ;
• qu'il donne des rendez-vous (et ne se contente pas de consultations où vous devez attendre deux heures dans une salle avec votre bébé fiévreux sur vos genoux) ;
• qu'il soit disponible pour vous répondre et vous conseiller au téléphone ;
• qu'il se déplace à domicile en cas de nécessité ;
• qu'il prenne le temps de vous écouter et tienne compte de votre point de vue.

Le carnet de santé

Une surveillance régulière et obligatoire

En France, la surveillance régulière du développement du nourrisson et du jeune enfant est obligatoire depuis 1945. Elle a pour but d'assurer à tous les enfants des consultations médicales gratuites, suffisamment fréquentes pour suivre leur développement, et de donner les conseils nécessaires en matière d'alimentation, de soins, d'éveil…

Le carnet de santé : un dossier de suivi médical

Le carnet de santé est délivré gratuitement à tout enfant lors de sa naissance par l'officier d'état civil. Il est établi au nom de l'enfant et remis aux parents ou aux personnes titulaires de l'autorité parentale ou encore aux services à qui l'enfant est confié. Nul autre qu'eux ne peut en exiger la communication et toute personne appelée, de par sa profession, à prendre connaissance des renseignements qui y sont inscrits est astreinte au secret professionnel.

Vingt examens sont obligatoires avant l'âge de 6 ans (9 au cours de la première année, 3 au cours de la deuxième année, puis 2 par an jusqu'à 6 ans). Trois de ces visites donnent lieu à la délivrance d'un certificat de santé. Au cours de ces visites, des prescriptions vitaminiques sont données, des vaccinations sont effectuées… et d'éventuels problèmes dépistés précocement. Il est important que les données de chaque examen soient consignées dans le carnet de santé de l'enfant afin de pouvoir suivre son développement.

L'objectif de ce suivi médical régulier est de diminuer la mortalité et la morbidité des enfants. Ces consultations permettent la surveillance des enfants, le dépistage précoce des infirmités et anomalies, le suivi des traitements médicamenteux, la réalisation des vaccinations et la dispensation de conseils.

Examens obligatoires	
Nombre des examens	**Age de l'enfant**
1e année	8e jour de vie
9 examens	1 à 6 mois (tous les mois)
	9e mois
	12e mois
2e année	16e mois
3 examens	20e mois
	24e mois
3e année	Tous les semestres
8 examens	(soit 2 par an)

Le carnet de santé

Lors des visites de surveillance, n'hésitez pas à poser des questions au médecin. Pour cela, notez-les, ainsi que vos observations, avant de partir et n'oubliez pas : il n'y a pas de questions stupides, il n'y a que des réponses stupides.

Période néonatale (de la naissance à un mois)

Au cours des 8 premiers jours de vie de bébé, le médecin effectuera un examen approfondi et établira le certificat de santé obligatoire à cet âge. Il vérifiera, entre autres, si l'enfant présente un ictère, une dyspnée, une cyanose, un souffle cardiaque, une hépatomégalie, une hernie et vérifiera sa réaction aux stimuli sonores, son état oculaire, son réflexe moteur et photomoteur, le tonus de ses membres, son éveil et bien d'autres choses encore.

Examen du 4e mois

Bien que cet examen ne donne pas lieu à un certificat de santé, ses résultats, joints aux observations antérieures, permettent d'apprécier le développement de l'enfant et de déceler d'éventuelles anomalies. Il porte entre autres sur les conditions de vie (la mère travaille-t-elle à l'extérieur ?, l'enfant vit-il au domicile de ses parents ?), sur ses occupations pendant la journée (va-t-il à la crèche ?, est-il gardé par un membre de la famille ?), sur son régime alimentaire (est-il nourri au lait maternel ou au lait artificiel ?) et sur son développement psychomoteur (se sert-il de ses mains pour jouer ?, tourne-t-il la tête pour suivre un objet ?, tient-il sa tête droite ?...). Au cours de cet examen, le médecin vérifiera également si l'enfant réagit aux stimuli sonores, s'il souffre de nystagmus ou de strabisme et si celui-ci est corrigé.

Examen du 9e mois

Au cours du 9e mois, un bilan du développement de l'enfant doit être effectué par le médecin, qui établira un nouveau certificat de santé obligatoire. Cet examen porte toujours sur les conditions de vie de l'enfant - donc sur les critères déjà examinés lors de l'examen du 4e mois - mais aussi sur son développement psychomoteur : ses progrès, sa capacité à se tenir assis sans appui, à réagir à son prénom, à répéter une syllabe, à se déplacer et à saisir un objet avec participation du pouce.

Examen du 24e mois

A la fin de la 2e année, un bilan du développement de l'enfant doit être effectué par le médecin qui établit, une nouvelle fois, un certificat de santé obligatoire. Il vérifie les mêmes critères qu'au cours des examens du 4e et du 9e mois et, au niveau du développement psychomoteur, vérifie si l'enfant a acquis la marche et, si oui, à quel âge, s'il obéit à un ordre simple, s'il sait nommer, au moins, une image, s'il superpose des objets, etc.

217

Examen entre 3 et 4 ans

Ce bilan est très important car il concerne un âge clé du développement physique, psychomoteur et sensoriel de l'enfant. Les parents doivent s'assurer que ce bilan est effectué par leur médecin traitant ou à l'école maternelle ou encore en consultation PMI. Cet examen reprend les conditions de vie de l'enfant, c'est-à-dire s'il vit au domicile de ses parents, s'il va à l'école, et, dans la négative, qui s'en occupe la journée, s'il dort bien, etc.

Parmi les examens importants de cette visite, on note également : un examen auditif, un examen de la cavité buccale, un examen oculaire et un examen psychomoteur. Celui-ci est destiné à déterminer si l'enfant, au niveau sociabilité, enlève seul un vêtement et joue avec d'autres enfants ; au niveau langage, s'il est capable de dire son nom, son sexe, connaît trois couleurs et fait une phrase (sujet, verbe, complément). Le médecin vérifiera également sa motricité globale et s'il sait lancer une balle, sauter en avant et se tenir sur un pied ; et sa motricité fine : s'il sait se boutonner, tracer un trait vertical, copier un cercle et faire un bonhomme en trois parties. Cet examen détermine également si l'enfant est propre le jour et la nuit.

A chaque visite, le pédiatre est attentif à d'éventuels troubles du système nerveux. Sur la photo ci-contre, il vérifie les réflexes d'un enfant de deux ans.

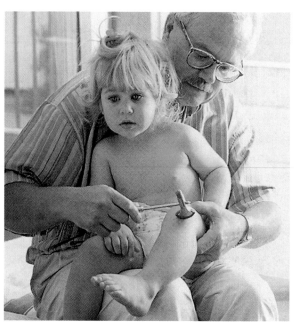

Examen entre 5 et 6 ans

Entre 5 et 6 ans, l'entrée au cours préparatoire va constituer une étape importante dans la vie de l'enfant. Un bilan de son développement est donc nécessaire à cet âge. Ce bilan reprend tous les points habituels, donc les conditions de vie de l'enfant, un examen auditif, un examen de la cavité buccale, un examen oculaire, un examen somatique et un examen psychomoteur. Celui-ci déterminera si l'enfant marche talon-pointe avant, s'il sait utiliser des marionnettes, rattraper une balle au bond, compter 13 cubes ou jetons, répéter une phrase de 12 syllabes, décrire une image, exécuter une consigne, distinguer entre le matin, l'après-midi et le soir, recopier un carré, un losange et des cercles. Il examinera également son comportement général et, notamment, son autonomie, sa spontanéité et sa capacité d'attention.

Développement physique

Un enfant ne grandit pas seulement en taille et en poids mais il se développe aussi sur le plan psychique et social. Chaque enfant évolue à son propre rythme et il n'y a pas vraiment, au point de vue physique, de normes auxquelles vous pouvez "le comparer et le mesurer". En ce qui concerne les stades du développement psychologique et social, il est encore plus difficile de fixer des normes. Lors des visites de contrôle, le médecin interroge les parents sur leurs observations et peut très rapidement établir, par un jeu de questions-réponses, si l'enfant se développe de la manière décrite par les parents.

Si vous êtes inquiet parce que votre enfant est plus grand ou plus petit que les autres, demandez conseil à votre médecin. Des radiographies permettent de calculer d'une manière relativement précise la taille qu'aura un enfant à l'âge adulte.

Trop grand ou trop petit ?

Lorsqu'un enfant est nourri convenablement et qu'il ne lui manque aucune hormone de croissance, sa taille est déterminée génétiquement. Pour connaître la taille adulte (approximative) de votre enfant, vous pouvez additionner la taille des deux parents, vous la divisez par deux, puis soit vous ajoutez 6 cm pour les garçons, soit vous retirez 6 cm pour les filles.

Trop gros ou trop maigre ?

Les tableaux définissant les besoins énergétiques ne donnent que des valeurs indicatives et les quantités dont votre enfant a besoin dépendent de son activité physique ; elles peuvent donc varier d'un jour à l'autre. Le poids corporel doit s'adapter à la croissance : un enfant plus grand peut peser plus que la valeur indiquée pour son âge et inversement. Un enfant ne développe des bourrelets de graisse que s'il mange trop en permanence - la boulimie cache souvent des problèmes psychologiques, des besoins non satisfaits que l'enfant compense par la nourriture. Cent calories de trop par jour suffisent pour générer un surpoids d'un kilo en deux mois seulement - et cent calories, c'est à peine une tranche de pain. Si votre enfant est trop "gros", demandez conseil à votre médecin. Un enfant qui bouge beaucoup, joue à l'extérieur, fait du sport, a une alimentation saine et est équilibré ne deviendra jamais un petit bonhomme Michelin.

Certains parents, souvent influencés par les grands-parents, pensent que si leur enfant est mince, c'est parce qu'il est sous-alimenté. Conseil du médecin : si vous proposez à manger à votre enfant, il ne mourra jamais de faim. Si un enfant en bonne santé refuse de manger à table, c'est le plus souvent par réaction à une surprotection de sa mère.

**Taille et poids
(valeurs moyennes)**

Age	Filles	Garçons
6 mois	66 cm/7,5 kg	68 cm/7,5 kg
1 an	75 cm/10 kg	76 cm/10,5 kg
2 ans	86 cm/12 kg	88 cm/13 kg
4 ans	104 cm/16,5 kg	105 cm/17 kg
6 ans	118 cm/21 kg	124 cm/24 kg
8 ans	130 cm/26 kg	129 cm/26 kg
10 ans	140 cm/32,5 kg	140 cm/32,5 kg
12 ans	153 cm/41,5 kg	150 cm/40 kg
14 ans	162 cm/52,5 kg	163 cm/50 kg

219

Vaccination

Conseils relatifs à la vaccination

• Faites vacciner votre enfant uniquement le matin et en début de semaine. Ainsi en cas de complications vous serez sûr de pouvoir joindre le médecin.

• Les nourrissons et les petits enfants doivent être vaccinés dans le haut du bras. Les injections dans les muscles du siège peuvent en effet blesser le nerf sciatique et le site d'injection être infecté par voie indirecte (objet contaminé).

• Après le vaccin contre la coqueluche, donnez immédiatement à votre enfant un suppositoire antipyrétique et, le même jour, beaucoup de tisane sucrée à boire. Contrôlez sa température deux fois par jour au cours des trois jours suivants.

Contre les rougeurs et les gonflements

Si l'endroit où a été effectué le vaccin est rouge et tuméfié, appliquez-y une compresse froide à l'alcool (page 206). Les gels contre les insectes ont également un effet décongestionnant rapide.

Quand l'organisme a surmonté une infection aiguë, il est protégé contre une réinfection par le même microbe : le système immunitaire reconnaît le microbe et, à partir de ce moment, les anticorps qu'il produit anéantissent immédiatement l'intrus. Le corps est immunisé. Dans certaines maladies, l'immunité ainsi acquise l'est à vie, dans d'autres, elle est de courte durée.

La vaccination consiste à introduire dans l'organisme des microbes atténués ou inactivés, auxquels le système immunitaire, comme dans une véritable infection, réagit pour former des anticorps. Lorsque le véritable microbe pénétrera dans l'organisme, le système immunitaire sera armé - la vaccination empêche donc la contamination. Contrairement aux vaccins actifs, dans l'immunisation passive, le médecin injecte les anticorps (immunoglobulines) contre toute une panoplie de microbes. On utilise cette méthode quand l'organisme a déjà été contaminé et qu'il n'a plus le temps de fabriquer lui-même ses défenses.

Il est important que l'enfant, mais aussi vous-même, soyez vaccinés. La vaccination est la meilleure prévention dont nous disposons contre les maladies. Il est tout à fait erroné de penser que les maladies infantiles sont normales et importantes pour assurer à l'enfant un développement sain. La menace que représentent certaines maladies infantiles - notamment le caractère mortel de l'encéphalite due à la rougeole ou aux oreillons ou les paralysies musculaires dues à la poliomyélite - est sous-estimée aujourd'hui car les vaccins ont fait disparaître les craintes. Mais il ne faut pas oublier que, si les maladies telles que la diphtérie ont été complètement éradiquées chez nous, elles sévissent encore ailleurs dans le monde.

Vaccinations obligatoires

Vaccination associée antidiphtérique, antitétanique et antipoliomyélite (vaccins DTP)

• obligatoire avant 18 mois,
• conseillée à partir de 2 mois en 3 injections à 1 mois d'intervalle,
• rappel obligatoire 1 an après la dernière injection,
• rappels recommandés tous les 5 ans.

Vaccination antituberculeuse par le B.C.G.

• obligatoire pour les enfants de moins de 6 ans placés en collectivité : crèche, garde par assistante maternelle, pouponnière, école maternelle…
• obligatoire au plus tard au cours de la 6e année pour tout enfant qui n'a pas encore été vacciné.

• après deux vaccinations par le B.C.G. réalisées par voie intradermique, les sujets qui ont une intradermoréaction négative à la tuberculine sont considérés comme ayant satisfait aux obligations vaccinales.

Vaccinations recommandées
Contre la coqueluche
• conseillée à partir de 2 mois en association avec l'antidiphtérique, l'antitétanique et l'antipoliomyélitique,
• rappel 1 an plus tard.
Antirougeoleuse, antiourlienne (antioreillons), antirubéolique : ROR
• conseillées à partir de l'âge de 1 an,
• une 2e dose de ROR doit être donnée avant 6 ans,
• un rattrapage à la puberté (11-13 ans) chez les filles et les garçons non vaccinés doit être proposé,
• chaque vaccin peut être pratiqué séparément.
Antihaemophilus
• conseillée à partir de 2 mois en 3 injections à 1 mois d'intervalle,
• rappel obligatoire 1 an après la dernière injection,
• peut être associée à la vaccination DTCoq-polio.
Antihépatite B
• chez les nouveau-nés de mères séropositives à l'antigène HbS, une sérovaccination doit être pratiquée dans les 48 premières heures, suivie des 2e et 3e injections de vaccin à 1 et 2 mois et d'un rappel à 1 an,
• recommandée chez tous les nourrissons : le schéma en 4 injections (3 injections à 1 mois d'intervalle et la 4e un an après la 1re) permet qu'il soit réalisé en même temps que les autres vaccinations du nourrisson,

Même si la piqûre fait mal et que l'enfant proteste, la vaccination le protège contre des maladies graves et leurs complications dangereuses.

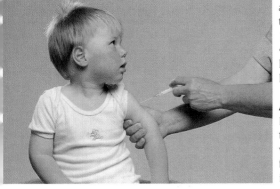

• également recommandée chez les adolescents : le schéma en 3 injections (2 injections à 1 mois d'intervalle, la 3e six mois après la 1re) permet sa réalisation sur une année scolaire,
• il existe 2 dosages à 10 et 20 microgrammes : le dosage à 10 microgrammes est réservé à l'enfant jusqu'à 15 ans.

Autres vaccinations
Dans certains cas d'épidémie, d'autres vaccinations peuvent être imposées. Pour certains voyages internationaux, des vaccinations spécifiques sont exigées selon le lieu de destination ; informez-vous bien avant votre départ.

Vaccination

Les complications des vaccins

Tous les vaccins peuvent avoir des effets indésirables mais ils sont très rares et quasi toujours inoffensifs à l'exception de ceux du vaccin contre la coqueluche. Les complications les plus courantes sont les rougeurs, les tuméfactions, la fièvre et un état d'abattement. Si vous croyez que votre enfant développe une réaction indésirable à un vaccin, demandez conseil à votre médecin.

Vaccin BCG
• 2 à 3 semaines après l'inoculation peut apparaître une rougeur qui peut évoluer en un bouton violacé d'où s'écoule un liquide trouble et dont la cicatrisation prend plusieurs semaines
• Ganglion au niveau des aisselles qui disparaît généralement spontanément et complètement
• Ramollissement et éclatement de ce ganglion avec libération d'un écoulement jaunâtre parfois pendant de nombreuses semaines.

Vaccin D.T.COQ.POLIO HIB
Les réactions sont fréquentes mais très variables.
• Fièvre souvent inférieure à 39° C et qui disparaît dans les 24 ou 48 heures
• Rougeur et gonflement douloureux du site d'injection
• Apparition au site d'injection d'une petite boule dure qui régresse spontanément.

Vaccin contre la rougeole
Ce vaccin n'entraîne pas de réaction immédiate. Dans 10 à 20% des cas, cette réaction survient 6 à 10 jours après la vaccination.
• Fièvre
• Toux
• Ecoulement nasal
• Parfois : petite éruption
• Rarement : rougeole, mais toujours bénigne.

Vaccin contre l'hépatite B
Il n'entraîne de complications que de manière tout à fait exceptionnelle.

Dès le 1er mois	B.C.G.	La vaccination BCG précoce est réservée aux enfants vivant dans un milieu à risques. La vaccination BCG **est obligatoire pour l'entrée en collectivité,** y compris la garde par une assistante maternelle. L'épreuve tuberculinique doit être pratiquée 3 à 12 mois plus tard.
A partir de 2 mois	Diphtérie, Tétanos, Coqueluche, Polio *Haemophilus influenzae b* Hépatite B 1re injection	Le vaccin **polio injectable** est recommandé, surtout pour les primo-vaccinations, en réservant le vaccin polio oral pour des situations épidémiques ou en rappel.
3 mois	Diphtérie, Tétanos, Coqueluche, Polio *Haemophilus influenze b* Hépatite B 2e injection	**Le vaccin coqueluche à germes entiers est recommandé**
4 mois	Diphtérie, Tétanos, Coqueluche, Polio *Haemophilus influenze b* Hépatite B 3e injection	
A partir de 12 mois	Rougeole, Oreillons, Rubéole	La vaccination associée **rougeole-oreillons-rubéole** est recommandée de façon indifférenciée pour les **garçons** et les **filles**. La **vaccination rougeole** doit être pratiquée plus tôt, à partir de 9 mois pour les enfants vivant en collectivité, suivie d'une revaccination 6 mois plus tard en association avec les **oreillons** et la **rubéole**. En cas de menace d'épidémie dans une collectivité d'enfants, on peut vacciner **à partir de 9 mois** tous les sujets supposés réceptifs. La vaccination immédiate peut être efficace si elle est faite moins de 3 jours après le contact avec un cas.
16-18 mois	Diphtérie, Tétanos, Coqueluche, Polio *Haemophilus influenze b* 1er rappel Hépatite B 4e injection	Lors du 1er rappel on peut, si nécessaire, faire en un site d'injection séparé **la vaccination associée rougeole-oreillons-rubéole**. Le vaccin coqueluche à germes entiers ou le vaccin acellulaire peuvent être utilisés indifféremment.
Entre 3-6 ans	Rougeole, Oreillons, Rubéole 2e dose	**Une seconde vaccination associant rougeole-oreillons-rubéole est recommandée pour tous les enfants.**
Avant 6 ans	B.C.G.	La vaccination BCG précoce est réservée aux enfants vivant dans un milieu à risques. La vaccination BCG **est obligatoire pour l'entrée en collectivité,** y compris la garde par une assistante maternelle. L'épreuve tuberculinique doit être pratiquée 3 à 12 mois plus tard.

Vaccination
Calendrier vaccinal

6 ans	Diphtérie, Tétanos, Polio 2ᵉ rappel, Rougeole, Oreillons, Rubéole	La vaccination associée **rougeole-oreillons-rubéole** est recommandée chez les enfants **n'ayant pas encore été vaccinés ou n'ayant reçu qu'une dose**. L'entrée à l'école primaire est une bonne occasion de vacciner, éventuellement le même jour que le 2ᵉ rappel **diphtérie, tétanos, polio** et/ou le B.C.G.
11-13 ans	Diphtérie, Tétanos, Polio 3ᵉ rappel **Coqueluche**	**Un rappel tardif coqueluche est recommandé chez tous les enfants**, l'injection devant être effectuée en même temps que le 3ᵉ rappel diphtérie, tétanos, polio **avec le vaccin coquelucheux acellulaire.**
	Rougeole, Oreillons, Rubéole **Rattrapage** Hépatite B	Une vaccination associée **rougeole-oreillons-rubéole** est recommandée pour tous les enfants n'en ayant pas bénéficié, quels que soient leurs antécédents vis-à-vis des trois maladies. Soit 1 injection de rappel si la vaccination complète a été pratiquée pendant l'enfance, soit un schéma complet (en 3 ou 4 injections).
	Epreuve tuberculinique	Les sujets aux tests tuberculiniques négatifs, vérifiés par IDR, seront vaccinés ou revaccinés (1).
16-18 ans	Diphtérie, Tétanos, Polio 4ᵉ rappel	(rappels ultérieurs T-P tous les 10 ans)
	Rubéole pour les jeunes femmes non vaccinées	La vaccination rubéole est recommandée, par exemple lors d'une visite de contraception ou prénuptiale ; la sérologie préalable et post-vaccinale n'est pas utile. Il est nécessaire de s'assurer de l'absence d'une grossesse débutante et d'éviter toute grossesse dans les 2 mois suivant la vaccination, en raison d'un risque tératogène théorique. Si la sérologie prénatale est négative ou inconnue, la vaccination devra être pratiquée immédiatement après l'accouchement, avant la sortie de maternité.
	Epreuve tuberculinique	Les sujets aux tests tuberculiniques négatifs vérifiés par IDR seront vaccinés ou revaccinés (1).

(1) Après 2 vaccinations par le B.C.G., réalisées par voie intradermique, les sujets qui ont une intradermoréaction négative à la tuberculine sont considérés comme ayant satisfait aux obligations vaccinales.

Lorsqu'un retard est intervenu dans la réalisation du calendrier indiqué, il n'est pas nécessaire de recommencer tout le programme des vaccinations imposant des injections répétées. Il suffit de le reprendre là où il a été interrompu et de compléter la vaccination en réalisant le nombre d'injections requis en fonction de l'âge.

Alimentation et nutrition

Il n'existe de règles alimentaires fixes que pour les premiers mois de la vie. Pour le reste, les principes de l'alimentation de l'enfant sont les mêmes que ceux d'une alimentation saine de l'adulte, c'est-à-dire beaucoup de fruits, de légumes, de céréales, de produits complets - donc plutôt du pain complet que du pain blanc -, peu de viande et de charcuterie ainsi que peu de calories vides, par exemple des limonades ou des bonbons.

Jusqu'à la fin du 4e mois : "le temps du lait"

Le meilleur mode d'alimentation du bébé, c'est l'allaitement. Le lait maternel est en effet l'aliment le plus complet, le plus naturel et le plus sain pour le nourrisson. C'est donc bien le lait maternel qui l'aide le mieux à grandir, et ceci tout en le protégeant contre les infections. Mais tout ce que la maman mange et boit passe, en partie, dans le lait maternel et peut donc avoir des répercussions sur la santé du nourrisson (coliques du nourrisson, page 42). Les mamans qui allaitent doivent boire beaucoup, éventuellement du thé galactogène, vendu en pharmacie, et ne pas manger de repas trop épicés. Les alcools forts sont interdits et le verre de champagne doit rester l'exception.

Allaitez votre bébé aussi longtemps qu'il a faim - la tétée stimule la production de lait.

Médicalement, l'allaitement n'est déconseillé que si :
• vous souffrez d'une grosse infection (ou que votre enfant a déjà été contaminé) ;
• vous fumez (de plus, la fumée de tabac dans l'habitation peut être coresponsable de la mort subite du nourrisson) ;
• vous prenez certains médicaments, notamment de l'ergotamine ou des antithyroïdiens.

Bébé doit essayer, déjà une demi-heure après sa naissance, de téter pour la première fois (colostrum jusqu'au troisième ou quatrième jour). Donnez le sein toutes les deux à quatre heures ou à chaque fois qu'il a faim et s'agite.

A partir du 3e ou 4e jour apparaît alors le lait à proprement parler. Un enfant allaité doit boire 5 à 6 voire 7 fois par jour et doit prendre environ 150 grammes par semaine.

Si vous allaitez et que votre bébé ne grossit pas suffisamment, mettez-le plus souvent au sein et/ou complétez l'allaitement par un biberon de lait.

Lorsqu'une mère ne peut plus allaiter, le bébé passe au biberon. Les laits industriels pour nourrissons sont les plus appropriés. Certains laits qui contiennent moins de glucides sont plus fluides mais aussi valables que les autres. Pour le biberon, on peut aussi prendre du lait de vache additionné d'eau, de sucre et de l'huile de germe.

Règles importantes pour les enfants nourris au biberon

• Avant de donner à boire à bébé, vérifiez la température du biberon sur le dos de votre main. Le lait doit avoir la même température que votre peau.

• Le trou de la tétine doit être étroit et, le temps de dire "331", une seule goutte doit s'être écoulée (environ 1 goutte par seconde).

• Ne conservez jamais le lait d'un biberon inachevé pour le suivant, pas même au frigo !

• Les biberons ne peuvent pas être laissés plus de 30 minutes dans les chauffe-biberons (risque de développement de microbes).

A partir du 7e mois, bébé commence à prendre les choses en main et à mastiquer ; vous pouvez alors lui donner des croûtes de pain (sans sel).

Cette préparation revient moins chère mais elle n'est pas complète (il lui manque les vitamines et les oligo-éléments) et des microbes pourraient s'introduire dans le lait et provoquer des infections gastro-intestinales.

Pour les nourrissons qui présentent un risque allergique et qui ne peuvent pas être allaités, il existe du lait en poudre hypoallergénique.

A partir du 5e mois : introduction de suppléments

• A partir du 4e mois mais surtout du 5e mois, il faut, en plus du lait : d'abord des carottes mixées, sans sel ni sucre, que l'on donnera, au début, à la cuillère. Ensuite, quand l'enfant arrive à manger 100 grammes de carottes, ajoutez à sa purée de carottes un peu d'huile de maïs. Les huiles apportent dans son alimentation les acides gras insaturés, dits essentiels, qui permettent l'absorption de la vitamine A, D, E et K. Vous pouvez aussi y ajouter des pommes de terre en robe des champs (qui contiennent beaucoup de vitamines C).

• A partir de 5 mois, un repas lacté par jour est remplacé par une purée de pommes de terre et de légumes (150 grammes de légumes, 50 grammes de pommes de terre).

• Au plus tard à partir du 6e mois, un deuxième biberon est remplacé par de la panade de fruits ou des céréales lactées.

• A partir du 6e mois, il convient d'ajouter à la purée de légumes de la viande, qui apporte au bébé le fer nécessaire à la fabrication de l'hémoglobine dans les globules rouges et à la fabrication de ses défenses contre les infections. Prenez, de préférence, de la viande de bœuf, d'agneau ou de dinde que vous cuirez sans sel et passerez au mixer. Vous pouvez en cuire une grande quantité que vous surgèlerez en plus petites portions à dégeler au fur et à mesure de vos besoins.

• A partir du 7e mois : vous pouvez ajouter à la compote de fruits ou aux céréales un peu de fromage blanc. Outre les pommes de terre, vous pouvez également commencer à donner à votre enfant du riz et des pâtes. A partir de cet âge, plus besoin de mixer aussi finement tout ce que vous donnez à manger à bébé, l'écraser à la fourchette suffit.

• Du 8e au 9e mois : à partir de cet âge, vous pouvez utiliser pour les biberons du lait entier pasteurisé à 3,5% de matières grasses.

• A partir d'un an, l'enfant peut progressivement se mettre à manger comme les autres membres de la famille, à table et dans son assiette et boire dans une tasse. Supprimez toutefois de son menu, par prudence, les légumes secs et le chou. Ne donnez pas à votre enfant de noix ni de cacahuètes qui sont dangereuses car elles peuvent facilement glisser dans la trachée.

Alimentation et nutrition

Les enfants adorent faire "leur popote" et utiliser leur cuillère. Mais laissez-les aussi manger avec les mains, s'ils le veulent !

Quand les enfants mangent à table avec tout le monde

La deuxième année de la vie de bébé est très importante sur le plan des repas car, à partir de cet âge, il peut manger avec tout le monde. Chez les enfants, les papilles gustatives sont plus sensibles. Soyez donc économe avec le sel et les épices.

Pour que les repas en commun se passent le mieux possible et ne dégénèrent pas en champ de bataille, voici quelques conseils :

• Veillez à créer une atmosphère détendue. N'obligez surtout jamais votre enfant à manger. La régularité est précieuse. Essayez de le faire manger toujours à la même heure et au même endroit. Ne le complimentez pas trop quand il a terminé son assiette.

• Les enfants aiment les légumes, les pommes de terre, la viande et les fruits, de préférence séparés plutôt que mélangés. N'oubliez pas que les enfants aussi ont besoin d'un régime varié ! Mais pendant certaines phases, qui paraissent parfois interminables, ils peuvent avoir leur plat préféré et refuser catégoriquement tous les autres. Le seul remède dans ce cas : garder son calme. Débarrassez sans faire de commentaire ce que votre enfant ne veut pas manger mais restez ferme s'il vous demande autre chose.

• Les boissons, surtout les boissons à base de jus de fruits, sont de véritables bombes caloriques pour les enfants. Données en quantités importantes, elles remplissent rapidement l'estomac : si votre enfant boit beaucoup avant de manger, il n'aura pas faim au moment du repas mais par contre très rapidement après.

En soi, l'alimentation des enfants n'est pas plus compliquée que celle des adultes. Trois règles sont toutefois à respecter pour leur bien-être :

• Lavez bien et épluchez les pommes de terre, les légumes et les fruits : vous enlèverez ainsi toutes les substances susceptibles de les contaminer.

• N'introduisez que lentement, progressivement et en petites quantités les aliments difficiles à digérer tels que les légumes secs, les céréales complètes et le chou.

• Cuisez bien la viande mais sans la carboniser (toxique) et servez-la toujours avec un peu de sauce. Ne donnez jamais non plus les légumes "secs". Une dernière chose, ne vous énervez pas. Aussi longtemps que votre enfant n'a pas un régime exclusivement végétarien ou alternatif et qu'il grandit, qu'il est plein de joie de vivre et prend du poids, c'est qu'il est bien nourri !

Les bases d'une vie saine

Excellent pour la santé : une douche froide après la toilette. Cela rafraîchit et pas seulement en été !

Le nourrisson a bien sûr besoin de manger et de boire, de soins corporels et de tendresse mais aussi d'un environnement adéquat : une maison où il se sente en sécurité, des journées bien réglées, de l'exercice physique et beaucoup d'air frais.

Tranquillité et beaucoup de sommeil

Une journée bien organisée constitue l'élément fondamental d'une enfance saine. Et cela commence dès le matin : essayez donc de ne pas courir dans tous les sens entre la toilette, le bain, le petit déjeuner, l'habillage, etc. et de commencer votre journée en toute sérénité.

Il est également important de ne pas surmener l'enfant psychologiquement, c'est-à-dire de ne pas le soumettre à un stress trop important. Les enfants de moins de 6 ans ne devraient jamais regarder la télévision seuls, même s'il s'agit d'émissions pour enfants. Ce n'est que si vous êtes à côté d'eux pendant qu'ils la regardent que vous pourrez répondre immédiatement à toutes leurs questions. Les terreurs nocturnes, les difficultés d'endormissement, les angoisses et dès lors les agressions sont souvent dues à la télévision et aux images que votre enfant ne peut pas gérer seul.

Les enfants ont besoin de beaucoup de sommeil car leur vie est autrement plus passionnante que la nôtre : un petit enfant a besoin, en moyenne, de 8 à 12 heures de sommeil, les enfants scolarisés de 10 à 12 heures.

L'eau, élixir de la vie

L'eau est indispensable à la vie et à l'hygiène. Se laver ne fait pourtant pas partie des besoins ressentis comme étant fondamentaux par l'enfant. Il est donc d'autant plus important de lui montrer le bon exemple : c'est par votre intermédiaire que l'enfant apprendra à se laver le matin et le soir, de la tête aux pieds et pas uniquement les mains. Les mains doivent être lavées après chaque passage aux toilettes, avec de l'eau chaude et du savon (chaque enfant a sa petite odeur préférée que vous pourrez facilement trouver en savon).

Loisirs et air frais

Les enfants doivent pouvoir sortir tous les jours. Les bébés aussi doivent prendre l'air le plus possible.

Les petits enfants et les enfants scolarisés ont besoin, après la crèche ou l'école, chaque jour, de deux à trois heures pour se défouler dehors, quel que soit le temps. L'air frais et l'exercice favorisent non seulement le développement physique et l'équilibre psychologique ; ils assurent aussi le développement du système immunitaire et un bon sommeil.

Les bases d'une vie saine

Si votre enfant ne prend pas suffisamment l'air pendant la journée, veillez en tout cas à bien aérer sa chambre. Laissez la fenêtre ouverte le plus souvent possible.

Vacances !

Les enfants aussi ont besoin de repos. Exception : les nourrissons, auxquels il suffit d'avoir papa et maman toute la journée pour eux. Les voyages en avion ne sont pas recommandés pour les bébés - surtout lorsqu'ils se font vers l'hémisphère opposé (en raison des trop grands changements climatiques). Les petits enfants aiment aller en vacances toujours au même endroit et les voyages organisés ou les visites des villes les dérangent et les angoissent. Les vacances préférées des enfants en âge scolaire, c'est de pouvoir se défouler en plein air, comme ils le veulent et aussi longtemps qu'ils le veulent. Le week-end aussi peut être exploité. Un petit tour à vélo ou aller nager dans le lac

ou à la piscine à proximité est tout aussi agréable et revitalisant pour les enfants qu'un long trajet en voiture. Cela vaut aussi pour les week-ends de randonnées.

Jeux et sports

Rien ne stimule plus un enfant que l'exercice physique qu'il pratique dans le cadre d'un sport ou de ses jeux. Plus l'enfant est jeune, plus il joue, explore le monde qui l'entoure et exerce sa force, ses aptitudes et sa vivacité d'esprit.

Les petits enfants jusqu'à environ 2 ans aiment beaucoup jouer seuls. Ils imitent les jeux des enfants plus grands ou des adultes. Les enfants ne jouent entre eux qu'à partir de 3 ans environ et, entre 3 et

Les enfants adorent jouer en plein air, surtout si leurs parents participent à leurs ébats. De plus, l'exercice en plein air renforce le système immunitaire.

5 ans, le jeu avec les petits camarades devient vital. En jouant avec des enfants de son âge, votre enfant acquiert un comportement social en groupe et prend conscience des règles.

La rentrée à l'école poussera votre enfant à se comparer aux autres - aussi dans le domaine du sport. Les sports préférés des enfants sont les sports d'équipe tels que le football, le handball, la natation. Les véritables sports d'équipe exigeant beaucoup de caractère - et surtout les sports de compétition - ne doivent pas être entamés avant l'âge de 8 ou 10 ans. Un sport de haut niveau n'est pas un jeu mais un travail physique dur et ne peut être que sujet à caution d'un point de vue médical.

Premiers secours

Les blessures chez les enfants sont légion ; elles sont dues à leurs multiples explorations et à leur curiosité mais aussi au fait qu'ils ne sont pas encore tout à fait capables d'évaluer les dangers. La majorité de ces petits incidents sont relativement bénins : les genoux écorchés et les hématomes font partie de la vie de chaque enfant qui conquiert le monde en grimpant dans les arbres et en roulant à vélo.

La plupart du temps, un désinfectant sans iode et un bon sparadrap suffisent. Toutefois, si votre enfant se blesse plus sérieusement, il faut que vous puissiez réagir rapidement et efficacement. Familiarisez-vous avec les gestes et les premiers soins qui peuvent le sauver.

Dans tous les cas, n'oubliez pas de garder votre sang-froid.

Bien réagir
dans les situations d'urgence

Chez les enfants, il peut y avoir urgence dans le cadre d'une maladie mais aussi dans le cadre d'un accident. La plupart des accidents chez les bébés et les petits enfants surviennent dans la chambre, la cuisine, la salle de bains ou le séjour : les enfants tombent de la table en jouant, de leur chaise ou d'un lit surélevé, ils ingurgitent des liquides dangereux. Ils aiment aussi mettre en bouche de petits objets, qu'ils avalent par inadvertance. Comparativement aux adultes, les causes des accidents chez les petits enfants sont souvent dues à leur manque d'expérience et à leur curiosité auxquels s'ajoutent un manque de maturité et une maladresse naturelle.

Le plus important, si votre enfant a un accident face auquel il faut réagir d'urgence, c'est de garder votre calme. Avant tout, apprenez à évaluer l'urgence et à pouvoir déterminer si sa vie est ou non en danger. Ensuite, appelez de l'aide le plus rapidement possible. Pour pouvoir aider votre enfant dans les situations d'urgence, l'idéal est de suivre un cours de secourisme. Si vous n'en avez pas l'occasion, vous pouvez au moins essayer de vous familiariser avec les premiers secours et premiers soins des grandes urgences chez les enfants. Les situations qui menacent la vie de l'enfant sont : arrêt respiratoire, inconscience, arrêt cardiaque, état de choc et hémorragie importante.

Protéger
Vous pouvez épargner à votre enfant de nombreux dangers. Voici quelques mesures de prévention des accidents :
• Ne laissez jamais un fer à repasser chaud à portée de votre enfant, même quand vous avez fini votre repassage.
• Prudence avec les sachets en plastique : les petits enfants aiment se les mettre sur la tête, ce qui peut provoquer leur asphyxie.
• Ne laissez jamais un petit enfant sans surveillance dans l'eau. Même pas dans la baignoire ou une pataugeoire !
• Le plus grand danger pour votre enfant de moins de 6 ans, c'est la rue. Veillez, dès son plus jeune âge, à l'éduquer aux consignes à adopter en rue.

Si vous devez appeler un service d'urgence, pensez à donner :
• Le lieu de l'accident (nom, adresse, n° de téléphone)
• Le nombre et l'âge des victimes
• Une description de la situation (ou du moins ce que vous en savez) : Qu'est-il arrivé ? Comment est le patient ?
• Y a-t-il arrêt respiratoire ? Inconscience ? Forte hémorragie ? Etat de choc ?

Bien réagir
dans les situations d'urgence

• Ne laissez pas un enfant de moins de 8 ans partir seul à vélo dans la rue ; faites-le rouler de préférence sur le trottoir !

• Mettez un dispositif de sécurité sur toutes les prises de la maison.

• Conservez les substances dangereuses - poudres à lessiver, produits de nettoyage, produits anticalcaire, médicaments, produits phytosanitaires - dans un endroit inaccessible pour votre enfant.

• Mettez hors de portée des enfants tous les objets qu'ils aiment mettre en bouche et qui pourraient obstruer leur trachée (par exemple les petites pièces des jouets, les vis, les clous, etc.).

• Ne laissez jamais, sans surveillance, sur votre cuisinière des liquides chauds, par exemple dans une casserole, même s'il vous paraît impossible que votre enfant puisse les atteindre. Disposez toujours les poignées des casseroles vers l'arrière de la cuisinière, pour que votre enfant ne puisse pas les attraper.

Quand les enfants commencent à se déplacer, leur soif d'aventure et de découverte est insatiable. Rappelez-vous que les enfants ne sont pas conscients des dangers.

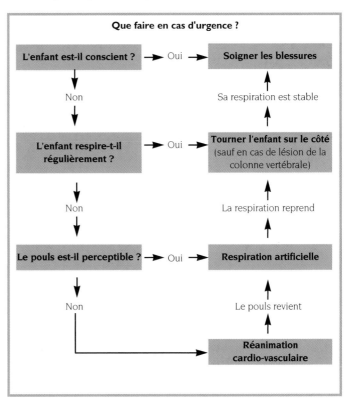

Que faire en cas d'urgence ?

L'enfant est-il conscient ? → Oui → **Soigner les blessures**

Non ↓   ↑ Sa respiration est stable

L'enfant respire-t-il régulièrement ? → Oui → **Tourner l'enfant sur le côté** (sauf en cas de lésion de la colonne vertébrale)

Non ↓   ↑ La respiration reprend

Le pouls est-il perceptible ? → Oui → **Respiration artificielle**

Non ↓   ↑ Le pouls revient

→ **Réanimation cardio-vasculaire**

Perte de conscience

SYMPTÔMES TYPIQUES

- **Absence de réaction aux stimuli extérieurs, asthénie musculaire**
- **Le nourrisson ne réagit pas aux stimuli douloureux**
- **L'enfant ne réagit pas quand on lui parle**
- **Pâleur**

ATTENTION

Si votre enfant est inconscient, attention au trouble respiratoire ! La perte de conscience peut être mortelle pour un enfant. Appelez immédiatement le SAMU !

Le fait qu'un enfant soit inconscient est facile à constater. S'il est conscient, il vous parlera ou bougera les yeux quand vous lui parlez, le touchez ou le déplacez. Chez le nourrisson de moins d'un an, on peut se rendre compte de l'état de conscience en fonction d'une réaction à un stimulus douloureux, par exemple en le secouant ou en le chatouillant : si l'enfant ne réagit absolument pas, c'est qu'il est inconscient. S'il réagit au ralenti ou faiblement et a l'air apathique, c'est qu'il est sur le point de perdre connaissance.

L'état d'inconscience constitue toujours un cas d'urgence car il menace la vie de l'enfant à cause du risque de suffocation. Si votre enfant perd conscience, mettez-le immédiatement dans la position latérale de sécurité. C'est capital si votre enfant a vomi ou s'il saigne de la bouche ou du nez. Par contre, au moindre soupçon de lésion de la colonne vertébrale, ne déplacez pas l'enfant et appelez immédiatement le SAMU. En l'attendant, vous pouvez faire du bouche-à-bouche (page 235). Le massage cardiaque ne doit être pratiqué que par du personnel compétent ou le médecin de garde.

Premiers secours

Si vous constatez que votre enfant est inconscient, mettez-le immédiatement en position latérale de sécurité, saisissez la jambe la plus éloignée et tirez doucement ; maintenez la main de l'enfant contre sa joue, pliez la jambe supérieure à angle droit et ajustez la position du bras inférieur pour empêcher l'enfant de rouler sur le ventre. Ensuite, inclinez-lui la tête vers l'arrière. Laissez l'enfant dans cette position jusqu'à l'arrivée du médecin ou du SAMU.

Position latérale de sécurité

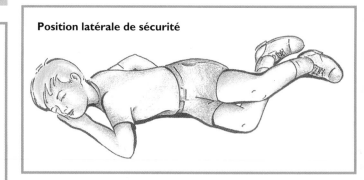

Arrêt respiratoire

Lorsqu'il y a urgence, les premiers paramètres à vérifier sont l'état de conscience (page 234) et la respiration. L'arrêt respiratoire est toujours synonyme d'un risque mortel pour l'enfant car un manque d'oxygénation du cerveau de quelques minutes à peine entraîne des dommages irréversibles. Chaque minute d'arrêt respiratoire diminue les chances de survie de l'enfant de 15 à 20%.

Si vous trouvez votre enfant inconscient, vérifiez immédiatement s'il respire encore : observez son thorax, qui doit se soulever et s'abaisser, ou placez une main sur le côté, au niveau des côtes inférieures, et l'autre au niveau de l'estomac. C'est là que vous sentirez le mieux le mouvement du thorax. Un autre signe important de l'arrêt respiratoire est le bleuissement des lèvres et des ongles des doigts ou parfois même de l'ensemble du visage. Si votre enfant a arrêté de respirer, commencez immédiatement la respiration artificielle. Même si vous n'êtes pas sûr de vous, essayez quand même. N'oubliez pas non plus d'appeler le plus rapidement possible les secours d'urgence et ne perdez pas de temps, chaque seconde est précieuse.

La technique de la respiration artificielle chez les nourrissons et les petits enfants est légèrement différente de celle pratiquée sur les enfants plus grands et les adultes en ce sens que chez les nourrissons elle se fait en même temps par la bouche et par le nez.

Premiers secours

Dégagez d'abord les voies aériennes en inclinant légèrement la tête de l'enfant vers l'arrière et en soulevant son menton avec deux doigts de l'autre main. Vérifiez sa respiration. Pincez-lui le nez et maintenez ses voies aériennes dégagées en soulevant son menton avec deux doigts. Appliquez vos lèvres sur la bouche de l'enfant. Expirez 5 fois après avoir pris des inspirations profondes. Vérifiez le pouls ; s'il est perceptible, faites 20 respirations à 3 secondes d'intervalle. Continuez le bouche-à-bouche jusqu'à l'arrivée des secours en vérifiant le pouls toutes les 20 respirations et en veillant bien à avoir un rythme régulier. Si sa respiration ne reprend pas, essayez de dégager les voies aériennes du mucus, des vomissures ou des éventuels corps étrangers qui s'y trouveraient coincés, ensuite, reprenez le bouche-à-bouche. Ne perdez pas de temps. Les premières minutes de l'arrêt respiratoire sont particulièrement critiques : toutes les 60 secondes, les chances de survie de l'enfant diminuent de 15 à 20%. Contrôlez également régulièrement son pouls au niveau de la carotide (arrêt cardiaque, page 236).

Premiers secours et premiers soins
Arrêt cardiaque

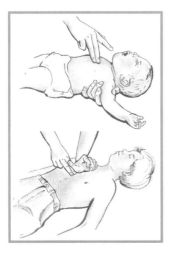

Si vous n'arrivez plus à sentir le pouls, que ce soit au niveau de sa carotide ou de son artère temporale, il est probable que votre enfant soit en arrêt cardiaque (page 235). En lui fermant brièvement les paupières et en les lui rouvrant, vous observerez que ses pupilles, qui devraient être contractées, sont en fait dilatées.

Gardez votre calme : votre intervention rationnelle peut lui sauver la vie. Procédez à un massage cardiaque externe pour essayer de le réanimer. Ces mesures ne peuvent être entreprises que si vous avez appris la technique dans le cadre d'un cours spécialisé donné par un médecin et que vous vous êtes exercé à le faire.

Ne tentez la réanimation cardio-pulmonaire que si vous avez appris à l'utiliser ou si vous vous êtes exercé sur un enfant en bonne santé. Dans la négative, vous risqueriez de provoquer des lésions mortelles.

SYMPTÔMES TYPIQUES
- **Perte de conscience**
- **Défaillance circulatoire**
- **Arrêt respiratoire**
- **Pupilles dilatées**

ATTENTION
Trois à cinq minutes d'arrêt respiratoire et circulatoire peuvent entraîner des lésions irréversibles ! Il est toujours conseillé de suivre un cours de secourisme et d'apprendre à pratiquer la réanimation cardio-pulmonaire !

Premiers secours

Si votre enfant ne respire pas et si son pouls n'est pas perceptible, pratiquez la réanimation cardio-vasculaire pour oxygéner ses organes jusqu'à l'arrivée des secours. Si votre enfant a moins d'un an et si son pouls est inférieur à un battement par seconde, pratiquez la réanimation cardio-pulmonaire car le cœur de bébé ne bat pas assez vite pour oxygéner l'ensemble de son corps. Pour cela, utilisez le bouche-à-bouche et les pressions sur la poitrine. Dégagez d'abord les voies aériennes en allongeant bébé sur une surface plane et dure et, d'une main, inclinez fortement sa tête vers l'arrière en soutenant son menton d'un doigt de l'autre main et vérifiez sa respiration. Pratiquez le bouche-à-bouche + nez ! Donnez 5 expirations après avoir pris des inspirations profondes. Exercez ensuite des pressions sur la poitrine en posant votre index et votre majeur à la base du sternum de bébé, juste sous la poitrine. Effectuez 5 pressions vives en 3 secondes environ en enfonçant vos doigts d'environ 2 cm. Gardez toujours l'autre main sur la tête de bébé puis reprenez le bouche-à-bouche. Poursuivez la réanimation pendant environ 1 minute. Appelez les secours d'urgence sans vous séparer de bébé et continuez la réanimation jusqu'à leur arrivée. Si sa respiration reprend, pensez à mettre immédiatement l'enfant en position latérale de sécurité (page 234) et surveillez son état de conscience, sa respiration et sa circulation.

Dans l'état de choc, il est important que les jambes de l'enfant soient plus hautes que son buste.

On entend par état de choc un trouble de la circulation sanguine et, plus particulièrement, une diminution dangereuse de la quantité de sang et, par conséquent, d'oxygène, qui circule dans le corps. Cette perte de sang peut être due à une hémorragie, une déshydratation ou à des brûlures graves. Ce sont surtout les organes secondaires qui seront touchés car les organes vitaux tels que le cœur, les poumons et le cerveau continuent à être alimentés au détriment des autres. La peau devient gris pâle, froide et moite, le pouls s'accélère puis s'affaiblit et la respiration devient rapide et saccadée. L'enfant peut se montrer agité ou agressif, avoir soif et manquer d'air. Le choc entraîne parfois aussi une perte de conscience. Si votre enfant présente un de ces symptômes, appelez immédiatement les secours d'urgence, puis effectuez les premiers secours nécessaires.

SYMPTÔMES TYPIQUES

- **Pouls plus rapide et plus faible**
- **Pâleur extrême de la peau, surtout des lèvres, des lobes des oreilles et du lit des ongles**
- **Peau froide et humide, frissons**
- **Tête mouillée de transpiration**
- **Confusion, conscience réduite ou agitation**

ATTENTION

Un enfant en état de choc doit être traité immédiatement. Appelez le médecin et instaurez les premières mesures. Le médecin mettra votre enfant sous perfusion pour faire reprendre sa circulation.

Premiers secours

Si vous trouvez votre enfant en état de choc, allongez-le sur une couverture et surélevez ses pieds (la position surélevée des pieds favorise l'afflux du sang vers le cerveau et les organes vitaux) de 20 à 30 cm en les plaçant sur des coussins.

Proposez-lui une couverture s'il a froid. Rassurez-le mais ne lui faites rien absorber. S'il perd conscience, surveillez sa respiration et son pouls et pratiquez, si nécessaire, la respiration artificielle (page 235) ou la réanimation cardio-vasculaire (page 236).

Premiers secours et premiers soins
Hémorragie

Si les vaisseaux sont blessés, il y a hémorragie. L'importance de l'hémorragie dépend des vaisseaux touchés et de la taille de la lésion. Le sang artériel rouge vif contenu dans les artères sort sous la forme de saccades. Le sang veineux, plus foncé, coule de manière plus régulière. Chaque hémorragie, ou presque, s'arrête quand la partie lésée du corps est maintenue à une hauteur supérieure à celle du cœur - et qu'on la comprime à l'aide d'un bandage. En cas d'urgence, il n'y a pas une minute à perdre : comprimez la blessure, jusqu'à ce que les secours arrivent ou appliquez un pansement compressif au-dessus du premier pansement. Dans le cas des blessures graves, la perte de sang représente le danger principal. Si votre enfant perd beaucoup de sang, il peut se retrouver en état de choc hypovolémique (page 237) ou perdre conscience (page 234). Si votre enfant a une forte hémorragie, emmenez-le à l'hôpital ou chez le médecin. Pour les petites blessures, nettoyez la plaie avec un désinfectant sans iode et recouvrez d'un sparadrap.

Les saignements du nez sont courants et ne mettent pas la vie des enfants en danger, sauf si ces derniers souffrent d'hémophilie. Si vous avez un doute, faites procéder à des examens médicaux. Il est parfois nécessaire de faire coaguler certains vaisseaux du nez.

Toute blessure implique un risque de tétanos, surtout chez les petits enfants car leurs plaies permettent la pénétration de la bactérie responsable de cette maladie. Si la dernière vaccination de votre enfant contre le tétanos remonte à plus de 5 ans, un rappel s'impose d'urgence. En cas de blessure perforante ou de lacération, il faut toujours emmener l'enfant chez le médecin.

Premiers secours

- Si votre enfant a une blessure qui saigne, soit par jet, soit régulièrement mais abondamment, appliquez sur la blessure un pansement compressif. Au-dessus de ce premier pansement, appliquez un bandage et, si vous n'en avez pas, utilisez éventuellement une serviette roulée.
- Fixez ensuite le rouleau avec un nouveau bandage (ou gaze) qui ne peut toutefois pas être trop serré pour ne pas léser les tissus. N'utilisez pas de ceinture ni de cordon pour ne pas provoquer un effet de garrot.
- Important dans les blessures qui saignent fort : le nettoyage ou le rinçage des plaies. Les virus et les bactéries peuvent en effet pénétrer et infecter la blessure. Laissez les lambeaux de peau et les corps étrangers intacts, pour ne pas risquer, en les enlevant, de relancer l'hémorragie.
- Dans les saignements du nez, faites asseoir l'enfant droit, la tête légèrement penchée vers l'avant (ne le couchez pas) pour qu'il n'avale pas de sang. Appuyez sur l'aile du nez, juste en dessous de l'arête nasale, pendant 10 minutes. Faites respirer l'enfant par la bouche. Pour favoriser la coagulation, vous pouvez utiliser des gouttes nasales décongestionnantes qui ont un effet vasoconstricteur ou une compresse froide que vous placerez dans la nuque.

Premiers secours et premiers soins
Noyade

La mort par noyade menace le bébé dès qu'il commence à se déplacer et qu'il joue à proximité d'un plan d'eau. Le risque en cas de noyade est l'asphyxie due au manque d'oxygène. Les premières minutes d'un arrêt respiratoire sont critiques : en effet, chaque minute sans oxygénation réduit ses chances de survie de 15 à 20%. En cas d'arrêt respiratoire, commencez immédiatement la respiration artificielle (page 235). Faites aussi appeler d'urgence l'ambulance.

Ne retardez pas les mesures de réanimation en secouant l'enfant pour essayer de faire ressortir l'eau qui a pénétré dans ses poumons. La seule chose à faire éventuellement est de dégager le sable ou les corps étrangers qui pourraient se trouver dans sa bouche.

Même si l'enfant est sauvé à temps, des dommages mortels peuvent survenir encore plusieurs heures après l'accident, surtout au niveau des poumons. Si votre enfant a failli se noyer, emmenez-le immédiatement à l'hôpital même s'il a retrouvé ses esprits.

SYMPTÔMES TYPIQUES
- **Accident typique**
- **Troubles respiratoires**
- **Perte de conscience**
- **Arrêt respiratoire**

ATTENTION
Même si l'enfant a seulement failli se noyer, emmenez-le à l'hôpital immédiatement après l'accident. Les dommages ne sont en effet pas toujours immédiats.

Premiers secours
- Enlevez les vêtements mouillés et maintenez l'enfant au chaud.
- Surveillez son état de conscience, sa respiration et sa circulation, même si l'incident semble surmonté.
- Si votre enfant est en arrêt circulatoire, commencez immédiatement la réanimation cardio-pulmonaire (page 236).

SYMPTÔMES TYPIQUES

• **Brûlures du premier degré : la peau est atteinte de façon superficielle et prend une teinte rose vif ou rouge limitée à la zone touchée et qui correspond à un coup de soleil banal**

• **Brûlures du deuxième degré : l'atteinte de la peau est plus profonde (épiderme et une partie du derme) et elle se caractérise par des bulles remplies d'un liquide clair qui peuvent suinter**

• **Brûlures du troisième degré : la peau est véritablement carbonisée et on peut voir d'emblée une sorte de croûte épaisse blanchâtre ou noirâtre qui, du fait de la destruction tissulaire, est indolore. Les bords des brûlures restent toutefois douloureux**

Les brûlures sont des lésions de la peau dues soit à une chaleur sèche, par exemple le feu, une plaque de cuisson chaude, un sèche-cheveux ou le soleil, soit à une chaleur humide, par exemple de l'eau bouillante ou de la vapeur d'eau. Les brûlures sont parmi les causes de décès accidentel les plus fréquentes chez les enfants autour de deux ans. Les principaux critères permettant d'évaluer l'ampleur des lésions sont :
• l'étendue de la brûlure,
• le niveau de température qui a provoqué la brûlure,
• la durée d'exposition.
   Selon le niveau d'atteinte de la brûlure, on en distingue trois degrés.
   Une brûlure est surtout dangereuse quand elle mène à une perte massive de liquides organiques qui s'échappent des vaisseaux et envahissent les tissus environnants (exsudation). Ceci peut engendrer des douleurs intolérables et un état de choc (hypovolémie, page 237). Les lésions étendues peuvent être sources d'infection et laisser des cicatrices.

Reconnaître les différents degrés de brûlure

Pour mieux juger des premiers soins qui s'imposent en cas de brûlure, les lésions sont classées comme suit : si moins de dix pour cent de la surface de la peau de l'enfant présentent une brûlure de premier degré ou si la brûlure au second degré ne dépasse pas la taille de la main, les brûlures peuvent être traitées à la maison et il n'est pas besoin d'emmener l'enfant à l'hôpital.

Premiers secours

• Pour les brûlures du premier degré : soulagez la douleur en appliquant du froid. Maintenez la zone brûlée de la peau pendant 10 à 15 minutes sous l'eau froide courante.
• Pour les brûlures du deuxième degré : soulagez la douleur de la même manière que pour les brûlures du premier degré et appliquez une compresse sèche stérile pour éviter l'infection. N'appliquez surtout pas de pommade ni de poudre et ne percez pas les bulles (phlyctènes). Emmenez d'urgence l'enfant chez le médecin !
• Pour les brûlures du troisième degré : essayez de soulager la douleur avec de l'eau froide comme dans les brûlures des premier et deuxième degrés. Protégez contre les infections en recouvrant d'une compresse stérile et éventuellement d'une feuille de papier aluminium. Appelez d'urgence les secours.

La peau brûlée ou échaudée doit être maintenue pendant environ un quart d'heure sous l'eau froide courante.

Les brûlures plus étendues et les brûlures du troisième degré doivent être traitées par le médecin de garde. Etant donné le risque d'infection et de choc, le mieux est d'emmener l'enfant à l'hôpital. L'état de choc provoqué par les brûlures est dû à la perte de liquide et à l'œdème, qui n'apparaît souvent que quelques heures, voire même plusieurs jours après la brûlure. Il peut aussi y avoir atteinte toxique d'autres organes par les déchets métaboliques des protéines tissulaires abîmées.

ATTENTION

En cas de brûlures étendues du deuxième degré (qui dépassent la taille de la main de l'enfant), l'enfant doit être emmené chez le médecin. Les brûlures du troisième degré doivent toujours être traitées par le médecin !
Si les vêtements ont pris feu au contact d'huile, de graisse, de thé chaud ou de goudron, éteignez-les avec de l'eau et déshabillez l'enfant.
N'enlevez pas les tissus qui collent à la peau. Recouvrez immédiatement d'eau, éventuellement sous la douche. Emmenez d'urgence l'enfant à l'hôpital !

Premiers secours dans les brûlures étendues

• Vêtements qui ont pris feu : Eteignez immédiatement le feu en versant de l'eau ou en plongeant l'enfant dans de l'eau ou encore en l'enveloppant dans une couverture ou en étouffant les flammes avec des serviettes. N'utilisez, en aucun cas, de couverture synthétique parce que cette matière fond et colle à la peau.
Attention : si vous utilisez un extincteur, ne le dirigez jamais vers le visage de l'enfant (risque d'asphyxie !).
• Bras et jambes : plongez-les immédiatement dans de l'eau froide ou placez-les sous le robinet pendant 10 à 15 minutes.
• Tronc et visage :
Plongez les parties lésées dans l'eau. Lorsque la brûlure est étendue, il y a toutefois risque de choc thermique et limitez-vous, dans ce cas, à les recouvrir. Appliquez sur les blessures une gaze, le cas échéant, retenue par un torchon lavé et repassé pour éviter les infections bactériennes.
• Ne mettez sur les blessures ni farine, ni pommades, ni talc ; pas plus que de l'huile ou du beurre.
• Donnez à l'enfant de l'eau minérale par petites gorgées, sauf bien sûr s'il est inconscient, en état de choc ou brûlé au visage. Dans les brûlures graves, il est fréquent que la perte hydrique entraîne un collapsus circulatoire (état de choc).
• En cas de douleurs vives, vous pouvez donner à votre enfant un suppositoire de paracétamol.
• Contrôlez sans cesse son pouls et sa respiration.

Premiers secours et premiers soins
Corps étrangers

N'essayez jamais d'enlever un objet incrusté dans une blessure car il obture cette dernière et le vaisseau lésé. Le fait de l'enlever peut provoquer d'importants saignements (page 238) et entraîner des blessures supplémentaires. Il en va de même pour les corps étrangers bloqués dans le nez ou dans l'oreille. N'essayez en aucun cas d'enlever vous-même ces corps étrangers à l'aide d'un instrument ou l'autre, vous risqueriez d'aggraver la blessure. Emmenez immédiatement l'enfant chez le médecin. Si votre enfant a, par exemple, coincé un légume sec dans le nez, il doit être retiré le plus rapidement possible car il pourrait gonfler. Par contre, vous pouvez essayer d'enlever vous-même les corps étrangers qui ont été avalés et provoquent une forte toux et des difficultés de déglutition ou encore les corps étrangers qui se sont glissés dans l'œil. Si les mesures décrites ci-dessous ne sont d'aucune aide, emmenez l'enfant le plus rapidement possible à l'hôpital.

SYMPTÔMES TYPIQUES

Corps étrangers avalés
- **Toux forte et soudaine accompagnée de sifflements**
- **Difficulté de déglutition**
- **Bleuissement du visage**

Corps étrangers dans l'œil
- **Larmoiements incessants**
- **Rougeur de l'œil**
- **Fermeture réflexe des paupières**

Corps étrangers dans le nez
- **L'enfant ne respire plus que par la bouche**
- **Voix nasillarde**

Corps étrangers dans l'oreille
- **Troubles auditifs**

ATTENTION
Si les premiers soins décrits ici ne permettent pas de résoudre le problème, contactez d'urgence votre médecin !

Corps étrangers dans l'oreille et le nez

Les corps étrangers bloqués dans les oreilles sortent parfois si l'enfant secoue vivement la tête. Quand ils sont coincés dans le nez, ils peuvent éventuellement être récupérés en demandant à l'enfant de souffler très fort (en veillant bien sûr à boucher en même temps l'autre narine).

Premiers secours

- Si l'enfant qui a avalé un corps étranger cherche désespérément de l'air et devient tout bleu, faites-le se pencher vers l'avant en mettant les mains sur les genoux. Donnez-lui quelques claques vives de la base de la main entre les omoplates pour déclencher une quinte de toux. La toux devrait faire remonter le corps étranger et vous pourrez alors l'enlever de la bouche ou de la gorge. Pour cela, couchez votre enfant à plat sur le sol et ouvrez-lui la bouche en appuyant avec les deux pouces sur sa mâchoire inférieure. Appuyez ensuite avec un pouce sur la joue entre les dents pour maintenir la bouche ouverte. Enfoncez le doigt de l'autre main le plus profondément possible dans la cavité buccale et le pharynx pour pouvoir extraire le corps étranger qui s'y est bloqué.

Chez les bébés, un à deux doigts suffisent.
- Pour les corps étrangers qui ont glissé sous la paupière inférieure, vous pouvez essayer de les enlever vous-même. Pour cela, demandez à l'enfant de regarder vers le haut, abaissez la paupière inférieure vers le bas et frottez avec un linge humide propre de l'extérieur vers l'intérieur (vers le nez). Ne rincez pas l'œil avec de l'eau car cette manipulation provoquerait la fermeture réflexe des paupières. Tout corps étranger incrusté, notamment des morceaux de métal, de bois ou de plastique, doit être enlevé par le médecin et il en va de même des corps étrangers qui se glissent sous la paupière inférieure. Les essais de retournement de paupière avec une allumette sont peu efficaces et même plutôt dangereux.

Premiers secours et premiers soins
Electrocution

Les électrocutions sont encore fréquentes. Le plus souvent, elles arrivent à la maison quand l'enfant utilise sans surveillance des appareils électriques ou que les prises ne sont pas sécurisées (les accidents avec la haute tension sont plus rares). Les enfants qui jouent avec une prise de courant ou touchent aux plombs reçoivent souvent une décharge violente qui les effraie et il peut y avoir une brûlure à l'endroit où le courant est entré en contact avec la peau.

Parmi les autres complications dangereuses de l'électrocution, il faut citer : les troubles du rythme cardiaque (page 101) et la perte de conscience (page 234). Dans les électrocutions graves, le risque de collapsus circulatoire persiste pendant 24 heures après l'accident, même si aucun symptôme n'est apparu au moment de celui-ci. Veillez dès lors toujours en cas d'accident avec l'électricité à ce que votre enfant soit le plus rapidement possible vu par un médecin !

SYMPTÔMES TYPIQUES
- L'enfant tétanisé "reste collé" au fil électrique à cause d'une crampe musculaire
- Nausées
- Troubles de la conscience
- Collapsus circulatoire (jusqu'à 24 heures après l'accident)

ATTENTION
Avant de toucher l'enfant, coupez le courant sous peine d'être vous-même électrocuté !

Mesures préventives contre l'électrocution
- Assurez-vous que toutes les prises sont protégées (radio, frigo, machine à laver).
- Ne laissez jamais des appareils électriques branchés sans surveillance (fer à repasser, grille-pain, gaufrier).
- Ne conservez pas de sèche-cheveux dans la salle de bains. Retirez toujours la prise de la brosse à dents électrique quand vous avez terminé.

Premiers secours
- Coupez le courant !
- Couvrez les brûlures dues à l'électrocution avec des compresses stériles (boîte de secours des voitures, pharmacie familiale), pour éviter l'infection.
- Emmenez immédiatement l'enfant chez le médecin.

SYMPTÔMES TYPIQUES

Fracture d'un membre
- **Douleur vive**
- **Mobilité limitée**
- **Gonflement**
- **Malposition de la partie du corps concernée (et dans certains cas, os saillant ou partie d'os saillante)**

Fracture de la colonne
- **Douleurs dans le dos**
- **Fourmillements ou insensibilité au niveau des bras, des doigts ou des jambes**

Fracture des côtes
- **Douleurs vives à la respiration**
- **Position antalgique**
- **Toux sanguinolente**

ATTENTION
Si vous suspectez une fracture osseuse, n'essayez jamais de palper l'endroit de la blessure. Une palpation douloureuse pourrait induire un état de choc réflexe (page 237) ou provoquer d'autres blessures ou infections.

Chez les enfants, les fractures surviennent en jouant (à l'extérieur comme dans la maison). Même les nourrissons n'y échappent pas (ils peuvent tomber de la table à langer). Les enfants plus grands peuvent tomber en courant et se blesser à la tête en se cognant.

On distingue les fractures ouvertes et les fractures fermées. Si la peau à l'endroit de la lésion est ouverte, il s'agit d'une fracture ouverte. Dans ce cas, il y a risque majeur de voir des microbes s'infiltrer par la blessure et pénétrer dans l'os. Les infections des os peuvent facilement devenir chroniques et nécessiter des années de traitement pour disparaître. Evitez dès lors que la blessure ne se salisse : utilisez un pansement stérile avec un bandage et fixez-le avec un Tenso.

Chez les enfants, ce que l'on appelle les fractures de bois vert sont fréquentes (fractures fermées) : la structure osseuse est fracturée mais pas le périoste qui maintient les morceaux fracturés.

Dans les deux cas : stabilisez la partie du corps blessée jusqu'à ce que l'enfant soit examiné par le médecin. Si l'on soupçonne une fracture osseuse, celle-ci nécessite une radiographie et doit être soignée par un médecin.

Premiers secours
- Avant tout, immobilisez la partie du corps blessée. Si vous amenez vous-même votre enfant à l'hôpital, veillez à faire une attelle provisoire.
- Pour les jambes, vous pouvez fabriquer cette attelle en utilisant deux spatules en bois ou deux lattes en bois, ou encore deux revues que vous enroulerez et que vous fixerez avec du sparadrap ou des serviettes.
- Si votre enfant s'est cassé un bras, un doigt ou l'articulation de la main, mettez-lui de préférence le bras en écharpe.
- Il est également important, en cas de fracture de la tête de l'humérus ou de l'épaule, d'immobiliser le bras avec par exemple un oreiller et de le mettre en écharpe.
- En cas de fracture ouverte, la blessure doit être recouverte d'un pansement stérile, le cas échéant, une serviette non utilisée.
- Si vous suspectez des lésions de la colonne vertébrale, ne déplacez pas l'enfant, recouvrez-le pour qu'il ne prenne pas froid et appelez immédiatement le SAMU.

Premiers secours et premiers soins
Hypothermie, gelure

On désigne par hypothermie le refroidissement de l'ensemble du corps, dont la température tombe en dessous de 35° C. L'hypothermie peut être mortelle car elle est synonyme d'un ralentissement du fonctionnement des organes vitaux tels que le cœur, le foie, les poumons et l'intestin qui peuvent finir par s'arrêter complètement.

On entend par gelure les dommages provoqués par le froid à certains endroits du corps, notamment les orteils, les doigts, le nez ou les oreilles. L'importance de la gelure est difficile à estimer à son apparition.

Le port de vêtements inappropriés en hiver constitue la cause la plus fréquente des gelures. Les enfants qui restent longtemps dehors sans bouger prennent rapidement froid. Les bébés perdent rapidement leur chaleur corporelle, par exemple s'il fait trop froid dans la chambre où ils dorment.

SYMPTÔMES TYPIQUES

- Sensation de froid, tremblements
- Les zones de la peau exposées sont pâles et blanches
- Forte douleur, gonflement et apparition de vésicules sur les membres gelés
- Troubles de la conscience

ATTENTION

Dans l'hypothermie, il est strictement interdit d'administrer de l'alcool. Les médicaments ne peuvent pas non plus être administrés avec de l'eau de mélisse ! Un massage avec de la neige est également tout à fait à proscrire !

Premiers secours

- Si vous craignez que votre enfant ne souffre d'hypothermie ou de gelure, emmenez-le dans une pièce où la température est d'environ 20° C. Il est important de le réchauffer progressivement.

- Un réchauffement trop rapide est dangereux et entraîne des lésions tissulaires.

- Enlevez-lui les vêtements mouillés ou étroits et enveloppez-le dans une couverture chaude. Si ses doigts ou ses pieds sont gelés, réchauffez-les avec votre propre chaleur corporelle (en mettant sa main sous votre aisselle, par exemple) ou donnez-lui un bain à température légèrement supérieure à la température du corps (ne le baignez que brièvement), ensuite séchez-le et continuez à le réchauffer.

- Le plus important est de le réchauffer de l'intérieur avec du thé chaud mais pas bouillant, mais uniquement si l'enfant est encore conscient. Ne donnez pas de boissons alcoolisées (punch ou vin chaud) !

245

Premiers secours et premiers soins
Insolation, coup de soleil

SYMPTÔMES TYPIQUES

Insolation
- **Peau chaude, rouge et sèche**
- **Visage bouffi, agitation**
- **Plus tard, fièvre élevée et rebelle et perte de conscience**

Coup de soleil
- **Tête chaude et rouge**
- **Epiderme frais**
- **Nausées et vomissements**
- **Perte de conscience**

ATTENTION
Si vous pensez que votre enfant a un coup de soleil ou une insolation, appelez immédiatement les secours d'urgence !

Quand un enfant a la tête rouge écrevisse, chaude et la peau sèche, il faut penser à l'insolation. Au début, il apparaît extrêmement agité, ensuite il peut plonger dans un état de torpeur (page 234). Son pouls est rapide, sa respiration s'accélère et devient superficielle.

L'insolation, ou coup de chaleur, est due à une accumulation de chaleur dans l'organisme : en effet, une chaleur humide et étouffante fait augmenter la température du corps qui se mettra à transpirer pour éliminer les calories superflues. Mais si le liquide perdu par évaporation n'est pas remplacé, le volume sanguin diminue et n'arrive plus suffisamment à la surface du corps, ce qui arrête le processus de la transpiration et partant, le refroidissement du corps par évaporation. Des vêtements serrants, des vêtements en matière synthétique ainsi que les attroupements favorisent aussi le coup de chaleur car ils ne permettent pas l'élimination de la chaleur corporelle. De même, un nourrisson trop couvert par temps chaud peut souffrir d'un coup de chaleur.

Le coup de soleil, lui, est dû aux rayons directs du soleil sur la tête et la nuque et à la stimulation qui en résulte au niveau des méninges. Les nourrissons qui n'ont pas encore de cheveux sont donc particulièrement à risque. Les symptômes sont les mêmes que ceux de l'insolation, avec, en plus, des vomissements. Le coup de soleil, comme l'insolation, peut mener à une perte de conscience et à la mort.

Premiers secours
- Allongez immédiatement l'enfant à l'ombre. Relevez-lui la tête et ouvrez ses vêtements. Refroidissez son front, sa nuque et son thorax avec des linges humides. S'il est pâle, mettez-le en position de choc, c'est-à-dire relevez-lui les pieds (page 237).
- S'il a perdu conscience, mettez-le en position latérale de sécurité (page 234). En cas d'arrêt respiratoire, procédez immédiatement au bouche-à-bouche (page 235) et faites appeler un médecin.
- Si votre enfant est parfaitement conscient, donnez-lui de la tisane froide à boire.

ATTENTION

En cas de doute, ne perdez pas de temps et appelez immédiatement le médecin ! Si l'intoxication survient chez un enfant de plus de six ans ou si les intoxications se répètent chez un enfant de moins de six ans, par exemple avec des médicaments, consultez un psychologue car elles pourraient être dues à un trouble psychologique.

SYMPTÔMES TYPIQUES

Intoxications avec des produits de lessive ou de vaisselle
• Douleurs dans la région de l'estomac et des intestins
• Traces de brûlure chimique autour de la bouche/sur les lèvres
• Troubles de la respiration
Intoxications à l'alcool, aux médicaments, au tabac et aux plantes toxiques
• Traces du "poison", notamment des comprimés ou un paquet de cigarettes
• Troubles de la conscience
• Maladie soudaine et inexpliquée d'un enfant normalement en bonne santé
Intoxications avec des produits de nettoyage, des détartrants, de l'eau de Javel ou du white-spirit
• Rougeur de la peau, formation de vésicules
• Hémorragies, brûlures
• Douleurs vives
• Problèmes de déglutition et détresse respiratoire

Chez les enfants, les intoxications sont observées essentiellement entre deux et cinq ans avec un pic important chez les enfants de deux ans. Dans 50 % des cas, il s'agit d'intoxications dues à des médicaments que prennent normalement d'autres membres de la famille (l'enfant veut imiter les adultes). Les comprimés colorés, qui ressemblent à des bonbons, exercent sur les petits un effet particulièrement magique.

Parmi les médicaments les plus dangereux pour les enfants, on retrouve surtout les médicaments pour le cœur et la circulation que prennent souvent les grands-parents. La deuxième cause par ordre d'importance des intoxications, ce sont les plantes. Dans les parcs, on trouve aussi de nombreux arbustes dont les baies aux couleurs vives incitent les enfants à les "essayer".

Premiers secours en cas d'intoxication

• Poudre à lessiver ou adoucissant :
Ayez toujours à portée de main un émétisant, par exemple du sirop d'ipéca en vente libre en pharmacie.
• Intoxication par le tabac, des médicaments, des plantes toxiques, l'alcool :
Rincez d'abord la bouche de l'enfant pour évacuer les résidus. Faites-le ensuite vomir et faites-lui boire beaucoup d'eau. Pour le faire vomir, introduisez un doigt dans la bouche de l'enfant ou donnez-lui par exemple du sirop d'ipéca. Emmenez-le immédiatement chez le médecin !
• Intoxication par l'oxyde de carbone :
La plupart des gaz, notamment les gaz d'échappement, contiennent de l'oxyde de carbone. Ce gaz inodore perturbe le transport de l'oxygène dans le sang. En cas d'intoxication, il faut donc de toute urgence ouvrir toutes les fenêtres et les portes et faire sortir l'enfant. Incitez-le à respirer profondément. En cas d'arrêt respiratoire, pratiquez immédiatement le bouche-à-bouche (page 234). Appelez d'urgence le médecin !
• Intoxication par ingurgitation de piles :
Les piles boutons contiennent des substances chimiques hautement toxiques. Arrivés dans l'estomac, les manteaux métalliques qui entourent les piles boutons peuvent se désintégrer et ainsi libérer leurs substances toxiques. Si votre enfant a avalé une pile, emmenez-le d'urgence à l'hôpital. Après une radiographie, le traitement nécessaire sera instauré et la pile récupérée.

Il n'est pas rare que les intoxications par l'alcool et le tabac soient dues au simple fait que les enfants imitent leurs parents. Pour un nourrisson ou un petit enfant, avaler ne fût-ce qu'un morceau de cigarette peut être mortel. Parmi les autres produits dangereux, on trouve également les insecticides que l'on pulvérise sur les plantes d'appartement - dans ce cas, le simple fait de toucher une feuille pulvérisée peut provoquer des symptômes d'intoxication chez un nourrisson.

SYMPTÔMES TYPIQUES

Intoxication par le dioxyde de carbone
- **Maux de tête, vertiges, nausées ou vomissements**
- **Détresse respiratoire et troubles de la conscience pouvant aller jusqu'au coma**

Intoxications avec de l'essence, des diluants pour peinture ou d'autres solvants organiques
- **Haleine chargée de l'odeur du solvant**
- **Troubles de la conscience pouvant aller jusqu'au coma**
- **Convulsions**
- **Somnolence**

Brûlures aux acides ou lessives
- **Douleurs dans la bouche, la gorge et l'estomac**
- **Muqueuse buccale gonflée**
- **Dépôt grisâtre - blanchâtre sur les lèvres et les amygdales**
- **Taches rouges douloureuses sur la peau comme dans les brûlures de premier et deuxième degrés**
- **Apparition de vésicules (brûlures chimiques)**

Premiers secours en cas de brûlure par un acide

- La première chose à faire dans ce cas est : beaucoup boire. De la tisane ou du jus de fruits dilué conviennent particulièrement bien et permettent de diluer les acides et les lessives. Ne jamais faire vomir l'enfant ! Cela reviendrait à provoquer un nouveau risque de brûlure et en plus un risque d'aspiration dans les poumons.
- Bouche, trachée, estomac : faites immédiatement boire beaucoup à l'enfant pour diluer la substance acide (de l'eau sans bulle ou du thé). Contre les lessives, vous pouvez donner du jus de citron (un citron pour un verre d'eau) (deux cuillères à soupe pour un verre d'eau) ou beaucoup de lait. Ne jamais faire vomir l'enfant ! L'emmener d'urgence à l'hôpital ! Les brûlures dues aux acides : donnez à l'enfant du lait mélangé à du blanc d'œuf et emmenez-le le plus rapidement possible à l'hôpital.
- Peau : avant tout, enlevez ses vêtements. Rincez longuement la peau sous l'eau courante. Evitez que l'eau ne s'écoule sur des parties saines de la peau pour ne pas les brûler. Si vous n'avez pas d'eau, tamponnez avec des compresses (que vous n'utiliserez qu'une seule fois). Couvrez la blessure pour la protéger des infections et emmenez immédiatement l'enfant à l'hôpital.
- Œil : dans ce cas, les premiers secours sont particulièrement difficiles car l'enfant tient ses yeux résolument fermés. Si possible, rincez l'œil. Pour cela, couchez l'enfant sur le sol, tournez sa tête de sorte qu'aucun liquide ne s'écoule dans l'œil sain. Maintenez les paupières ouvertes avec deux doigts et versez à environ 10 cm de hauteur de l'eau tiède pendant cinq minutes dans le coin interne de l'œil. Appelez en tout cas d'urgence le médecin !

Lésions profondes

Parmi les chocs par compression et les contusions, il y a les lésions tissulaires : les vaisseaux se rompent et provoquent dans les tissus musculaires sous-cutanés un épanchement de sang (hématome) et de liquide tissulaire (œdème). L'infiltration de ces liquides dans les tissus provoque des douleurs et des gonflements dans les zones concernées. Selon l'ampleur de l'épanchement sanguin, apparaissent immédiatement ou après quelques jours seulement des taches bleues. Celles-ci passent par toutes les couleurs, du bleu violet au brun jaune, couleurs qui correspondent aux différents stades de la dégradation du sang coagulé. Dans la compression, il y a aussi toujours contusion du tissu profond.

Les entorses et les distorsions sont dues à une hyperextension violente des ligaments articulaires et des capsules articulaires. Il y a épanchement de sang dans la capsule articulaire et, de ce fait, gonflement. Parfois, les ligaments déchirent la capsule articulaire au moment du déplacement et si l'os sort de sa cavité, on parle alors de luxation.

Lorsque les lésions profondes n'ont pas nettement régressé après trois à cinq jours, il convient de demander conseil au médecin.

SYMPTÔMES TYPIQUES
- **Douleur**
- **Gonflement**
- **Le plus souvent épanchement sanguin**
- **Limitation de la mobilité (foulure, entorse)**

ATTENTION
Le froid permet de limiter l'épanchement sanguin et soulage les douleurs !

Chez les tout-petits, les blessures vont déjà souvent mieux par la simple application d'un sparadrap rigolo et d'un bisou de maman.

Premiers secours

- Etant donné que dans les lésions profondes il est difficile de décider sans avis médical si un os est impliqué ou non, ces blessures doivent être traitées de la même manière que les fractures (page 244).
- Commencez par mettre des compresses froides sur la partie du corps lésée pour réduire l'épanchement sanguin. Vous pouvez remplacer la compresse froide par une pommade décongestionnante que vous appliquerez à l'endroit à traiter.
- En cas d'entorse ou de foulure, une écharpe ou la mise au repos du membre peut s'avérer nécessaire. Le placement d'une attelle, le cas échéant, doit être fait par le médecin.

Premiers secours et premiers soins
Piqûre d'insecte

SYMPTÔMES TYPIQUES
- **La peau autour de la piqûre gonfle, devient rouge, démange et fait mal**
- **Nausées et vertiges transitoires**
- **Vomissements**
- **Troubles respiratoires en cas de piqûre d'insecte dans la bouche ou le larynx (urgence !)**

ATTENTION
En cas d'allergie connue aux insectes, il faut que l'enfant ait toujours à portée de main un kit d'adrénaline avec seringue pré-remplie (AnaHelp).

Une piqûre ou une morsure d'insecte est certes désagréable pour l'enfant mais, le plus souvent, elle est inoffensive. La peau gonfle immédiatement à l'endroit de la piqûre/morsure et peut devenir rouge et démanger. Si l'enfant est allergique à certains venins d'insectes, il peut y avoir des complications graves : nausées, vomissements et vertiges peuvent alors apparaître, de même qu'une éruption cutanée ou, carrément, un collapsus circulatoire avec choc (page 237). Les piqûres multiples sont de toute façon dangereuses.

Une piqûre à l'intérieur de la bouche ou au niveau du pharynx constitue une urgence, car elle peut entraîner le gonflement des muqueuses des voies respiratoires et de la langue. Un rétrécissement mortel des voies respiratoires n'est à craindre que dans de rares cas dans lesquels l'insecte a pénétré loin dans la gorge ou le larynx. En cas de détresse respiratoire, l'enfant doit être amené immédiatement chez un médecin, ou mieux encore, directement à l'hôpital. En cas d'arrêt respiratoire (page 235), le bouche-à-bouche doit être pratiqué par un secouriste expérimenté. Protégez votre enfant des piqûres d'insectes : ne le laissez pas jouer pieds nus dans les prairies où l'herbe est en fleurs. En été, ne laissez pas traîner des jus sucrés et utilisez des pailles. Prudence donc lors des pique-niques !

Premiers secours

- En cas de piqûres par des abeilles, des guêpes ou des frelons, mieux vaut enlever le dard en pinçant la peau latéralement avec les ongles plutôt que le retirer avec une pincette. Le dard peut en effet se briser et faire pénétrer davantage de venin dans la blessure. Les compresses froides à l'argile vinaigrée et au jus de citron permettent de soulager rapidement les douleurs. Les gels vendus en pharmacie permettent également d'obtenir rapidement le dégonflement. Vous pouvez aussi appliquer un morceau d'oignon sur la piqûre ; le jus de l'oignon refroidit la peau et fait diminuer le gonflement.
- En cas de piqûre d'un insecte dans la bouche, donnez immédiatement à l'enfant un glaçon à sucer. Mettez-lui également une compresse froide sur la nuque que vous renouvellerez sans cesse !
- En homéopathie : Apis mellifica D30 gouttes directement sur la piqûre et jusqu'à guérison ou 5 granules trois fois par jour d'Apis mellifica D30. Si la piqûre d'insecte change de couleur et devient rouge-bleu, donnez un comprimé de Lachesis D12 trois fois par jour.

Premiers secours et premiers soins
Traumatisme crânien

SYMPTÔMES TYPIQUES

Fractures du crâne
- **Saignement du nez, de la bouche et des oreilles**
- **Violents maux de tête**
- **Eventuellement gonflement localisé au niveau de la tête**
- **Perte de conscience**

Lésion crânienne ouverte
- **Hémorragie à l'endroit de la lésion**
- **Perte de conscience**

Commotion cérébrale
- **Brève perte de conscience**
- **Trous de mémoire**
- **Nausées ou vomissements**
- **Maux de tête**
- **Vertiges**

ATTENTION

Si un enfant a été inconscient après un accident, il faut qu'il soit vu par un médecin.

Le traumatisme crânien passe souvent inaperçu. En effet, une radiographie du crâne ne permet pas, en général, de déceler s'il s'agit d'une fracture, d'une commotion cérébrale ou d'un coup. Si l'on suspecte une fracture du crâne, il vaut donc mieux faire un scanner.

Les traumatismes crâniens provoquent, juste après l'accident, un gonflement visible du cuir chevelu. Les blessures ouvertes du cuir chevelu peuvent induire un choc et présenter une plaie qui saigne beaucoup ; elles nécessitent donc toujours des soins médicaux.

En cas de commotion cérébrale, le choc a été fort au point que le cerveau a bougé dans sa boîte crânienne. La commotion cérébrale est toujours accompagnée de nausées, de vomissements et d'une perte de conscience plus ou moins longue. Une autre caractéristique typique de la commotion cérébrale est le trou de mémoire en ce qui concerne l'accident. S'il y a ralentissement du pouls et irrégularité de la respiration ou perte de conscience (page 234), c'est que la pression cérébrale a augmenté (œdème cérébral) et il y a sans doute eu hémorragie cérébrale. Entre l'accident et l'apparition des premiers signes de l'hémorragie cérébrale, il se passe souvent plusieurs heures. Dès lors, mettez-vous en contact avec votre médecin immédiatement après l'accident.

En cas de lésion crânienne ouverte, le cuir chevelu ainsi que les os crâniens sont blessés, ce qui met le cerveau en danger. L'enfant a perdu conscience. Il y a toujours, en plus, le risque que la lésion ouverte serve de voie de pénétration à une infection mortelle (méningo-encéphalite). Il faut donc appeler immédiatement le SAMU !

Si l'enfant saigne du nez, de la bouche ou des oreilles, il se peut qu'il ait une fracture basilaire.

Premiers secours

- En cas de fracture du crâne, installez votre enfant comme s'il avait perdu conscience (page 234) ou s'il était en état de choc (page 237) jusqu'à l'arrivée du médecin. En cas de plaies crâniennes étendues, mettez l'enfant en position latérale de sécurité (page 234) et couvrez la blessure d'une compresse stérile (éventuellement une serviette propre). En cas d'arrêt respiratoire (page 235), procédez immédiatement au bouche-à-bouche.

- Les traumatismes crâniens peuvent être recouverts d'un paquet de compresses stériles et d'un pansement compressif (page 238). Emmenez ensuite immédiatement l'enfant chez le médecin ou appelez l'ambulance.

- Les contusions cérébrales peuvent être prises en charge sur place : appuyez un objet froid et solide (une pièce de monnaie, le dos d'un couteau, une pile) pendant au moins dix minutes à l'endroit douloureux de la tête. Le froid et la pression constituent les meilleurs moyens pour arrêter le plus rapidement possible l'hémorragie au niveau du cuir chevelu.

Informations complémentaires

Dans ce chapitre, vous trouverez :

• un glossaire, par ordre alphabétique, des termes médicaux ;

• un index des symptômes et des maladies, qui vous aidera à retrouver, plus facilement et rapidement, ce que vous y cherchez ;

• une liste d'adresses d'associations que vous pourrez contacter en cas de problèmes de santé chez votre enfant.

Glossaire

Abcès
Collection de pus, isolée dans les tissus

Abdomen
Partie du corps, située entre la cage thoracique et le bassin, et qui comprend la paroi abdominale, la cavité abdominale et les viscères

Absence
Interruption de quelques secondes de la conscience, dans les convulsions

Aciclovir
Médicament actif contre les virus de l'herpès

Acide acétylsalicylique
Médicament analgésique (par exemple Aspirine®). Est également utilisé pour son effet anticoagulant

Adénite
Inflammation aiguë ou chronique des ganglions lymphatiques

Adénoïdectomie
Ablation chirurgicale des végétations

Aigu
Qui survient brusquement et évolue vite, en parlant d'une maladie

Allergène
Substance identifiée par l'organisme comme une substance "étrangère" et qui peut provoquer une réaction de défense, l'allergie

Amygdalectomie
Ablation chirurgicale des amygdales

Analgésique
Médicament destiné à supprimer ou à atténuer la douleur ; est utilisé pour les maladies internes, les blessures et après des opérations chirurgicales

Anesthésie locale
Abolition transitoire de la sensibilité d'une partie du corps

Anesthésique
Médicament destiné à diminuer, voire même supprimer la sensibilité générale ou locale ; est utilisé pour les interventions chirurgicales ou pour soigner certaines blessures

Antibiotique
Produit métabolique naturel, semi-synthétique ou synthétique, de bactéries, champignons, dartres, algues et plantes supérieures qui tue les micro-organismes pathogènes ou en inhibe la croissance ; déclenche parfois des effets secondaires indésirables

Antibiotique à large spectre
Antibiotique à large spectre d'action : agit sur plusieurs groupes de bactéries

Glossaire

Anticonvulsivant
Médicament qui exerce un effet antispasmodique dans les convulsions ou l'épilepsie, déclenchées par le cerveau

Anticorps
Substances produites par le système immunitaire et qui protègent des infections ou des substances étrangères

Antiépileptique
Médicament utilisé dans le traitement de l'épilepsie

Antigène
Substance susceptible de déclencher la formation d'anticorps

Antihistaminiques
Substances qui diminuent ou suppriment l'effet de l'histamine. Ces médicaments sont, par exemple, utilisés dans les maladies allergiques

Antimycotique
Médicament utilisé contre les champignons pathogènes

Anus
Orifice terminal du tube digestif permettant la défécation

Apgar, cotation
Système mis au point pour évaluer les grandes fonctions vitales du nouveau-né dès la première minute et en apprécier l'évolution 3, 5 ou 10 minutes plus tard ; 5 éléments sont notés : la fréquence cardiaque, les mouvements respiratoires, la coloration de la peau, le tonus musculaire et les réactions à la stimulation

Apnée
Arrêt de la respiration, dû à une paralysie ou à l'immaturité du système respiratoire

Appendicectomie
Ablation chirurgicale de l'appendice, c'est-à-dire la partie terminale du côlon

Ascaris
Ver parasite, de couleur rosée, et de 20 à 30 cm, qui s'installe dans la cavité de l'intestin grêle

Ascite
Excès de liquide entre les deux membranes du péritoine, dont l'une tapisse l'intérieur de la paroi abdominale et l'autre recouvre les viscères

Aspiration
Pénétration de substance liquide ou liquide dans les voies respiratoires par fausse route ou inspiration

Astigmatisme
Défaut optique résultant d'une courbure inégale de la cornée

Atopie
Réaction d'hypersensibilité héréditaire de la peau aux allergènes

Glossaire

Atrophie
Diminution du poids et du volume d'un organe ou du corps entier due à la malnutrition, la maladie ou des médicaments

Auscultation
Action d'écouter les bruits internes de l'organisme pour contrôler le fonctionnement d'un organe (cœur, poumons, intestins), le plus souvent avec un stéthoscope

Bactérie
Plus petit être vivant unicellulaire qui se multiplie par division

Bénin
Qualifie une maladie qui évolue de façon simple et sans conséquence grave vers la guéri-son, ou une tumeur non cancéreuse localisée qui n'entraîne aucune dissémination de métastases dans les tissus voi-sins (par opposition à malin)

Bilirubine
Pigment jaune - brun provenant de la dégradation des globules rouges ; principal colorant de la bile, est dégradé surtout dans le foie

Biopsie
Prélèvement d'un fragment de tissu ou d'organe à des fins d'examen

Bradycardie
Ralentissement des battements du cœur

Cancérigène
Qui provoque le cancer

Carcinome
Tumeur maligne, développée aux dépens des tissus épithéliaux, qui s'étend aux tissus sains voisins et, ensuite, à l'ensemble du corps (métastases)

Catarrhe
Inflammation aiguë ou chronique d'une muqueuse, avec hypersécrétion non purulente

Cérébral
Qui concerne le cerveau

Chimiothérapie
Traitement par des médicaments anticancéreux qui a pour but d'éliminer les cellules cancéreuses dans l'ensemble des tissus ou de les inhiber sans pro-voquer de dommages aux tissus environnants

Choc anaphylactique
Insuffisance circulatoire aiguë consécutive à une allergie sévère à une substance

Chronique
Se dit d'une maladie d'évolution lente et sans tendance à la guérison

Colique
Douleur spasmodique

Commotion cérébrale
Ebranlement de l'ensemble du cerveau lors d'un traumatisme du

Glossaire

crâne, aboutissant à un coma provisoire

Conjonctivite
Inflammation de la conjonctive

Constipation
Emission anormalement rare de selles

Corticostéroïde
Hormone sécrétée par les glandes corticosurrénales, par exemple la cortisone

Cortisone
Hormone sécrétée par les glandes corticosurrénales, utilisée pour ses propriétés anti-inflammatoires en usage interne ou externe

Cyanose
Coloration mauve ou bleutée de la peau, due à la présence d'un taux anormalement faible d'oxygène. Surtout visible au niveau du lit des ongles, des doigts et des orteils, des lèvres et des yeux

Cytomégalie
Maladie virale, infection de l'enfant, contractée pendant la grossesse ou juste après la naissance

Cytostatique
Médicament qui arrête la multiplication des cellules cancéreuses

Dermatologue
Médecin qui étudie et soigne les maladies de la peau

Désensibilisation
Traitement médicamenteux destiné à diminuer la sensibilité allergique

Diabète sucré
Maladie héréditaire ou acquise due à l'insuffisance ou au ralentissement de la sécrétion de l'insuline par le pancréas et aux troubles consécutifs du métabolisme des glucides, ainsi que des graisses et des protéines

Diarrhée
Emission aiguë ou chronique de selles trop fréquentes

Dysplasie
Anomalie du développement d'un organe ou d'une partie d'organe, en raison de problèmes de développement survenus pendant la grossesse

Echographie
Technique permettant de visualiser certains organes internes ou le fœtus, grâce à l'emploi des ultrasons. On s'en sert, par exemple, pour examiner l'utérus pendant la grossesse, la vessie, le foie et les hanches du nourrisson

Ectopie testiculaire
Absence de migration des testicules dans leur bourse

Electrocardiogramme (ECG)
Tracé de l'examen destiné à enregistrer l'activité électrique du

Glossaire

muscle cardiaque et qui permet de détecter les troubles du rythme, de la conduction cardiaque ou, encore, l'infarctus du myocarde

Electroencéphalogramme (EEG)

Tracé obtenu lors de l'examen qui enregistre l'activité électrique spontanée des neurones du cortex cérébral. Les électrodes de l'électroencéphalographe sont placées selon un schéma spécial sur le cuir chevelu qui permet de localiser les foyers pathologiques éventuels au niveau du cerveau

Emphysème

Présence exagérée ou inhabituelle d'air (gaz) dans les tissus corporels

Encéphalite

Affection inflammatoire du cerveau (encéphale)

Endocrinologie

Science qui étudie la fonction et la régulation des hormones et de leurs organes producteurs, les glandes endocrines

Endoscopie

Exploration visuelle d'une cavité naturelle ou non par l'intermédiaire d'un tube optique muni d'un système d'éclairage appelé endoscope (qui peut être combiné avec, par exemple, une biopsie)

Entérite

Inflammation de l'intestin grêle

Enzyme

Protéine indispensable qui accélère les réactions chimiques dans l'organisme

Epilepsie

Affection caractérisée par la répétition chronique de décharges, c'est-à-dire d'activations brutales des cellules nerveuses du cortex cérébral, apparaissant par exemple à la suite de maladies cérébrales, de troubles du métabolisme, d'une prédisposition héréditaire ou sans cause apparente

Ergothérapie

Thérapie qui utilise l'activité ; utilisée surtout pour les troubles de la motricité fine dans le développement de l'enfant ou après certaines maladies ou accidents

Erythrocytes

Globules rouges

Exanthème

Fièvre éruptive de la première enfance, due à un virus qui siège souvent à certains endroits particuliers du corps et accompagne certaines maladies infectieuses (rougeole, rubéole, scarlatine) ; l'exanthème allergique ou toxique (suite à une intoxication) est une réaction du corps aux substances qui le rendent malade

Glossaire

Excrétion
Evacuation de substances organiques et anorganiques, solides ou dissoutes ou encore volatiles, endogènes ou exogènes, par les organes excréteurs (poumons, peau, reins, foie, côlon, glandes sudoripares et sébacées)

Facteur Rh(ésus)
Propriétés héréditaires des différents groupes sanguins. Quatre-vingt-quinze pour cent des individus de race blanche et tous les Chinois sont Rhésus positif ; les personnes Rhésus négatif sont susceptibles de former des anticorps Rhésus en cas de sensibilisation : un enfant dont la mère est Rhésus négatif et le père Rhésus positif peut ainsi présenter des complications et éventuellement former des antigènes contre le facteur sanguin de sa mère (quand l'enfant est également Rhésus positif), ce qui peut mettre en danger son développement (fausse couche, handicap mental et physique grave)

Fissures
Crevasses, fentes, coupures, déchirures de la peau ou des os

Fongicides
Qui tuent les champignons

Gammaglobuline
Protéine du plasma sanguin, qui fait partie des immunoglobulines (anticorps) et est également impliquée dans la formation des défenses de l'organisme

Génitaux (organes)
Terme générique désignant les organes sexuels de l'homme et de la femme

Goitre
Augmentation de volume, souvent visible, de la glande thyroïde

Grand mal
Attaque cérébrale généralisée avec convulsions au niveau des bras et des jambes et perte de connaissance totale

Granulocyte
Globule blanc destiné à lutter contre l'infection (leucocyte) qui absorbe sur le lieu de l'infection les corps étrangers, les bactéries, les champignons ou les tissus détruits et tue les germes

Guthrie (test de)
Test de dépistage néonatal de la phénylcétonurie (maladie enzymatique héréditaire qui, si elle n'est pas traitée, mène à un handicap mental, un ralentissement de la croissance et des crises d'épilepsie)

Gynécologue
Médecin spécialisé dans la prévention et le traitement des maladies des organes sexuels de la femme et dans l'accouchement (obstétricien)

Glossaire

Hématologue
Médecin spécialisé dans le dépistage et le traitement des troubles du sang

Hématome
Epanchement sanguin

Hématurie
Présence de sang dans les urines, due à une maladie des reins, de la vessie ou à une intoxication

Hémoglobine
Pigment rouge vif et ses variantes présents dans les globules rouges

Hémogramme
Ou formule sanguine, numération des globules blancs, globules rouges et plaquettes

Hémophilie
Maladie héréditaire caractérisée par un trouble de la coagulation du sang

Hernie
Saillie d'un organe (ou d'une partie d'organe) hors de la cavité dans laquelle il est normalement contenu à travers un orifice naturel ou accidentel

Histamine
Hormone tissulaire libérée dans la réaction allergique et qui entraîne le gonflement de la peau et des démangeaisons

Hormone
Substance sécrétée par une glande endocrine, libérée dans la circulation sanguine et destinée à agir de manière spécifique sur un ou plusieurs organes cibles pour en modifier le fonctionnement

Hydrocèle
Epanchement de liquide

Hydrocéphalie
Augmentation de la quantité de liquide céphalorachidien qui provoque une augmentation du volume de la tête

Hyperplasie
Augmentation bénigne du volume d'un tissu par multiplication des cellules qui le constituent

Hypertonie
Augmentation du tonus ou de la pression, supérieure à la norme, par exemple tension artérielle élevée

Hyposensibilisation
Voir désensibilisation

Hypotonie
Diminution du tonus ou d'une pression sous la norme, par exemple hypotension

Ictère
Jaunisse

Iléus
Occlusion intestinale

Glossaire

Immunité
Capacité de défense de l'organisme contre les éléments étrangers, soit par vaccination, soit par production endogène après une maladie

Immunoglobulines
Anticorps produits par le système immunitaire et qui peuvent être utilisés pour protéger contre certaines infections

Incubation
Période s'écoulant entre la contamination (pénétration du microbe dans l'organisme) et l'apparition des premiers signes de la maladie

Infection
Contamination, invasion d'un organisme vivant par des micro-organismes pathogènes (bactéries, virus, champignons, parasites)

Inflammation
Réaction localisée des cellules, de tissus ou de vaisseaux à une agression pour l'éliminer et réparer les dommages causés : les signes typiques de l'inflammation sont la rougeur, la chaleur, la tuméfaction et la douleur

Inhalation
Absorption de certains médicaments par les voies respiratoires, sous la forme de gaz, de vapeurs, ou de particules en suspension

Insuffisance
Incapacité d'un organe d'assumer sa fonction

Insuline
Hormone sécrétée par le pancréas et qui participe, de manière importante, à la régulation du taux de glucose (sucre) dans le sang. Voir diabète sucré

Intradermo-réaction
Test de la peau destiné à identifier une infection par le bacille de Koch

Invagination
Pénétration pathologique d'un segment d'organe creux dans le segment sous-jacent (par exemple, invagination intestinale)

Lavement
Introduction de liquide dans le gros intestin

Laxatif
Médicament utilisé dans le traitement de la constipation

Leucocyte
Globule blanc

Logopédie
Traitement qui vise à corriger les défauts de prononciation chez les enfants

Lordose
Courbure physiologique de la colonne vertébrale, se creusant vers l'avant

Glossaire

Luxation
Déplacement des deux extrémités osseuses d'une articulation, entraînant une perte de contact

Lymphangite
Inflammation des vaisseaux lymphatiques qui se caractérise par une induration qui va de la lésion primitive au ganglion le plus proche

Lymphe
Liquide organique translucide, qui circule dans les vaisseaux lymphatiques, qui sert à alimenter les cellules et les tissus et à transporter les lymphocytes depuis leur lieu de formation dans le sang

Lymphocyte
Cellule du système immunitaire, responsable des réactions de défense de l'organisme contre les substances qu'il considère comme étrangères et produites dans la moelle osseuse, les ganglions lymphatiques, le thymus et la rate

Malignité
Tendance d'un processus pathogène, généralement une tumeur, à proliférer de manière incontrôlée, à détruire les tissus et à mener, sans traitement, à la mort

Méconium
Matière fécale épaisse et collante, excrétée par le nouveau-né pendant les tout premiers jours de sa vie

Méningite
Inflammation des méninges et du liquide céphalorachidien qu'elles contiennent entre leurs feuillets

Métabolisme
Ensemble de réactions biochimiques qui se produisent dans l'organisme

Microbe
Micro-organisme vivant, pathogène, d'origine végétale et animale

**MSN
(Mort Subite du Nourrisson)**
Décès brutal et inattendu d'un bébé

Muqueuse
Membrane qui tapisse les organes creux

Mycose
Infection provoquée par un champignon

Nécrose
Mort d'une cellule ou d'un tissu organique, due à un trouble du métabolisme local

Névralgie
Douleur provoquée par une irritation ou une lésion d'un nerf sensitif qui irradie dans la zone contrôlée par le nerf touché

Glossaire

Neurologue
Médecin spécialisé dans l'étude et le traitement des maladies touchant au système nerveux central et périphérique

Œdème
Rétention pathologique de liquide dans les tissus

Œdème de Quincke
Réaction allergique, caractérisée par une éruption œdémateuse sous-cutanée, surtout dans la région du visage, et très dangereuse

Orthopédiste
Médecin spécialisé dans le diagnostic, la prévention et le traitement des affections congénitales ou acquises de la forme et de la fonction de l'appareil locomoteur

Otite
Inflammation de l'oreille ou d'une partie de l'oreille

Otoscope
Instrument permettant l'examen du conduit auditif du tympan

Palpation
Méthode d'examen clinique du malade qui utilise les mains et les doigts pour recueillir, par le toucher, des informations utiles au diagnostic

Paracétamol
Antidouleur. Voir analgésique

Parésie
Paralysie légère

Pathologie
Etude du développement des maladies (processus et état)

Pédiatre
Médecin spécialisé dans le dépistage, la prévention et le traitement des maladies physiques et psychiques de l'enfant

Pénicilline
Antibiotique obtenu à partir de différents champignons mais aussi par voie synthétique

Physiothérapie
Utilisation thérapeutique des agents naturels : kinésithérapie, ergothérapie, balnéothérapie

Plasma
Constituant liquide du sang

Ponction lombaire
Acte qui consiste à introduire une aiguille creuse dans le rachis entre la 3e et la 4e vertèbre lombaire, pour prélever du liquide céphalorachidien

Postnatal
Après la naissance

Prophylaxie
Prévention par mesures individuelles et collectives de l'apparition des maladies et de leur transmission, ainsi que des troubles du développement

Glossaire

Psychiatrie
Discipline médicale consacrée à l'étude et au traitement des maladies mentales

Psychologie
Etude des fonctions de la conscience et du comportement, ainsi que de leur rôle dans le développement de la personnalité

Pus
Liquide pathologique, fait de cellules sanguines, de cellules des tissus voisins et de suppurations, et de bactéries vivantes ou mortes

Récidive
Réapparition d'une maladie après la guérison complète

Rectal
Qui se rapporte au rectum

Résonance magnétique nucléaire
Technique d'imagerie radiologique utilisant les propriétés de résonance magnétique nucléaire (RMN) et qui donne des images en coupe dans des plans horizontaux, verticaux et obliques et permet de reconnaître certaines tumeurs et malformations

Rhagade
Crevasse (fissure cutanée peu profonde), sans perte de tissu, surtout à proximité des ouvertures corporelles naturelles telles que la bouche, le nez ou l'anus

Scintigraphie
Technique d'imagerie médicale fondée sur la détection des radiations émises par une substance radioactive introduite dans l'organisme et qui permet de diagnostiquer les processus pathologiques (tumeur, métastases, hypertrophie, hypofonction)

Séborrhée
Augmentation pathologique de la sécrétion de sébum par les glandes sébacées

Sébum
Produit de sécrétion des glandes sébacées qui se répand à la surface de l'épiderme

Sécrétion
Production et libération de liquide par les canaux excréteurs des glandes dans les organes creux (estomac, intestins, circulation) ou à la surface de la peau

Septicémie
Infection généralisée du sang

Sérum
Partie liquide du sang

**SIDA
(Syndrome d'Immuno Déficience Acquise)**
Immunodéficience incurable due à une infection virale et qui se

Glossaire

transmet par contact avec le sang et les relations sexuelles

Smegma
Matière blanchâtre qui se trouve chez l'homme dans le sillon balano-préputial et, chez la femme, entre les petites lèvres et le clitoris. Elle est due à la desquamation des cellules épithéliales des organes génitaux

**SNC
(Système Nerveux Central)**
Cerveau et moelle épinière

Spasme
Crampe, contraction involontaire d'un muscle ou d'un groupe de muscles

Stérilité
Incapacité pour un couple de concevoir un enfant

Stéthoscope
Appareil acoustique amplifiant les sons, utilisé pour l'auscultation

Stridor
Sifflement inspiratoire et expiratoire aigu et perçant

Symptôme
Toute manifestation d'une maladie contribuant au diagnostic

Syndrome
Ensemble clinique de symptômes et/ou de signes observables dans

plusieurs états pathologiques différents et sans cause spécifique

Tachycardie
Accélération de la fréquence des battements du cœur

Thrombocyte
Plaquette sanguine importante dans la coagulation du sang

Thrombose
Formation d'un thrombus (caillot sanguin) dans une artère ou une veine

Thyroxine
Principale hormone produite par la glande thyroïde

Tomodensitométrie
Examen radiologique qui utilise le tomodensitomètre ou scanner à rayons X et qui permet d'obtenir, sous forme d'images numériques, des coupes très fines des organes examinés et, ainsi, d'identifier clairement les changements pathologiques et leur localisation

Toxine
Substance toxique d'origine animale, végétale ou microbienne

Transfusion
Injection d'une grande quantité de sang ou d'un de ses constituants directement dans la circulation sanguine

Glossaire

Traumatisme
Lésion corporelle ou choc psychologique grave

Tumeur
Prolifération excessive de cellules anormales ressemblant plus ou moins au tissu environnant et qui finissent par acquérir une autonomie biologique. Il existe des tumeurs bénignes et des tumeurs malignes

Ulcère
Perte de substance plus ou moins profonde d'un revêtement épithélial, soit de la peau, soit des muqueuses

Vaccin
Préparation d'origine microbienne, introduite dans l'organisme pour y provoquer la formation d'anticorps

Vaccination
Administration d'un vaccin destiné à conférer une immunité active. Forme la plus fréquente d'immunisation

Virus
Le plus petit des agents infectieux connus. Il est encore environ 50% à 100% plus petit que la plus petite des bactéries

Index

A

Abattement 62, 115, 154, 173, 175
Abcès 11, 206
Aberration chromosomique 146
Accidents
    comment les éviter 232
    domestiques 232
Acide acétylsalicylique 28, 190
Acné 112
Acné du nourrisson 52
Acquisition du langage 83, 137, 218
Acupuncture 142, 211
Agitation 127
Agressivité 180, 228
Alimentation riche en fibres 89
Alitement 18
Allaitement 13, 145, 225
Allergènes 144, 145, 149, 150
Allergie 68, 75, 77, 144, 194
    alimentaire 145
    au lait de vache 145
    aux pollens 152
    aux protéines lactées 145
    médicamenteuse 146
Amygdales
    dépôt grisâtre et purulent 160
    dépôt jaunâtre 176
    gonflées 73
    palatines 61, 73
    pharyngées 61
    très rouges 70
Analyse d'urine 104
Anémie 99, 117
    ferriprive 99, 101
Angine 70
Angoisses 66, 186, 228
Anorexie 182
Antibiotiques 62, 64, 70, 71, 76, 141, 156, 157, 159
Antiépileptiques 140
Antihistaminiques 144, 153

Antimycotiques 49, 118
Anthroposophie 211
Aoûtats 114
Apnée 158
Appareil locomoteur 128
Appendicite 33, 87, 93, 88, 198
Arrêt cardiaque 236
Arrêt respiratoire 158, 235, 236, 239
Arthrite rhumatoïde 129
Articulations 128
    de la hanche 50
    tuméfiées, rouges, chaudes 129, 154
Arythmie 101
Ascaris 97
Asthénie 99
Asthme bronchique 147
Astigmatisme 79
Atopie 144
Audition, problèmes 73, 80, 82, 83
Autisme 186

B

Bach, fleurs de 211
Bactéries 12, 61, 92, 156, 157
Bain complet 196
Bain de pieds 195
Bain de siège 195
Baisse des performances 127
Balano-prépucite 108, 195
Ballonnement 42, 97, 145, 198
Bandage 209
Bébé hurleur 180
Bégaiement 137
Bêtamimétique 147
Blépharite 77, 197
Blessure
    profonde 249
    perforante 238
Boire et manger 19

Index

Boiterie 135
Borréliose 172
Bouche-à-bouche 235, 239
Bouche, sèche 21
Boulimie 182
Bourse 53, 102, 106
Bouton de fièvre 115
Bronches 61
Bronchiolite 67
Bronchite 67, 174, 176, 206
Bronchite chronique 68
Brûlure 243, 240, 241
  à la miction 109, 108
  par des acides 248
  par des lessives 248

C
Calendrier vaccinal 223
Camphre 46
Candida albicans 49, 118
Cardiopathie 100
Caries 85
Cataplasme
  aux pommes de terre 198, 199
  au saindoux 200
Cataracte 79
Céphalée 142
Cernes 97
Cérumen 83
Cerveau 136
Cervelet 136
Champignon 118
Changement climatique 159
Cinquième maladie 156, 161
Circulation 98
Cœliakie 186
Cœur 98
Coliques 32, 42, 96, 88, 180, 198
  du nourrisson 32, 42, 88, 180, 225
  opiniâtres 88
Côlon 86

Comédon 112
Commotion cérébrale 251
Comportement social 229
Comportement, modification 143
Compresses à l'alcool 206
Compression 76, 249
Condylomes acuminés 124
Congés 229
Conjonctivite 74, 75, 152, 165
Constipation 87, 96, 89, 127, 181, 206
Contrôle du pouls 30
Contusions 206, 238, 249
Convulsions 140, 141, 143
Convulsions fébriles 28, 138, 140, 164
Coqueluche 156, 158
Corps étranger 242
Cortisone 144, 147, 149, 150
Coup de chaleur 113, 246
Coup de soleil 41, 113
Coupure 238
Crème solaire 25, 113
Crise douloureuse 88
  dans le bas du ventre 87
Crises de pleurs 42, 90
Croup 160
Croûtes de lait 48
Culotte de contention 57
Cure 68, 150
Cyphose 130

D
Daltonisme 79
Débitmètre de pointe 147
Défaut de l'œil 73
Déformations du pied 131
Déformations du squelette 130, 131
Démangeaison 97, 109, 114, 115, 117, 118, 119, 120, 149, 171, 179
Dents 84, 218

Index

Dents de lait 84
Dents de sagesse 84
Dermatite 126
Dermatite du siège 50
Dermatophyte 118
Désensibilisation 144, 153
Déshydratation 34, 35, 126
Détresse respiratoire 66, 101, 147, 155, 160, 235
Développement, mental 217
Développement, physique 219
Diabète sucré 125, 126, 181
Diarrhée 34, 87, 92, 95, 97, 145, 146, 198, 204, 205
Diarrhée chez le nourrisson 44
Diazépam 138, 140
Difficulté de calcul 139
Difficulté de déglutition 64, 70, 160, 162, 177
Difficulté de lecture 139
Difficulté d'écriture 139
Difficulté d'endormissement 183, 205, 228
Diphtérie 156, 160
Donner des médicaments 207
Douche écossaise 196
Douleurs
    à la hanche 135
    à la mastication 162,
    à la miction 103,
    à la selle 89,
    à l'oreille 73, 81, 199, 206
    abdominales 15, 32, 42, 69, 87, 88, 89, 90, 92, 95, 96, 97, 145, 162, 173, 180
    articulaire 129, 135, 154, 172
    au mouvement 134
    au mouvement de tête 162
    au toucher 141
    aux dents 55, 84
    aux genoux 135
    aux membres 163, 167, 173, 174
    aux os 133
    dans la région inguinale 103
    dans le bas du ventre 32
    de croissance 132
    la nuit dans les jambes 132
    névralgiques 179
Duodénum 86
Dysfonctionnement cérébral mineur 139, 183
Dysgrammatisme 139
Dysplasie de la hanche 56
Dyspnée d'effort 101

E
Eau 195, 228
Echaudure 240
Ecorchure 238
Ecoulement nasal 62, 63, 71, 152, 163, 165, 173, 195
    chez le bébé 46
    chronique 82
    aqueux 152
Ecoulement oculaire 47
Ectopie testiculaire 106
Eczéma
    atopique 48, 117, 149, 196
    du nourrisson 48
    séborrhéique 48
    suintant 149, 196
Education à la propreté 218
Electrocution 243
Empoisonnement 105, 247
Empoisonnement végétal 247
Encéphalite 141, 162, 172, 173
Encéphalite russe verno-estivale 123, 173
Encoprésie 181
Endocardite 100
Entorse 206, 249
Enurésie 103, 181
Enveloppement 198

Index

abdominal 198
au fromage blanc 199
au saindoux 200
aux graines de lin 198
de la poitrine 200
de l'oreille 199
des mollets 28, 200
du cou 199
Epanchement sanguin 249
Epiderme 110
Epiglottite 65
Epilepsie 140
Eruption cutanée 36, 146
  dans les maladies infantiles 157
  en forme de guirlande 154
  prurigineuse 170
  rosée 165
  rosée à petites taches 167
  rouge 155, 165, 178
  rouge, petites taches 164
  rougeâtre, prurigineuse, 161
  sèche, squameuse 149
  squameuse, jaunâtre 48
  suintante 149
Erythème
  circiné 172
  douloureux 113
  du siège 154
  infectieux 156, 161
Escherichia coli 93
Etat de choc 95, 96, 237
Etouffement 239
Examens obligatoires 216
Excoriation 238
Exophtalmie 127
Fatigue 97, 99, 101, 126, 176
Fièvre 14, 28, 31, 62, 87, 92, 103, 115, 133, 141, 146, 154, 163, 165, 162, 167, 168, 172, 173, 174, 175, 178
  chez le bébé 46
  montée rapide 138

Fissure anale 89
Fleurs de Bach 211
Foie, infection virale 175
Foulure 206
Fracture basilaire 251
  de la colonne 244
  de la main 244
  de l'épaule 244
  des côtes 244
  du bras 244
  du crâne 251
  du doigt 244
  d'un membre 244
  en bois vert 244
  osseuse 244
Frisson 28
Furoncle 111
Gale 114
Ganglions lymphatiques
  gonflés 39, 64, 70, 167, 178, 176, 199
Gastrite 90
Gastro-entérite 44, 92, 198
Gelure 245
Glande thyroïde 125
Glycémie 126
Goitre 125, 127
Gouttes nasales, maison 204
Granulome ombilical 51
Grippe 174, 203

H
Haleine 90, 160
Hémangiome 52
Hémophilie 99
Hépatite 175
Hernie 94
  inguinale 94
  ombilicale 51
Herpès 115
  labial 115
Homéopathie 210

Index

Hormones 125
Hospitalisation 22
Humidification de l'air 19
Hydrocèle 53
Hygiène 228
Hyperesthésie 163
Hyperglycémie 126
Hypotension 196
Hypothermie 245

I
Ictère 54, 175
Iléus intestinal 45, 96
Immunisation 220
Impétigo 116
Inconscience 138, 140, 234, 236
Incubation 18
Infection 117, 135, 154, 199
Infection
   cutanée, bactérienne 116
   des os 244
   des paupières 77
   des reins 103, 105
   des sacs lacrymaux 47
   des voies respiratoires 61
   des voies urinaires 103, 181, 195
   des yeux 47, 197
Influenza 174
Infrarouges 206
Inhalations 179, 196
Insolation 113, 246
Inspiration bruyante 66
Insuffisance circulatoire 237
Insulinodépendance 126
Intertrigo 117
Intoxication
   à l'adoucissant 247
   au tabac 247
   médicamenteuse 247
   par du gaz 247
Invagination intestinale 95

J
Jambes
   en O 131
   en X 131
Jaunisse 54, 175
   du nourrisson 54
Jeu 21, 229

K
Kinésithérapie 131

L
Lait en poudre hypoallergénique 226
Lait maternel 46, 225
Lait spécial 225
Laryngite 65
Laryngite striduleuse 66
Lavement 89
Lentilles 79
Lésion à la colonne vertébrale 244
Leucémie 187
Levure 118
Lit du malade 18
Lordose 130
Luxation de la hanche 57
Lymphogranulomatose 188

M
Mal de tête 38, 71, 105, 141, 143, 154, 155, 163, 173, 180
Mal du transport 24
Malade, chambre 18
Maladies
   de Crohn 93, 187
   de Down 190
   de Hodgkin 188
   de la peau 110
   de Lyme 123, 172
   de Scheuermann 130
   psychosomatiques 180

Index

de la glande thyroïde 127
du métabolisme 125
infantiles 156, 221
Malformation
cardiaque 100
de la paroi nasale 63
des voies urinaires 103
Manque d'oxygène 235
Massage cardiaque 236
Masturbation 139
Mauvaise attitude 130
Mauvaise humeur 90
Mal de gorge 70, 168, 199, 203
Médecin
visite à domicile 17
visite au cabinet 16
Méningite 141, 162, 172, 173
Miction, augmenter 126
Migraine 142
Mollusca contagiosa 124
Mongolisme 190
Mononucléose infectieuse 176
Mort subite du nourrisson 188
Mucoviscidose 189
Muguet 49
Muscles 128
Mycose 118
Myocardite 100, 154, 160
Myopie 79

N
Nausées 32, 35, 91,105, 142, 155, 204
du matin 143
Noyade 239
Nutrition 225

O
Occlusion intestinale 45, 96
Œdème 249
Œdème de Quincke 155
Ombilic, problème 51

Opération en ambulatoire 23
Oreille 80
Oreillons 156, 162, 199
Organes génito-urinaires 102
Orgelet 76, 197
Os 128
Ostéochondrite de la hanche 135
Ostéomyélite 133
Otite moyenne 72, 81, 174
Otite séreuse 82
Oxyure 97
Pancréas 86, 125
Paracétamol 28, 81, 107
Paralysie 173
de l'intestin 96
des muscles 141, 163
du bras 134
Paupières gonflées 77
Peau 110
Pédiatre 16
Pénicilline 154, 156, 168
Péricardite 100
Peri-onyxis 118
Périoste 128
Perlèche 117, 115
Perte d'appétit 32, 70, 73, 91, 89, 97, 101, 103, 173
Perte de poids 97, 126, 127
Perte hydrique 44, 45, 92, 240
Pharmacie de voyage 25
familiale 208
Pharyngite 64
Phimosis 107
Physiothérapie 131
Pied d'athlète 118
Pieds froids 195, 196
Piqûre d'insecte 250
Plantes médicinales 202
Pneumallergène 152
Pneumonie 69, 174
Poids 219
Poliomyélite 156, 163

Index

Pollen allergisant 152
Pollinose 152
Polyarthrite chronique 129
Polypes 73
Position en cas de choc 237
Position latérale de sécurité 234, 246
Pouce, sucer 139
Poumons 98
Poux 121
Premiers secours 232
Presbytie 79
Problèmes gastro-intestinaux 204
Pronation douloureuse 134
Prophylaxie du rachitisme 125
Psoriasis 122
Puce, morsure 120
Pupilles 74

Q
Quinte de toux 158
Quincke, œdème 155

R
Rachitisme 125, 131
Raideur de la nuque 141, 173
   matinale 129
Raucité 65
Réaction antigène-anticorps 154
Réanimation cardio-pulmonaire 236, 239
Régime antidiarrhéique 44, 93
Régurgitation acide 90
Reins 102
Remèdes maison 194
Repos 229
Respiration
   artificielle 235, 239
   nasale 73
Retard de développement 127
Rhinite allergique 152
Rhino-pharyngite 63

Rhino-virus 62
Rhumatisme articulaire aigu 154
Rhume 62, 195, 200, 203
   chez le bébé 46
   de la hanche 135
   des foins 152
Rinçage oculaire 197
Risque mortel 234, 235
Rituels 228
Ronflements 73
Roséole infantile 156, 164
Rougeole 75, 156, 157, 165
Rubéole 167
Rumination 45

S
Saignement
   du nez, de la bouche, des oreilles 238, 251
   ombilical 51
Salmonella 92, 93
Sang 98
   dans les selles 90
   dans les urines 105
Scarlatine 64, 70, 105, 156, 157, 168
Scoliose 130
Scrotum 102
SIDA 189
Sinus 60
   frontaux 71
   maxillaires 71
Sinusite 63, 71, 197, 206
Sirop antitussif maison 204
Sixième maladie 164
Soif 126
Soins au malade 18
Sommeil 228
Sport 229
Squelette 128
Sténose du pylore 45
Strabisme 78

Index

Suppositoire
  antipyrétique 28
  à la cortisone 66
Surdité 80
Surpoids 219
Syndrome
  de Kawasaki 178
  de Reye 28, 190
  d'hyperactivité 183
  main-bouche-pied 177
Système
  digestif 86
  génito-urinaire 102
  immunitaire 12, 228
  nerveux 136
  nerveux central 136
  respiratoire 60

T
Tache ardoisée 52
  de vin 53
Tachycardie 100, 101, 127
Taille 219
Teigne 118
Température
  mesurer 28, 29
  normale 28
Testicule 102, 106
  mobile 106
Tétracycline 172
Thé à l'orange 205
  antipyrétique 203
  électrolytique maison 205
Thermomètre 28, 29, 30
Thymus 61
Tique 123, 139, 172, 173
Toux 15, 37, 62, 160, 163, 165, 173, 197, 200, 204
  aboyante 66
  avec expectoration 67
  avec vomissements 67

chez le bébé 46
douloureuse 69
sèche, irritative 65, 67
Toxicomanie 185
Trachée 61
Trachéo-bronchite 62
Traitement occlusif 78
Traumatisme crânien 251
Trisomie 21 190
Trompe d'Eustache 60, 80, 81, 82
Troubles
  de la coagulation 99
  de la concentration 101, 172
  de la conscience 141
  de la vision 142, 143
  de l'alimentation 182
  de l'audition 83
  de l'élocution 139
  du rythme cardiaque 101, 172
  du sommeil 183, 205
  psychologiques 180
Tuberculose 191
Tumeur cérébrale 143
Tympans 80

U
Ulcère 90
  gastrique 32, 90
  gastro-duodénal 90
  gastro-intestinal 90
Urgences 232
Urticaire 155

V
Vaccination 157, 216, 220
Vagin 102
Vaginite 109
Vaisseaux lymphatiques 98
Varicelle 156, 157, 170, 179
Végétations adénoïdes 73
Ventre distendu 96
Ver solitaire 97

Index

Verrues 124
  plantaires 124
  plates 124
Vésicules 170, 179, 177
  aqueuses 170
  croûtes 116
Virus 12, 61, 92, 156, 157
Vomissements 14, 15, 35, 87, 95, 96, 90, 97, 103, 115, 141, 142, 146, 198, 204, 205
  à jeun 143
  chez le bébé 45

  dans la toux 158
  opiniâtres 45
  sanguinolents 90
Yeux 74
  collants 47, 197
  exophtalmie 127
  larmoyants 152

Z
Zona 179
Zovirax 115, 141, 179

Adresses

Les centres anti-poison

Paris	01-40-05-48-48	Lyon	04-72-11-69-11
Marseille	04-91-75-25-25	Bordeaux	05-56-96-40-80
Lille	03-20-44-44-44	Strasbourg	03-88-37-37-37
Rennes	02-99-59-22-22	Toulouse	05-61-49-33-33
Rouen	02-35-88-44-00	Orléans	02-41-48-21-21
Reims	03-26-78-79-20		

Les hôpitaux spécialisés pour enfants

Toutes les régions de France possèdent au moins un hôpital spécialisé dans le traitement des enfants malades. La plupart des grandes villes ont également un service de pédiatrie dans leur hôpital municipal.
À Paris, voici les deux adresses incontournables :
Hôpital Necker : 149, rue de Sèvres - 75743 Paris cedex 15 - Tél. : 01-44-49-40-00
Hôpital Armand Trousseau : 26, avenue docteur Arnold Netter - 75012 Paris - Tél. : 01-44-73-74-75

Les associations

Sparadrap : cette association réalise de petites brochures à destination des enfants : "J'aime pas les piqûres", etc. Elle met aussi à la disposition du public une médiathèque qui réunit des ouvrages, des témoignages et des études universitaires sur les enfants et la maladie.
Adresse : 48, rue de la Plaine - 75020 Paris - Tél. : 01-43-48-11-80

Arc-en-ciel : cette association très active tente de réaliser les rêves d'enfants gravement malades. Arc-en-ciel a pour marraine Sophie Marceau et pour parrain Nicolas Hulot.
Adresse : Association Arc-en-ciel, BP 17 - 01420 Seyssel - Tél. : 04-50-56-20-01
e-mail : www.i-france.com/arc-en-ciel/

Sida

Sol en Si : l'association Solidarité Enfants Sida répond aux besoins des enfants et de leurs parents touchés par le sida en développant des lieux d'accueil. Présente dans les régions majoritairement touchées par l'épidémie (Ile-de-France, région Provence-Alpes Côte d'Azur et Guyane française), elle a pour objectif de maintenir l'unité de la famille le plus longtemps possible et de trouver des solutions pour aider les parents au quotidien.
Paris : 01-43-49-63-63
01-44-62-69-29
01-43-22-42-81

Adresses

Marseille :   04-91-92-86-66
Nice :   04-93-62-62-77

Cancer

A *chacun son cap* : l'association aide les enfants atteints de leucémie ou de cancer à mieux surmonter leur maladie ou à guérir en leur proposant des activités de voile.
Adresse: 17 rue de Lyon - 29200 Brest - Tél. : 02-98-44-67-45
e-mail : www.multimania.com/acsoncap/

Capucine : l'objectif de cette association est de venir en aide aux enfants atteints de leucémies et d'hémopathies malignes. Des actions sont menées notamment avec l'hôpital Necker.
Adresse : 5, Pigeau Sud - 33620 Marcenais - Tél. : 05-57-68-72-85
e-mail : www.ifrance.com/capucine/

Fédération nationale des centres de lutte contre le cancer :
Adresse : 101, rue de Tolbiac - 75654 Paris cedex 13 - Tél. : 01-44-23-04-04

Hémophilie

AFH : *association française des hémophiles*
Adresse : 6, rue Alexandre Cabanel - 75739 Paris cedex 15 - Tél. : 01-45-67-77-67
Le site internet de cette association est très bien réalisé, vous y trouverez une carte de tous les centres de traitement en France ainsi que de toutes les pharmacies hospitalières : http://www.epsilon-santé.fr/afh

Diabète

Association DIESE : *diabète de l'Insulino-dépendant de l'enfant*
http://perso.club-internet.fr/serco

ADJ : *aide aux jeunes diabétiques*
Adresse : 17, rue Gazan- 75014 Paris - Tél. : 01-44-16-89-89

AFD : *association française des diabétiques*
Adresse : 58, rue Alexandre Dumas - 75011 Paris - Tél. : 01-40-09-24-25

Cécité

ANPEA : *association nationale de parents d'enfants aveugles*
Adresse : 12 bis, rue de Picpus - 75012 Paris - Tél. : 01-43-42-40-40

AFRDV : *association pour la réadaptation des déficients visuels*
Adresse : 43, rue du Père Corentin - 75014 Paris - Tél. : 01-45-40-30-70

Adresses

Epilepsie

AFE: *association pour les épilepsies*
Adresse : 11 avenue Kennedy - 59800 Lille - Tél. : 03-20-92-65-33

ARPEIJE : *association pour la recherche, pour l'éducation et l'insertion des jeunes épileptiques*
Adresse : 5, rue Chante Coq - 92808 Puteaux cedex - Tél. : 01-47-78-10-43

Autisme

Autisme-France : coordination d'associations indépendantes locales ou nationales. 38 associations
Adresse : 1, place d'Aine - 87000 Limoges - Tél. : 05-55-37-04-63

Association Acanthe
Adresse : 36, Orée de Marly - 78590 Noisy-le-Roi - Tél. : 01-34-62-92-38

Association Sésame Autisme 44
http://assoc.wanadoo.fr/sesame.autisme44/

Asthme

Association Asthme
Adresse : 10, rue du commandant Schloesing - 75116 Paris -
Tél. : 01-47-55-03-56

Asmanet
http://www.remcomp.com/asmanet/asthme

Surdité

ANPES : *association nationale de parents d'enfants sourds*
Adresse : 13 ter, rue Henri Lanfant - 31000 Toulouse - Tél. : 05-62-20-90-36

BUCODES : *bureau de la coordination des personnes devenues sourdes et malentendantes*
Adresse : 37, rue Saint-Sébastien - 75011 Paris

Maladies génétiques

Allo-gènes : centre d'informations sur les maladies génétiques
Adresse : hôpital Necker - 149, rue de Sèvres - 75743 Paris cedex 15 -
Tél. : 01-44-49-54-17

AFLM : *association de lutte contre la mucoviscidose*
Adresse : 76, rue Bobillot - 75013 Paris - Tél. : 01-40-78-91-91

Adresses

AFM : *association de lutte contre les myopathies*
Adresse : 1, rue de l'Internationale - BP 59 - 91002 Evry - Tél. : 01-69-47-28-28

Paralysie
AFP : *association des paralysés de France*
Adresse : 28, rue Guitard- 75018 Paris - Tél. : 01-43-72-03-03

Dyslexie
CAED : *comprendre les enfants dyslexiques*
Adresse : 35, rue Marcel Quintaine - 91300 Yerres - Tél. : 01-69-48-08-99

Difficultés de développement
APEDA : *association de parents d'enfants en difficultés d'apprentissage du langage écrit et oral*
Adresse : 3 bis, rue des Solitaires - 78320 Le Mesnil Saint-Denis -
Tél. : 01-34-61-96-43

APTL : *association de parents d'enfants ayant des troubles du langage*
Adresse : 182, rue Nationale - 36400 La Chatre - Tél. : 02-54-48-06-65

APECADE : *association pour la prise en charge des anomalies de développement de l'enfant*
Adresse : 32, boulevard de la Bastille - 75012 Paris - Tél. : 01-40-04-90-00

Drogue
ANIT : *association nationale des Intervenants en Toxicomanie*
Adresse : 8, rue de l'Haye - 69230 Saint-Genis Laval - Tél. : 04-78 56-46-00

Divers
Auxilia : cours gratuits et enseignement à distance
Adresse : 102, rue d'Aguessau - 92100 Boulogne - Tél. : 01-46-04-56-78

CDIA : *centre de documentation de l'assurance*
Adresse : 2, rue de la Chaussée d'Antin - 75009 Paris - Fax : 01-42-47-94-40

ANCE : *association nationale des communautés éducatives*
Adresse : 145, boulevard Magenta - 75010 Paris - Tél. : 01-44-63-51-15

L'édition originale de cet ouvrage a été publiée sous l'intitulé *Kinderkrankheiten*, par Gräfe und Unzer Verlag Gmbh, Munich.

L'auteur :
Dr Helmut Keudel est né en 1940 et a suivi des études de médecine, de pédiatrie et d'homéopathie. Il possède son propre cabinet. Il dirige également deux homes municipaux pour enfants à Munich et s'occupe d'enfants handicapés et retardés mentaux.

Illustrations : Christian Grusa
Autres photos :
Alete : pages 55, 89, 233
Bavaria Bildagentur, TCL : page 22
Bavaria Bildagentur, FPG : page 184
Fotoarchiv Intervent : page 19
Gruner + Jahr, Julia Heinemann : page 57 ; Edith Lauenstein : page 228 ; Marina Raith : pages 40-41, 195, 218 ; Ines Thate : page 8
Gilbert Heerwagen : page 24
Dr Torsten Hoff : page 152
Dr Hemut Keudel : page 177
Klinische Visite, Thomae : pages 162, 165
Milupa : pages 42, 194, 207, 215, 227
Dr Hemut Moll : page 122
Penaten : 7, 212-213, 225
Norbert Schäfer : pages 5, 12, 58-59
Rainer Schmitz : pages 192-193, 202, 211
Odette Teubner : page 92
Isabella Valdivieso : pages 50, 161.

Dessins :
Tomek
Gerlind Bruhn : page 28.

Nous remercions : Prof. Dr Hans-Joachim Suschke pour ses conseils ; les sociétés Alete, Intervent, Milupa, Penaten et Thomae pour leurs photos et bien sûr tous les enfants pour leur participation aux photos de ce livre.

Imprimé en Italie
par G. Canale & C. S.p.A. - Borgaro T.se (Turin)
Dépôt légal n° 22771 juin 2002 - édition 04
ISBN : 2-501-03279-9